LA VIE DE LOUIS RIEL
de Pierre Alfred Charlebois
est le trois cent quarantième ouvrage
publié chez
VLB ÉDITEUR
et le treizième de la collection
«Études québécoises».

LA VIE DE LOUIS RIEL
traduit de l'anglais par
Pierre DesRuisseaux et François Lanctôt

Pierre Alfred Charlebois

LA VIE DE LOUIS RIEL

vlb éditeur

VLB ÉDITEUR
Une division du groupe Ville-Marie Littérature
1000, rue Amherst, suite 102
Montréal (Québec)
H2L 3K4
Tél.: (514) 523-1182
Télécopieur: (514) 282-7530

Maquette de la couverture:
Katherine Sapon

Photo de la couverture:
Louis Riel, circa 1884
Archives publiques du Canada

Photocomposition:
Atelier LHR

Distribution:
AGENCE DE DISTRIBUTION POPULAIRE
955, rue Amherst
Montréal (Québec)
H2L 3K4
Tél.: à Montréal: 523-1182
        de l'extérieur: 1-800-361-4806

Dépôt légal: 3e trimestre 1991
Bibliothèque nationale du Québec
ISBN 2-89005-391-1

PR16,351

Ce livre est dédié
à ma mère Mary
et à mon père Théophile Charlebois,
leur fils reconnaissant.

Ce livre est la version française de l'édition anglaise publiée par N.C. Press, Toronto, Ontario.

Il doit sa parution à la collaboration et au travail désintéressé de Caroline et Janet Walker de N.C. Press. L'édition française a pu voir le jour grâce à l'aide précieuse de Jacques Lanctôt, de VLB Éditeur, à Montréal. Ces deux maisons méritent à juste titre toute ma gratitude. Je désire remercier également mon épouse Rita-Claire, ma sœur Éloïse ainsi que notre bonne amie Germaine Laurin, traductrice, pour leur soutien et leurs conseils éclairés.

À mes compatriotes canadiens-français je dis: «Soyons fiers d'être membres d'une grande famille dont les ancêtres ont forgé un héritage riche et glorieux côté langue et traditions.» Je vous dédie cet ouvrage, fruit de mûres recherches, avec l'espoir que vous n'oublierez jamais, que vous continuerez à porter bien haut le flambeau de la survivance et que vous conserverez précieusement le souvenir des difficultés et embûches auxquelles nos aïeux ont été confrontés. Parmi ces figures de proue émerge Louis Riel qui, comme j'en suis persuadé, fut pendu injustement, donnant sa vie pour la nation métisse et, par le fait même, pour vous, Canadiens français.

PIERRE ALFRED CHARLEBOIS
B.Sc., B.A., M.D., F.R.C.P. (CAN.)

Introduction

J'espère que ce livre, fruit de nombreuses années de recherches, procurera au lecteur autant de plaisir que j'en ai eu à le rédiger. Il devait d'abord paraître sous la forme d'un album de photographies. Puis le texte a pris de l'ampleur, et j'ai voulu présenter de façon toujours plus exhaustive la vie et l'époque de Louis Riel.

Riel fut un homme mystérieux pour nombre de ceux qui l'aimaient, et il le fut encore plus pour ceux qui l'abhorraient. Il mourut pour la cause de son peuple, les Métis du Nord-Ouest canadien. Comment peut-on donner, presque avec empressement, ce qu'on a de plus précieux, sa vie?

Il est extrêmement difficile pour les Canadiens d'aborder les deux insurrections métisses du point de vue des peuples autochtones et des Métis. Lors du second soulèvement, seuls quelques-uns des participants savaient lire ou écrire. Ceux qui le pouvaient écrivaient en français et ils n'avaient qu'un accès limité à l'imprimé. De plus, la brutalité des vainqueurs fut telle que plusieurs craignirent de raconter ce qu'ils avaient vécu.

Aujourd'hui, les seuls documents accessibles de l'époque sont en anglais. Et les comptes rendus des batailles qu'on y trouve visaient manifestement à augmenter le tirage des imprimés. Jusqu'à maintenant, les livres d'histoire se sont appuyés sur l'idée que les colons blancs avaient le droit de s'emparer de la région: elle était inhabitée et ils n'avaient donc qu'à s'en rendre maîtres. En réalité, elle appartenait à ceux qui l'habitaient bien avant que l'homme blanc ne quitte sa lointaine Europe.

Selon un principe de la loi britannique, «possession vaut titre». Cela est particulièrement vrai en cas de conflit de propriété. Pourquoi alors, tout au long de notre histoire, a-t-on fait fi de ce principe lorsque les Métis et les peuples autochtones étaient concernés?

Certains livres traitant de ces événements ont été rédigés de façon à n'offenser personne; d'autres encouragent ouvertement les préjugés raciaux, religieux et nationaux. Des ouvrages savants et plus récents placent tous les événements et tous les individus sur le même pied; ils partent de l'hypothèse qu'il faut se départir de toute présupposition; mais à trop vouloir être équitables, les auteurs de ces livres en arrivent à commettre des injustices. La vie et l'histoire prouvent en effet que tous les individus et les événements n'ont pas la même importance, que les gens agissent pour des motifs bien précis qu'ils ne craignent pas de dévoiler la plupart du temps.

Certains objecteront que ce livre chante les louanges d'un rebelle, d'un traître et d'un assassin. Riel, en fait, fut avant tout un patriote canadien. Il fut le père du Manitoba, le principal dirigeant de la nation métisse et le défenseur des droits des francophones. Le scélérat de la fable est sans contredit sir John A. Macdonald, qui favorisa délibérément les deux soulèvements métis: le premier pour permettre au Canada de s'emparer du territoire et supprimer les droits des francophones au Manitoba; le deuxième pour se donner le prétexte de prêter encore plus de deniers publics au Canadien Pacifique qui était alors au bord de la faillite.

Dans cette biographie, j'ai cherché à montrer les raisons qui amènent un peuple opprimé à prendre les armes pour éviter l'extinction. Durant les heures nombreuses et fascinantes que j'ai consacrées à mes recherches, il m'est devenu évident que Louis Riel était un très grand patriote. Chef d'une nation opprimée comme le furent George Washington, Eamon De Valera et Simon Bolivar, il mérite plus que le modeste hommage qui lui est rendu dans ce livre; il mérite d'être honoré et pris comme modèle par la nation entière; il mérite d'être connu de tous les peuples opprimés.

PIERRE ALFRED CHARLEBOIS
octobre 1975

I

La gloire des Bois-Brûlés

Les ancêtres de Riel: premières frictions

En 1498, Jean Cabot explora la côte du Labrador et la Nouvelle-Écosse; en 1534, Jacques Cartier pénétra dans le golfe du Saint-Laurent. La scène était maintenant prête pour la conquête de l'Amérique du Nord par la Grande-Bretagne et la France. Au début, la France domina le nord-est et le centre de l'Amérique du Nord. Mais, à la suite d'agressions militaires répétées, l'Angleterre parvint à grignoter les possessions françaises et à les intégrer à son empire qui était en pleine expansion. L'Angleterre prit et reprit les principaux forts français: Port-Royal en 1629, en 1654 et en 1710; Québec en 1610 et en 1759; Louisbourg en 1745, en 1748 et en 1758. Finalement, les forts Duquesne, Niagara, Ticonderoga, Carillon, Frontenac et Frédérick tombèrent tous aux mains des Anglais.

En 1610, Henry Hudson explora la baie d'Hudson et quelques années plus tard, en 1659, Radisson et Des Groseillers se rendirent par voie de terre jusqu'au Manitoba. Le 2 mai 1670, Charles II d'Angleterre accorda une charte à la Compagnie de la Baie d'Hudson avec juridiction complète sur la Terre de Rupert, une vaste région entourant la baie d'Hudson. Vingt ans plus tard, un employé de cette même compagnie, Henry Kelsey, fut le premier Blanc à chasser le bison dans les prairies de l'Ouest, sur le territoire des Assiniboines.

En 1733, La Vérendrye découvrit le lac Winnipeg et, en 1738, il fonda le fort Rouge à l'emplacement actuel de la ville de

Winnipeg. En 1760, la France perdit la guerre de Sept Ans contre l'Angleterre et, lors du traité de Paris, en 1763, elle abandonna toutes ses prétentions sur la Terre de Rupert qui comprenait la région où se rejoignent les rivières Rouge et Assiniboine.

La Compagnie de la Baie d'Hudson n'avait qu'une faible emprise sur la région de la rivière Rouge. Le vide était comblé par des marchands indépendants et par des agents et employés de la Compagnie du Nord-Ouest dont le siège social se trouvait alors à Montréal. En 1809, ces derniers établirent le fort Gibraltar à l'embouchure de la rivière Rouge.

Inquiétés par la présence grandissante de leurs concurrents, les dirigeants de la Compagnie de la Baie d'Hudson prirent la décision controversée de faire venir des colons écossais dans la région.

Les marchands savaient que la colonisation finirait par faire disparaître les animaux à fourrure. Mais par ailleurs, la Compagnie du Nord-Ouest avait implanté de petites communautés d'Indiens et de Métis[1] qui s'affairaient à la production du *pemmican* (viande de bison séchée, hachée et mélangée à du gras), qui était la nourriture de base des chasseurs et des marchands. Sans source d'approvisionnement en pemmican, la Compagnie de la Baie d'Hudson ne pouvait espérer l'emporter sur ses concurrents.

En 1812, Thomas Douglas, cinquième comte de Selkirk et important actionnaire de la Compagnie de la Baie d'Hudson, établit une colonie de petits fermiers écossais qui devaient approvisionner la Compagnie mais qui n'avaient pas le droit de faire le commerce des fourrures. Ils s'installèrent à Assiniboia, un territoire de 185 000 kilomètres carrés acheté par le comte.

Les agents de la Compagnie du Nord-Ouest firent alors de leur mieux pour dresser les Métis et les Indiens contre ces nouveaux colons écossais et utilisèrent les écarts de race, de religion et d'origine pour susciter une animosité qui devait durer de nombreuses années.

En 1814, la Compagnie de la Baie d'Hudson se sentit suffisamment solide pour renforcer son monopole et restreindre les activités de sa rivale au moyen de règlements visant directement ses employés autochtones et métis. Elle tenta d'interdire la chasse du bison à cheval (les colons de Selkirk n'avaient pas de chevaux) et l'exportation du pemmican de Rivière-Rouge pour une durée d'un an. Elle entreprit également de confisquer les réserves de pemmican des Métis. Le 19 juin 1816, à la bataille de Sept-Chênes, l'antagonisme entre les colons écossais et les Métis et Indiens dirigés par Cuthbert Grant atteignit son paroxysme.

Lord Selkirk avait nommé Robert Semple gouverneur de la Terre de Rupert. Ce dernier s'était rendu, avec vingt-cinq hommes, intercepter un convoi de Métis qui escortait trois charrettes chargées de pemmican. Nul ne sait d'où vint le premier coup de feu, mais à l'issue de l'affrontement, Semple et au moins dix-neuf de ses hommes étaient morts. Du côté des Métis, on compta un mort et un blessé. Le fort Douglas, poste local de la Compagnie de la Baie d'Hudson, se rendit par la suite, mais ses occupants purent partir sains et saufs. Fous de joie, les Métis commémorèrent leur victoire par une ballade:

CHANSON DE PIERRE FALCON*

> Voulez-vous écouter chanter, } *Bis*
> Une chanson de vérité:
> Le dix-neuf de juin, la bande des Bois-Brûlés,
> Sont arrivés comme des braves guerriers.

> Étant sur le point de débarquer,
> Deux de nos gens se sont écriés:
> Deux de nos gens se sont écriés:
> Voilà l'Anglais qui vient nous attaquer.

> J'avons agi comme des gens d'honneur,
> J'avons envoyé un ambassadeur:
> Le gouverneur, voulez-vous arrêter
> Un petit moment, nous voulons vous parler?

> Le gouverneur qui est enragé,
> Il dit à ses soldats: tirez.

---

* La chanson de Pierre Falcon, dont le titre véritable est *Gloire des Bois- Brûlés* ou *Les Bois-Brûlés*, diverge ici, surtout dans la dernière partie, de la version donnée par H. Larue dans *Le foyer canadien*, volume 1, 1863, p. 368, version que nous citons en partie. Le texte traduit en anglais par l'auteur se lit comme suit: «The first shot came from English pistols – they missed the messenger/We shot the English captain first, then killed nearly all his army,/Only four or five escaped./Do you know who wrote this song?/It is Pierre Falcon the poet of the Red River!» (N.D.T.)

Le premier coup c'est l'Anglais qui a tiré,
L'ambassadeur ils ont manqué tuer.

Le gouverneur qui se croit empereur,
Il veut agir avec rigueur:
Le gouverneur qui se croit empereur,
À son malheur, agit avec trop de rigueur.

Il s'est bien fait tuer
Quantité de ses grenadiers;
J'avons tué presque toute son armée,
Quatre ou cinq se sont sauvés.

Qui a composé la chanson,
Pierriche Falcon, ce bon garçon.
Elle a été faite et composée
Sur la victoire que nous avons gagnée
ou
Chantons la gloire des Bois-Brûlés.

Peu après, lord Selkirk revint avec un groupe de soldats britanniques à la retraite et des mercenaires européens; il consolida le pouvoir de la Compagnie de la Baie d'Hudson en concluant un traité avec le chef indien Peguis. Finalement, les deux compagnies fusionnèrent en 1821. Les marchands de fourrures associés à la Compagnie de la Baie d'Hudson affrontaient maintenant les colons – dont le nombre et la force croissaient sans cesse – sur des questions comme celle du libre commerce des fourrures avec les États-Unis.

Le 20 mai 1822, George Simpson, gouverneur de la région nord de la Terre de Rupert, annonça au conseil des gouverneurs de la Compagnie de la Baie d'Hudson qu'il avait établi un fort au confluent des rivières Rouge et Assiniboine. Il l'appela le fort Garry en souvenir de Nicholas Garry, gouverneur adjoint de la Compagnie, qui avait mené à terme la fusion avec la Compagnie du Nord-Ouest. C'est autour de ce fort qu'allait se développer la ville de Winnipeg.

Avec les années, le commerce des fourrures diminua en importance et, graduellement, les communautés anglophones et francophones défrichèrent la terre, et des villages stables et prospères firent leur apparition. Ces communautés étaient unies

dans l'adversité, en dépit de problèmes persistants qui provenaient de leurs différences d'origine et de religion.

Les sang-mêlé d'origine française et anglaise édifièrent leur
propre culture et commencèrent à acquérir nombre des caractéristiques d'une nation distincte. Ils avaient en commun le passé,
les coutumes et la culture; ils parlaient couramment plusieurs
langues européennes et autochtones et parfois certains dialectes
particuliers. Ils vivaient au sein de communautés qui auraient
pu constituer la base d'une économie autonome et florissante.
Ils avaient déjà élaboré leurs propres lois et tenté à plusieurs
reprises d'établir leur propre gouvernement.

Bien avant l'arrivée du petit groupe de colons de lord Selkirk à la rivière Rouge, les ancêtres de Louis Riel y exerçaient
leurs activités de trappeurs et de commerçants. Marie-Anne
Gaboury, la grand-mère maternelle de Louis Riel, venait d'une
famille de robustes pionniers de Maskinongé, au Québec. En
1807, elle partit vers l'Ouest avec son mari, Jean-Baptiste Lagimodière, sur le difficile chemin des marchands de fourrures. Elle
pagaya, transporta sa part de bagages lors des portages et sup-
porta la promiscuité, les moustiques et les intempéries. Marie-
Anne méritait bien de couler enfin des jours heureux.

Pourtant, en plein cœur de l'hiver 1815, Lagimodière entreprit de franchir à nouveau les 2 200 kilomètres qui séparaient la
rivière Rouge de Montréal. Il transportait du courrier adressé à
lord Selkirk. Si le voyage en canot, l'été, était déjà bien difficile,
on peut imaginer ce que cela représentait pour un homme seul,
après la prise des glaces. Il emportait une provision de pemmican, mais il se fiait surtout à ses talents de tireur et de trappeur.
Il ne craignait pas le froid.

Comme tout habitant*, il avait depuis longtemps appris à
se vêtir chaudement. Nuit et jour, il portait sa tuque*, un double
bonnet de laine sur lequel il pouvait rabattre son capuchon* en
cas de tempête de neige. Son manteau qui était fait d'étoffe du
pays*, une laine résistante tissée à la main, était muni de poches
amples, descendait jusqu'aux genoux et était serré à la taille par
une ceinture fléchée*, ce qui contribuait à le garder bien au
chaud.

---

* En français dans le texte.

Il portait des gants de laine ou des mitaines en peau de mouton avec de la laine à l'intérieur, et parfois les deux. Il protégeait ses pieds des engelures grâce à d'épaisses chaussettes de laine et à des bottes sauvages*; c'étaient des mocassins de peau huilée ou tannée, lacés bien au-dessus des chevilles et adaptés à la marche en raquettes.

Pour le remercier de lui avoir apporté son courrier de si loin, lord Selkirk octroya à Jean-Baptiste Lagimodière un lopin de terre en bordure de la rivière Rouge, en face du fort Douglas. De ce fait, il faisait partie de ceux qui obtinrent un titre de propriété, soit de lord Selkirk, soit de la Compagnie de la Baie d'Hudson. C'est là que naquit Julie Lagimodière, la mère de Louis Riel, et le deuxième enfant blanc à naître dans le Nord-Ouest.

Habile et robuste, Jean-Baptiste Lagimodière était un colon typique de Rivière-Rouge. Les Métis francophones s'amusaient volontiers; la bière qu'ils fabriquaient eux-mêmes coulait à flots pour leurs invités et on dansait à tout rompre au cours de leurs fêtes, tout en chantant avec entrain les vieilles ballades des ancêtres normands. Aux yeux des Anglais et des Écossais plus austères, ces gens devaient sembler bien «désinvoltes et frustes».

La jovialité, la liberté et l'insouciance étaient probablement aussi familières aux Métis besogneux de Rivière-Rouge qu'aux habitants de la vallée du Saint-Laurent. Le fermier de Rivière-Rouge pouvait jouir de la vie parce qu'il était conscient de sa force et qu'il se savait en mesure de faire face à toute éventualité. Mais on les qualifia de «désinvoltes et frustes» pour donner l'impression qu'ils étaient des nomades primitifs et justifier ceux qui voulaient les chasser de la vallée de la rivière Rouge.

Ces hommes qui ramenaient les riches récoltes de fourrures aux entrepôts de la Compagnie de la Baie d'Hudson avaient érigé leurs maisons sur des lopins de terre en bordure de la rivière; ils y récoltaient leur nourriture et y faisaient paître leurs animaux. Toutefois, en raison de techniques agricoles primitives et en l'absence de débouchés, leur principale source de revenu demeurait la chasse et le piégeage. Ils constituaient néanmoins une communauté stable. Plusieurs Métis étaient des descendants des coureurs de bois* qui avaient guidé cartographes et chroniqueurs dont les noms ont enrichi notre histoire.

---

* En français dans le texte.

Rares étaient les Métis qui savaient lire ou écrire. Cependant la prospérité de la Compagnie de la Baie d'Hudson et de ses actionnaires prouve qu'ils connaissaient leur métier. Quiconque s'imagine qu'il est plus facile de piéger des animaux et de tanner des peaux que de tenir des livres, manœuvrer un tour ou vendre des automobiles, devrait en tenter l'expérience. La liste qui suit indique les types de fourrures qui furent vendues par la Compagnie de la Baie d'Hudson à Londres en 1848:

Loutres	4 588
Loutres marines	195
Loups marins à fourrure*	150
Martres	1 202
Renards argentés	900
Renards de toutes espèces	19 344
Ours	5 139
Lynx	31 115
Loups blancs et gris	9 800
Gloutons	680
Martres	150 785
Visons américains	38 103
Castors	21 340
Rats musqués	18 558
Cygnes	1 551
Lynx	632
Chats sauvages	2 000
Cerfs[2]	2 884

❏

Il existe de nombreux témoignages qui nous montrent les rapports amicaux qui régnaient entre les colons.

---

* En français dans le texte.

Les enfants des familles francophones étaient nos meilleurs compagnons et amis. Il me semble superflu de le dire parce qu'entre les familles francophones et nous tous, à Rivière-Rouge, les relations furent toujours empreintes d'amitié et de bienveillance. Dès le début, aux temps les plus difficiles de la colonie, les Canadiens français et les Métis établirent cette amitié sur des bases solides. Ils accueillirent avec chaleur les pauvres Écossais que la famine avait forcés à quitter Forks et à descendre jusqu'au quartier général des chasseurs de bison, à l'embouchure de la rivière Pembina.

Toujours au sujet de cette cordialité et de l'entraide mutuelle constantes qui régnaient à Rivière-Rouge, Mme Norquay[3] déclara que

> lorsqu'un feu de prairie détruisait les meules de foin d'une famille, les voisins se dépêchaient de les remplacer. Lorsque cela arriva aux McBeth, leurs voisins déchargèrent cent charrettes de foin dans la cour de leur ferme dès le lendemain[4].

Tout comme dans l'Est, la communauté jouissait d'une vie sociale fort active. Les festivités des noces duraient souvent plusieurs jours. Le jour de l'An, les familles se rendaient visite de maison en maison, une coutume que même les Indiens adoptèrent. Les colons étaient généralement religieux, et les diverses croyances cohabitaient en harmonie.

❏

Jean-Baptiste Riel était trappeur à l'emploi de la Compagnie du Nord-Ouest à l'Île-à-la-Crosse lorsqu'il épousa une Métisse, Marguerite Boucher. En 1822, il retourna au Québec avec sa famille. Là-bas, son fils, Louis Riel père, fit des études puis apprit le cardage de la laine. En 1838, le jeune homme s'engagea pour une période de trois ans au service de la Compagnie de la Baie d'Hudson, puis il retourna au Québec pour entrer au noviciat des Pères oblats. Environ deux ans plus tard, convaincu qu'il n'avait pas la vocation, il retourna à Saint-Boniface. Il y épousa Julie Lagimodière qui avait jusque-là songé à entrer en communauté. Leur fils, Louis, futur chef des Métis, naquit le 22 octobre 1844 à Saint-Boniface.

Louis Riel père construisit un moulin, ce qui lui valut le surnom de «meunier de la Seine», du nom de la petite rivière qu'il avait partiellement détournée. L'usage des surnoms était répandu au Québec, particulièrement parmi les militaires. Bien qu'il n'eût pas beaucoup de succès dans ses affaires, Louis Riel père était un membre respecté de la communauté.

Les colons s'opposaient continuellement aux tentatives de consolidation du monopole de la Compagnie. Celle-ci ne pouvait couper complètement les liens commerciaux déjà existants avec les Américains du Minnesota. Cependant, les fermiers prospères avaient besoin d'un éventail de biens beaucoup plus large que celui des anciens marchands de fourrures. Et qui d'autre que les Américains pouvait leur vendre du bétail et les approvisionner en cas d'urgence?

Le conseil d'Assiniboia, dirigé par Alexandre Christie qui allait être nommé gouverneur de 1833 à 1839 puis de 1844 à 1848, tenta d'exiger des colons qu'ils vendent *toutes* leurs fourrures à la Compagnie, plutôt qu'aux Américains qui offraient pourtant de meilleurs prix. La Compagnie leur interdisait de conserver la moindre fourrure, même pour leur propre habillement. Et en échange, les étrangers n'avaient pas le droit d'acheter des articles de première nécessité de la Compagnie.

Christie s'efforça de faire appliquer ses lois en dépit d'une opposition croissante. Ses efforts respectaient la lettre mais non l'esprit de la politique de la Compagnie. Au siège social de Londres, on était sensibilisé aux relations publiques bien avant que ce terme ne devienne populaire. Et on indiqua clairement que de mauvaises relations avec les chasseurs et les trappeurs ne pouvaient, à la longue, que nuire aux intérêts de la Compagnie.

Christie pécha donc par excès de zèle lorsqu'il proclama, le 7 décembre 1844:

> Attendu qu'il existe des raisons de croire que certaines personnes s'adonnent au commerce des fourrures, j'avise par la présente que dans le but d'éviter, si possible, d'avoir à adopter des mesures sévères pour éliminer ce trafic illicite, la Compagnie de la Baie d'Hudson ne transportera sur ses

bateaux et ne recevra dans ses ports aucune marchandise destinée à quelque personne que ce soit, à moins que celle-ci n'ait remis au bureau du haut fort Garry, une semaine avant le jour fixé pour le départ du courrier d'hiver, une déclaration en ces termes: «Je déclare par la présente que, depuis ce huit décembre, je n'ai pas vendu de fourrures pour mon profit ni directement ni indirectement; que je n'ai pas cédé de marchandises à crédit; que je n'ai pas prêté d'argent à des personnes généralement soupçonnées de trafic de fourrures; en outre, si à partir de maintenant jusqu'à la mi-août, il appert que j'ai agi en contradiction avec quelque partie de cette déclaration, la Compagnie de la Baie d'Hudson sera en droit de retenir à York Factory, l'an prochain et pendant un an, mes marchandises d'importation ou de les acheter à leur coût initial[5].»

La proclamation de Christie n'eut cependant pas l'effet escompté et, le 20 décembre, il voulut renforcer son édit en proclamant que la Compagnie refuserait de livrer le courrier de quiconque aurait commercé avec les Américains durant l'année précédente.

Comme les lettres étaient transportées par les employés de la Compagnie, Christie pouvait interrompre le courrier. Finalement, en désespoir de cause, il fit fouiller les charrettes se dirigeant vers le sud et fit confisquer les peaux destinées à Pembina.

En 1848, les Métis francophones et anglophones adressèrent des pétitions au gouvernement britannique pour qu'il limite les pouvoirs de la Compagnie. Le père Georges Belcourt les conseilla dans cette tâche et c'est un Métis, James Sinclair, qui porta les pétitions à Londres. Un autre Métis, A.K. Isbister, né dans ce qui allait devenir la Saskatchewan et qui pratiquait alors le droit à Londres, les présenta au ministère des Colonies, mais sans résultat.

La même année, le père Belcourt fut lui-même accusé de commerce de fourrures. Louis Riel père prit alors la tête d'une bande de Métis qui libéra le missionnaire et l'emmena à Saint-Boniface.

Lorsque Guillaume Sayer et trois autres Métis, McGillis, Larone et Goulet, furent arrêtés, le même Louis Riel joua encore un rôle déterminant. Il rassembla un groupe et, à la manière métisse, ils discutèrent du problème. Puis Riel demanda l'avis du père Belcourt. Ce dernier répondit que c'était ceux qui abusaient de leur prétendu pouvoir qui étaient à blâmer, et non ceux qui s'unissaient pour faire respecter leurs droits et défendre ceux qu'on avait insultés et volés.

Sayer et ses compagnons avaient été libérés sous caution en attendant leur procès, qui était prévu pour le 17 mai 1849. Les Métis étaient convaincus que cette date – la fête de l'Ascension – avait été choisie dans l'espoir que l'obligation d'assister à la messe les empêcherait d'être présents au tribunal.

C'est Adam Thom, greffier du conseil d'Assiniboia, nommé et employé par la Compagnie de la Baie d'Hudson, qui devait présider le procès. Or, les Métis croyaient que Thom était à l'origine des mesures qui les opprimaient. Il était Écossais et ne faisait rien pour cacher ses préjugés à l'égard des Français et des Métis. Il ne s'exprimait qu'en anglais, alors que la plupart des gens parlaient français. Il ne nommait jamais d'interprète aux procès qu'il présidait, bien que certains jurés ne puissent comprendre les délibérations conduites en anglais.

Les Métis assistèrent donc à la messe à Saint-Boniface. Puis Riel père les exhorta à se rendre en armes au fort Garry. Des centaines d'hommes se rassemblèrent à l'extérieur du tribunal. La tension monta avec la rumeur que le commandant Caldwell allait faire venir ses militaires retraités. Mais ils ne se montrèrent pas. James Sinclair entra alors dans la salle d'audience, demandant la permission de prendre la défense de Sayer et de s'opposer au choix des jurés. Thom agréa à ces demandes et ce n'est qu'à ce moment que Riel père permit que l'on conduise Sayer dans la salle d'audience.

Sayer plaida coupable. Cependant Thom sauva la face de ses employeurs, probablement sur les instances du gouverneur de la Compagnie de la Baie d'Hudson qui se rendait bien compte de l'impossibilité de faire appliquer ses lois, il déclara que la complicité d'un agent de la Compagnie dans le «crime» de Sayer constituait un motif de non-lieu.

Les Métis comprirent alors qu'ils avaient gagné. C'en était fait des restrictions au commerce dans la région de la rivière Rouge. Ils se mirent à scander: «Le commerce est libre! Le commerce est libre! Vive la liberté![6]»

Peu après, on nomma un greffier bilingue, F. Johnson. Cette concession fut considérée comme le signe que la compagnie reconnaissait ses torts et souhaitait les réparer.

1858-1868: le séminariste et le jeune clerc

D'après ce que nous en savons, Louis Riel grandit au sein d'une famille saine et heureuse. Comme ses parents, il était pieux, travailleur et il réussissait bien à l'école. Il commença probablement ses études à la maison, avant de les poursuivre dans le sous-sol de la maison de monseigneur Taché, sous l'égide des sœurs Grises.

Premier évêque de Saint-Boniface, monseigneur Alexandre Taché était un homme remarquable. Il était né à Rivière-du-Loup, au Québec, le 23 juillet 1823. Son père, officier dans l'armée, mourut alors qu'il n'avait que deux ans. En 1891, il fut diplômé du Séminaire de Montréal. En 1892, il fut nommé administrateur du Collège de Chambly, puis professeur au Collège de Saint-Hyacinthe deux ans plus tard. Il devint ensuite le premier missionnaire oblat dans le Nord-Ouest. Il exerça son ministère à l'Île-à-la-Crosse, Lac Caribou, La Rouge et fut le premier prêtre à officier au lac Athabaska. Il fut nommé évêque de Saint-Boniface le 7 juin 1853.

Louis Riel fut l'un des quatre garçons choisis pour entreprendre l'étude du latin dans la nouvelle école du fort Garry, preuve qu'on le considérait comme un élève des plus brillants. On voulait ainsi aider l'évêque Taché à choisir ceux qui pourraient poursuivre leurs études et que l'on encouragerait à se diriger vers la prêtrise.

Mais les Riel, même s'ils étaient relativement à l'aise, ne pouvaient se permettre de payer le transport, les frais de scolarité et la pension de leur fils. «Son Excellence monseigneur Taché, écrit Joseph Tassé dans *Les Canadiens de l'Ouest*, ayant été impressionné par l'intelligence précoce de Louis, avait trouvé une bienfaitrice d'une générosité proverbiale en la personne de madame Joseph Masson de Terrebonne.»

Les Masson n'étaient plus seigneurs de Terrebonne. Joseph Masson (1791-1847) reposait déjà dans sa tombe lorsque la fortune qu'il avait accumulée grâce à la vente de sa seigneurie et à d'habiles opérations financières servit à payer les frais d'études des jeunes Métis choisis par l'évêque Taché. Au moment de sa mort, Joseph Masson passait pour l'homme le plus riche de tout l'Est du Canada. Sa veuve Sophie perpétua la tradition seigneuriale et distribua une grande partie de ses revenus en secours aux nécessiteux.

Le 1er juin 1858, Louis Riel, son ami Louis Schmidt et un autre garçon se mirent en route pour Montréal en compagnie de sœur Valade, supérieure des sœurs Grises de Saint-Boniface. Ils voyagèrent dans un convoi de charrettes de Rivière-Rouge jusqu'à la traverse de Saint-Paul, au Minnesota. C'est là que Riel rencontra brièvement, et pour la dernière fois, son père qui transportait des marchandises des États-Unis à Rivière-Rouge. Il devait mourir avant que son fils ne revienne dans la région.

Les trois garçons goûtèrent sûrement le voyage. À Saint-Paul, ils embarquèrent sur un vapeur jusqu'à Prairie-du-Chien, puis ils prirent le train pour Chicago, Détroit et finalement le Canada. À Hamilton, sœur Valade leur acheta des oranges, les premières qu'ils eussent jamais mangées.

Ils arrivèrent à Toronto le 4 juillet 1858. Les jeunes furent sans doute plus intéressés par la locomotive à vapeur du train que par la splendeur architecturale de l'ancienne gare Union, sise à l'extrémité de la rue York. Ils furent accueillis par les sœurs de Loretto dont le couvent se trouvait alors rue Adélaïde, près de la rue Bathurst. Tôt le lendemain matin, le petit groupe prit le train pour Montréal.

En septembre 1858, Louis Riel s'inscrivit au Séminaire de Saint-Sulpice, non loin de la place d'Armes, dans le quartier des affaires. Depuis le Régime français, le Séminaire a été témoin des nombreuses vicissitudes de l'histoire de Montréal. Les premiers sulpiciens y arrivèrent avec Paul Chomedey, sieur de Maisonneuve, pour fonder Ville-Marie en 1642.

Les autorités de Québec jugeaient que les fondateurs de Montréal allaient au-devant d'un désastre en établissant le quartier général de leur mission sur cette île du Saint-Laurent grandement exposée aux incursions iroquoises. Mais l'île leur avait été donnée; c'est donc là qu'ils s'installèrent. L'histoire devait d'ailleurs leur donner raison. Les rapides de Lachine, qui entravaient la navigation sur le Saint-Laurent à l'ouest de Montréal, firent de ce petit village la métropole du Canada.

Le Séminaire est encore tel qu'il était à l'époque de Riel et même bien avant; il a survécu aux agressions iroquoises, à la Conquête et à l'occupation britannique ainsi qu'à l'expansion de l'industrie et du commerce. Au-dessus de l'entrée, c'est toujours la même horloge qui sonne les heures. Le jardin derrière la résidence a été conservé tel qu'il était en 1858. Là, tout est calme et serein, propice à l'étude et à la méditation.

Pour Louis et ses compagnons de classe, ce fut une période d'examens, d'observance, de progrès scolaires et de formation spirituelle. Le but de cette formation était de favoriser les vocations religieuses. Si Louis Riel, à cette époque, avait montré le moindre signe d'instabilité ou de déséquilibre mental, il aurait été renvoyé chez lui.

Au Séminaire, on préparait les étudiants pour le ministère des âmes; on leur apprenait à prêcher, à enseigner et à administrer les sacrements. Rien dans la formation des jeunes gens de cette époque tranquille ne les préparait à affronter des politiciens rusés ou des entrepreneurs coriaces.

Après le Séminaire de Saint-Sulpice, Louis fut admis au Collège de Montréal. Le collège est encore, lui aussi, tel qu'il était à cette époque. Et, là aussi, la formation des prêtres était faite de travail ardu et de discipline sévère. Aux dires d'un humoriste, les séminaristes n'avaient que deux droits: le droit de quitter à tout moment et le droit à une sépulture chrétienne. Les étudiants du Collège de Montréal auraient certes abondé dans le même sens.

Qui, de nos jours, choisirait d'étudier le latin, le grec et peut-être l'hébreu en plus des mathématiques, de la philosophie et de la théologie? Les cours de diction, de rhétorique et de chant choral étaient sans doute considérés comme une récréation...

Louis Riel, Louis Schmidt et tous les étudiants aimaient bien les vacances. Il est probable que l'évêque Taché organisait pour eux des séjours à Terrebonne chez les bienfaiteurs de Riel, les Masson, ou encore à Boucherville, chez les Taché. C'est ainsi que s'amorça une amitié qui devait durer de nombreuses années entre Louis Riel et le fils de Sophie Masson, Louis-François. C'est grâce aux Masson que Riel devait connaître monseigneur Ignace Bourget et subir son influence.

Louis-François Masson devait plus tard représenter le comté de Terrebonne à la Chambre des députés du Québec, de 1867 à 1882. Il fit alors tout ce qu'il put pour appuyer Joseph-Alfred Mousseau qui travaillait d'arrache-pied à gagner l'amnistie pour Louis Riel. De toute évidence, Riel bénéficiait de l'affection de ses hôtes.

En février 1864, Riel apprit que son père était mort dans la lointaine vallée de la rivière Rouge. Louis avait été un étudiant stable et travailleur, mais il commença alors à faiblir, à s'absenter de la classe et à être malade. Il n'était pas rare qu'un étudiant quitte le séminaire. Il n'y avait rien de honteux à abandonner après quelques années, ou même après quelques mois ou quelques semaines. Le jeune Riel avait fait un effort louable pour découvrir les desseins de Dieu à son sujet. Aussi, en 1865, dernière année de ses études au séminaire, il décida qu'il ne serait pas prêtre.

Il alla habiter chez son oncle John Lee au Mile-End, qui était alors un village au nord de Montréal. Il se mit bientôt à étudier le droit dans l'étude du célèbre dirigeant du parti Rouge, Rodolphe Laflamme. Ce dernier devait avoir une aussi grande influence sur la pensée, l'action et la personnalité de Riel que ses maîtres de formation catholique et d'études théologiques.

Rodolphe Laflamme avait lui aussi étudié au Séminaire de Saint-Sulpice et au Collège de Montréal. Il avait été l'élève et le compagnon de Louis-Joseph Papineau, un des premiers dirigeants de l'insurrection de 1837. En 1863, il fut nommé conseiller de la reine. Élu au Parlement canadien en 1872, il le fut de nouveau en 1874 avant d'être admis au cabinet des ministres en 1876. C'était un nationaliste québécois, résolument anticlérical et adversaire déclaré de la Confédération.

Environ au moment même où Riel commençait à travailler chez Rodolphe Laflamme, Wilfrid Laurier, le futur Premier ministre du Canada qui avait lui aussi été clerc chez Laflamme, ouvrit un bureau d'avocat.

Le Québec d'alors était secoué par le débat sur la Confédération, ses conséquences économiques et la survie de la langue et de la culture françaises.

❑

Riel était maintenant un jeune homme de près de vingt ans, modelé par une formation conservatrice et profondément religieuse, très intéressé par la politique, la religion et les arts. Il était d'origine française et francophone; cependant il n'était pas Québécois mais Métis.

À sa sortie de ce monde clos qu'était le séminaire, il se trouva plongé dans un contexte nouveau, face à un large éventail d'idées d'avant-garde, stimulantes et souvent fort contradictoires. Grâce à ses nombreux amis et bienfaiteurs, il put rencontrer des gens aux théories originales mais toutes logiques, toutes plausibles. Il eut aussi l'occasion de côtoyer plusieurs de ceux qui allaient façonner l'avenir du Canada et du peuple métis.

Parmi les dirigeants de la société québécoise, le nationalisme constituait le principal sujet de conversation, ce qui dut faire entrevoir à Riel les grandes possibilités qui s'offraient à une nation métisse dans le Nord-Ouest.

Au Québec, le fait saillant du XIXe siècle avait été l'insurrection de 1837-1838. Tous ceux qui contribuèrent à façonner le Québec moderne y ont participé de près ou de loin. Ils étaient encore actifs durant le séjour de Riel à Montréal. Cette insurrection armée avait été dirigée contre le colonialisme britannique, pour protéger et renforcer la nation québécoise. Les Patriotes furent défaits. Le peuple québécois était donc une nation qui avait été vaincue à deux reprises. Comment allait-elle survivre?

Pour l'habitant qui avait versé son sang et pour les dirigeants qui n'avaient pas abandonné leur peuple, la répression fut implacable. Par contre, les collaborateurs eurent droit à des récompenses. Louis-Joseph Papineau obtint une seigneurie. Georges-Étienne Cartier, lui, occupa des postes importants dans l'industrie et au gouvernement, à titre de lieutenant québécois de sir John A. Macdonald.

Quant à Laflamme et aux autres patriotes, leur nationalisme timoré dégénéra en querelles moyenâgeuses qui aboutirent finalement à une réconciliation avec «notre mère l'Église».

Georges-Étienne Cartier était issu d'une riche famille québécoise. Son père fut un des fondateurs de la Banque de Montréal et du St. Lawrence – Lake Champlain Railway. Lui et sa famille représentaient d'importants intérêts financiers québécois dont l'avenir résidait principalement dans l'alliance avec les capitalistes canadiens-anglais et britanniques. Il occupa donc des postes importants au sein de l'entreprise ferroviaire du Grand-Tronc puis du Canadien Pacifique. Cartier était le principal représentant du Québec dans le gouvernement Macdonald – Cartier qui précéda et prépara la Confédération. C'est lui qui vendit l'idée de la Confédération aux Québécois qui se laissaient tenter par cette possibilité. Il utilisa abondamment la menace de l'annexion du Québec aux États-Unis; monarchiste convaincu (donc antirépublicain), il appela les Québécois à «donner une preuve de leur confiance en nos compatriotes anglophones».

Lors de l'union du Haut et du Bas-Canada (l'Est et l'Ouest du Canada d'alors), les Québécois avaient eu, du moins en théorie, une voix égale au chapitre. Dans la nouvelle Confédération, il existait deux niveaux de gouvernement. Au niveau fédéral – le plus important et le plus puissant –, les Québécois comptaient pour moins du tiers des représentants et leur nombre allait en diminuant. Au niveau provincial, les Québécois allaient être en mesure de gouverner à leur guise, mais seulement à l'intérieur des limites imposées par la capitale britannique et par l'Acte de l'Amérique du Nord britannique.

Plus tard, Riel devait se présenter sous la bannière du Parti conservateur, malgré qu'il eût bien peu en commun avec quelque parti politique que ce soit. Mais sa rencontre avec Georges-Étienne Cartier l'avait marqué. Cartier avait visité l'école de Riel en 1860. Et il semble que ce dernier lui ait écrit à l'occasion de la mort de son père en 1864 ainsi qu'en 1865, sans doute pour lui demander un emploi.

Dans une autre lettre, datée du 24 février 1865, Riel souhaite à Cartier de l'emporter sur ses «ennemis et leurs projets néfastes». C'est sans doute à cause de ce premier contact avec Cartier que Riel eut d'abord confiance dans le gouvernement de sir John A. Macdonald.

Au Québec, les Rouges tentaient d'entretenir la ferveur des patriotes mais le mouvement d'opposition qu'ils avaient à offrir était faible et stérile. Certes, ils s'opposaient à la Confédération. (Dans toutes les colonies britanniques de l'Amérique du Nord, il y avait une opposition, surtout au sujet des modalités d'application de l'acte confédératif.) À un certain moment, ils rassemblèrent jusqu'à 20 000 signatures contre la Confédération. Mais la lutte pour préserver la nation québécoise, une lutte pour le pouvoir économique et politique, s'était transformée en une sorte de nationalisme culturel sentimental.

Ce sont les intellectuels, et non le peuple, que leur programme rejoignait, grâce à des journaux et des livres, et à la fondation en 1844 de l'Institut canadien de Montréal, dont Laflamme était un membre fondateur. Dans la salle de lecture de l'Institut, les jeunes gens du parti Rouge pouvaient lire les auteurs mis à l'Index par l'Église catholique, y compris Voltaire,

Lamartine (un des préférés de Riel), Pascal, Montesquieu et Montaigne. Ils pouvaient aussi y discuter de sujets interdits, tels que la liberté de parole et de religion, les libertés civiques, la séparation de l'Église et de l'État, le républicanisme, le libéralisme, etc. Le rapport de lord Durham, rédigé après le soulèvement indépendantiste, avait décrit les Québécois comme un peuple «sans littérature et sans histoire»!

En 1855, lors de la visite à Québec du navire de guerre français *La Capricieuse*, l'excitation était à son comble. Il s'ensuivit une montée du nationalisme québécois et une nouvelle prise de conscience des liens culturels avec la France.

En 1857, l'Institut canadien de Montréal comptait 700 membres. En 1869, l'année qui suivit le retour de Riel à Rivière-Rouge, l'Institut se trouva mêlé à une querelle avec l'évêque Bourget à propos de l'enterrement d'un imprimeur, du nom de Guibord, dans un cimetière catholique! Finalement, Laflamme l'un des membres fondateurs de l'Institut, devait lui-même se réconcilier symboliquement avec l'Église sur son lit de mort.

Les Rouges, de moins en moins radicaux, allaient devenir le Parti libéral, parti de Laurier, qui n'allait appuyer Riel et son peuple que du bout des lèvres, et même alors, trop tard.

Ignace Bourget, évêque de Montréal de 1840 à 1876, s'était d'abord montré favorable aux Patriotes et il évalua rapidement les avantages et les dangers du nationalisme québécois. Aussi, ne tarda-t-il pas à faire du nationalisme culturel des Rouges un complément aux idées les plus conservatrices de l'Église catholique.

L'Église appuyait fermement la Confédération. Cartier avait déclaré à ce sujet: «Le clergé en général s'oppose à toute dissension politique et s'il appuie le projet, c'est qu'il voit dans la Confédération une solution aux problèmes qui perdurent depuis si longtemps.»

Bourget mena une bataille contre l'Institut; il mit son catalogue à l'Index et menaça ceux qui le lisaient d'excommunication. Le clergé, ainsi que les gens de lettres et les artistes qu'il influençait, transforma le nationalisme révolutionnaire de 1837 en un nationalisme conservateur tourné vers le passé et propageant le mythe du peuple élu. Le peuple québécois se trouvait investi de la mission divine de «maintenir et étendre le royaume de Dieu dans le Nouveau-Monde».

En 1867, l'Église du Québec envoya 135 volontaires en Italie pour défendre les États pontificaux contre Garibaldi qui tentait d'unifier l'Italie. Mgr Bourget se fit aussi le champion des «ultramontains» du Québec, une faction de l'Église catholique qui voulait concentrer tous les pouvoirs de l'Église entre les mains du pape. Ce mouvement se consacrait à promouvoir la suprématie de l'Église sur l'État et le contrôle absolu du clergé sur toute activité.

C'est ainsi que Mgr Bourget associa le nationalisme québécois aux tendances les plus conservatrices de l'Église catholique, tout en recommandant l'appui à l'ordre établi, c'est-à-dire à la Confédération et au Parti conservateur.

Riel était canadien et métis, défenseur des droits nationaux des Québécois et révolutionnaire. C'était, en outre, un homme extrêmement religieux qui allait entrer en conflit avec les autorités catholiques.

Au Mile-End, John Lee, oncle de Louis Riel, avait pour voisin la famille Gernon. Riel tomba amoureux de Marie-Julie Gernon, mais cette liaison ne plut guère au père de la jeune fille. Sans doute pour calmer ses appréhensions et le convaincre de changer d'avis, Louis et Marie-Julie se présentèrent le 12 juin 1866 devant le notaire A.G. Décary afin d'y signer un contrat de fiançailles.

Ce document, de près de deux pages de format écolier, jette un peu de lumière sur les usages d'il y a un siècle au Québec. Il est significatif que Riel s'y soit engagé à ne réclamer aucune somme d'argent de Marie-Julie si elle venait à l'épouser. Elle conservait tous ses biens, ce qui comprenait vraisemblablement sa dot. Mais la tentative échoua. Le père de Julie demeura inflexible et lui refusa sa permission d'épouser Louis.

Louis Riel n'expliqua pas les motifs de son départ de Montréal. Il n'était d'ailleurs guère appliqué dans son travail au cabinet de Laflamme. Peut-être Marie-Julie décida-t-elle de se plier à la décision de son père et de revenir sur son engagement. À vingt et un ans, Louis se retrouvait sans emploi et sans but précis. Quelles perspectives s'offraient à un jeune homme instruit (ses études au séminaire équivalaient sûrement à des études en lettres), mais sans véritable formation professionnelle?

Macdonald et Cartier étaient finalement parvenus à faire adopter l'Acte de l'Amérique du Nord britannique, qui unissait la Nouvelle-Écosse, le Nouveau-Brunswick, le Québec et l'Ontario à l'intérieur de la Confédération. Il y avait certes des avantages administratifs à la fondation du jeune dominion du Canada, mais le but principal de cette union était d'empêcher les colonies de l'Amérique du Nord britannique de tomber aux mains des Américains. Pour une bonne partie de la population, l'avenir appartenait plutôt aux États-Unis. L'industrie locale, qu'on avait si longtemps découragée, était très peu développée et les bonnes terres non occupées commençaient à se faire rares dans les quatre provinces qui constituaient le Canada. Attirés par l'industrie naissante et par d'alléchantes lois sur les concessions, les émigrants avaient afflué vers l'Est des États-Unis et la Louisiane, qui avait été achetée de la France en 1803. On estime que le quart de la population du Canada traversa la frontière vers le milieu du XIXe siècle.

On s'acheminait vers l'autonomie politique avec une lenteur désespérante. Après les insurrections de 1837-1838 dans le Haut et le Bas-Canada, la répression fut sévère. Le gouvernement responsable ne fut obtenu qu'en 1848. Et même après la Confédération, le Canada ne possédait ni corps diplomatique ni armée. Les lois devaient en outre recevoir l'approbation du représentant de la reine

❏

On raconte que Riel vécut un certain temps à Chicago avec le poète québécois Louis Fréchette, puis qu'il se rendit à Saint-Paul, au Minnesota, où il travailla dans une boutique, tout en enseignant pour arrondir ses revenus.

NOTES

1. Certains auteurs utilisent le terme *Métis* pour parler de personnes issues d'un parent autochtone et d'un autre d'ascendance québécoise et francophone, et *sang-mêlé* pour parler de ceux dont les parents sont autochtones d'une part et anglophones de l'autre. Cette distinction met l'accent sur les dissemblances plutôt que les similitudes au sein d'une population formant une nation unique et distincte. C'est pourquoi je me suis toujours servi du terme *Métis* pour parler des deux groupes.

2. Tassé, Joseph, *Les Canadiens de l'Ouest*, 3e éd., Montréal, Cie d'Imprimerie Canadienne, 1878.

3. Femme du futur Premier ministre du Manitoba, John Norquay, 1878-1888.

4. Healy, W. Joseph, *Women of the Red River*, Winnipeg, Women's Canadian Club, 1923, p. 208.

5. Stanley, George F., *The Birth of Western Canada*, Toronto, University of Toronto Press, 1960, p. 415.

6. Stanley, George F., *Louis Riel*, Toronto Ryerson Press, 1963, p. 13.

II

Premier soulèvement métis

Rivière-Rouge: une colonie
de la Compagnie de la Baie d'Hudson

« C'est le 28 juillet 1868, tôt le matin, écrit Riel, que je revis mon village natal; c'était un dimanche, avant le lever du soleil. Ce fut une journée merveilleuse. Ce même jour, je revis ma très chère mère ainsi que mes frères et sœurs[1].»

Bien des choses avaient changé durant son absence. Le hameau de McDermotstown, construit autour de l'ancien moulin à farine d'un colon, était devenu la petite ville animée de Winnipeg. Il y avait une armurerie, une boucherie, des marchands de voitures et de harnais, et plusieurs autres commerces. Les sœurs de la Charité avaient ouvert une école. Il y avait aussi deux hôtels et deux saloons.

À Portage-la-Prairie, une autre communauté se développait regroupant surtout des anglophones originaires de l'Ontario mais aussi en provenance des Maritimes. Et à Kildonan, d'autres colons étaient venus rejoindre les protégés de Selkirk. Quelques années plus tard, le recensement de Rivière-Rouge dénombra 5 757 Métis francophones, 4 083 Métis anglophones, 1 565 colons blancs et 558 Indiens.

Depuis 1849, époque où Louis Riel père avait réussi à faire modifier les règlements de la Compagnie de la Baie d'Hudson, la situation était généralement satisfaisante.

En 1859, la Compagnie avait instauré un service de

transport des marchandises et du courrier jusqu'au fort Garry, en passant par Saint-Paul et Pembina au Minnesota. En 1851, le vapeur *Pioneer* entra en service sur la rivière Rouge et, en 1862, la Compagnie le remplaça par l'*International*.

En 1864, William Mactavish succéda à Alexander Dallas comme gouverneur.

Mais en 1869, même un visiteur distrait pouvait sentir qu'il se préparait des bouleversements. Celui qui attisait le plus le mécontentement était un certain docteur Schultz, arrivé à Rivière-Rouge en 1861. Ce fils de marchand était né à Amherstburg, en Ontario, le 1er janvier 1840. Il avait étudié la médecine à l'université Queen's de Kingston pendant deux ans, puis en 1860, il s'était inscrit au Victoria College de Cobourg. Il n'existe toutefois aucune preuve qu'il obtint jamais un diplôme de médecin de quelque institution que ce soit. Schultz se rendit à Rivière-Rouge en 1861 et commença néanmoins à y pratiquer la médecine. Il échappait ainsi à la juridiction de l'Ontario, le conseil d'Assiniboia n'ayant probablement pas encore établi d'exigences pour l'émission des permis de pratique médicale. Heureusement pour ses patients, le commerce prit vite le pas sur ses services professionnels. Moins d'un an plus tard, Schultz exploitait déjà un lucratif commerce de fourrures et un magasin général[2]. Il se présentait, en outre, comme agent immobilier.

Schultz était un homme grand et fort, bien décidé à arriver à ses fins. C'était un membre très actif de l'ordre d'Orange. Les activités de sa loge lui permirent de rencontrer de nombreux représentants des gouvernements provincial et fédéral et de faire appel à leurs bons offices. Il utilisa même ces liens pour influencer les décisions politiques de ses confrères de loge, Mackenzie Bowel et sir John A. Macdonald.

Au Canada, à cette époque, les Orangistes occupaient les principaux postes politiques, tant en Ontario qu'au niveau fédéral. Cette organisation émanait du vieil ordre d'Orange, fondé en Ulster en 1795; son nom lui venait de Guillaume III, prince protestant d'Orange en Hollande, que les révolutionnaires de 1688 avaient placé sur le trône d'Angleterre, après avoir évincé Jacques II, un catholique. Les Irlandais, alors menacés de perdre leurs droits nationaux et religieux, avaient demandé à Jacques II et à Louis XIV de leur venir en aide. Mais Jacques II fut défait à la bataille de la Boyne, le 1er juillet 1690, scellant ainsi le sort de l'Irlande pour les deux siècles à venir.

Au Canada, l'ordre d'Orange, qui était une société secrète vouée à la promotion et à la défense du protestantisme, servit surtout à unir les protestants et à les maintenir à l'écart de leurs compatriotes catholiques d'ascendance française.

À cette époque, les dirigeants de la Compagnie de la Baie d'Hudson constituaient la seule autorité civile dans la région de la rivière Rouge. Mais la mise en vigueur de leurs décrets dépendait de la bonne volonté et de la coopération des citoyens, puisqu'ils ne disposaient pas de troupe armée pour faire respecter leurs lois.

En 1862, le massacre des Sioux, aux États-Unis, et l'arrivée des survivants au nord de la frontière, poussèrent le gouverneur Dallas à rédiger une pétition pour demander à Londres qu'on lui envoie des troupes.

Les colons de la région étaient de plus en plus inquiets, car ils étaient entourés d'Indiens américains et canadiens qui, à cause des mauvaises récoltes, de la sécheresse et de la diminution des troupeaux de bisons, souffraient de la famine. Les Indiens tenaient les colons pour responsables de leurs difficultés et ils les accusaient de s'approprier les meilleures terres et de faire fuir ou d'abattre leur gibier.

Tous étaient conscients que le temps était venu de modifier le régime politique de la région. Mais pareille transformation exigeait du temps. Déjà le nouveau gouvernement du Canada, la Compagnie de la Baie d'Hudson et le Parlement britannique avaient entamé des négociations en vue d'annexer le Nord-Ouest au Canada – tout cela, bien sûr, sans consulter la population concernée. Celle-ci n'en discutait pas moins vivement de l'attitude qu'il convenait d'adopter.

En 1859, deux Britanniques, William Buckingham et William Coldwell, mirent en marche la première presse de la région et publièrent le premier journal du Nord-Ouest, *The Nor'Wester*. Lorsque Buckingham se retira en 1860, James Ross, que la Compagnie de la Baie d'Hudson avait nommé receveur des postes et shérif, acquit des intérêts dans *The Nor'Wester*. Lui-même Métis, Ross avait déjà vécu dans l'Est. Il souhaitait le rattachement du Nord-Ouest au Canada, mais à des conditions favorables à la population locale. Il semble qu'il fut le premier à préconiser la fin du règne de la Compagnie de la Baie d'Hudson sur le territoire, sans toutefois préciser clairement la forme que devrait prendre la nouvelle administration. Il proposa d'abord une colonie de la Couronne, gouvernée par un conseil élu, puis avança l'idée que l'annexion aux États-Unis pourrait constituer une solution[3].

Parmi les communautés francophones et anglophones, une large majorité favorisait l'union avec le Canada. Mais ce sont les modalités de cette union qui suscitaient des dissensions. Les Métis francophones n'étaient pas pressés: ils tenaient à protéger leurs droits religieux et linguistiques.

James Ross, vraisemblablement parce qu'il ne voulait pas de troupes britanniques à Rivière-Rouge, refusa de publier la pétition du gouverneur Dallas. Il prépara sa propre pétition, critiquant de façon générale l'administration de la Compagnie de la Baie d'Hudson et demandant un changement complet de gouvernement. Chacune des pétitions recueillit un certain nombre de signatures, et la dissension s'installa parmi les colons.

Ross s'efforça de donner l'impression que tous les colons étaient mécontents de la Compagnie. Mais lors d'une assemblée, tenue dans la paroisse Saint-Jacques, Louis Riel père intervint en disant: «M. Ross est un menteur et un imposteur quand il prétend que le mécontentement à l'endroit de l'administration de la Compagnie est généralisé alors que, parmi mon peuple (les Métis francophones), un tel mécontentement n'existe pas[4].»

L'évêque Taché, dans une lettre au gouverneur Dallas, émit l'opinion que la région n'était pas mûre pour le changement et que la Compagnie faisait «tout ce que l'on est raisonnablement en droit d'attendre pour cette colonie[5]».

Lorsque Schultz acheta *The Nor'Wester* en 1864 ou 1865, la politique éditoriale changea: il demanda l'annexion au Canada, sans gouvernement local autonome. Il multiplia les attaques à propos des fautes commises par la Compagnie. Pouvait-on s'attendre à ce qu'une organisation commerciale stagnante maintienne tous les services d'une administration publique au sein d'une communauté populeuse? Chaque incident pouvant servir à donner l'impression que la population de Rivière-Rouge souffrait sous le régime de la Compagnie fut amplifié démesurément. Décidé à évincer à tout prix les colons métis, Schultz tenta de contester la validité des droits de propriété de la Compagnie. *The Nor'Wester* publia des articles tendancieux où on affirmait que les colons n'attendaient qu'à être libérés de leur joug par Schultz et ses amis. On y pressait le Canada de s'emparer du Nord-Ouest, comme les Américains l'avaient fait avec le Texas.

Le mépris de Schultz pour les Métis et les Indiens était bien connu. Lui et ses partisans «avaient souvent parlé de repousser les Métis jusqu'aux Rocheuses, pour débarrasser les environs du fort Garry de leur présence[6]». Ils seraient «évincés de la région, ou gardés en tant que charretiers pour conduire les véhicules des nouveaux immigrants[7]». En 1860, ils allèrent jusqu'à écrire dans *The Nor'Wester*: «Les sages et les prévoyants seront prêts à les recevoir [les nouveaux colons] et à en tirer profit; tandis que les autochtones indolents et insouciants s'écarteront devant l'intelligence supérieure.»

Les sages, bien sûr, tireraient profit de la vente des terrains. Schultz avait des projets d'expansion considérables pour son magasin et cherchait à s'emparer des lopins de terre disponibles. À propos d'un des projets de Schultz, Alexander Begg écrivit plus tard dans son journal: «Spence, rédacteur en chef du *New Nation* [et ami de Schultz] a envoyé deux hommes au lac des Bois pour repérer un terrain susceptible d'acquérir de la valeur sur la route du lac Supérieur. Il me semble que le docteur Schultz se préparait à bondir sur ce terrain pour y spéculer à l'arrivée du gouvernement canadien[8].»

Si le Canada ouvrait la région à la colonisation, les marchands d'articles de toutes sortes déjà sur place feraient de très bonnes affaires. Il y avait, du point de vue de Schultz, d'immenses étendues de terre qui ne demandaient qu'à être exploitées et qui constitueraient des sources inépuisables de richesses pour le spéculateur. Les milliers d'hectares de terre dont ces gens s'emparaient étaient certes encore inoccupés; ces hommes n'en étaient pas moins des intrus au sein d'une communauté établie.

Schultz et ses partisans camouflaient leur cupidité derrière leur chauvinisme britannique; ils se prétendaient loyalistes et claironnaient que tous ceux qui différaient d'opinion manquaient de loyauté.

En 1868, Schultz fit plus que critiquer la Compagnie de la Baie d'Hudson et le conseil d'Assiniboia: il passa outre à leurs lois.

Le docteur Schultz s'était associé à M. Henry McKenney dans un commerce qui ferma boutique en 1864; au moment de régler les comptes, le docteur prétendit qu'une somme de 300 livres lui était due. Le litige donna finalement lieu à un procès au cours duquel le docteur Schultz fit certaines remarques désobligeantes à l'endroit de la Cour. Comme il refusait de se rétracter, on lui refusa le droit de se défendre lui-même dans la cause en question et dans plusieurs autres causes pendantes; mais il était toujours propriétaire du journal The Nor'Wester et s'en servit pour dénoncer l'attitude des autorités à son endroit[9].

Ce ne fut pas la fin de cette lamentable affaire. Au moment de dissoudre leur association, McKenney et Schultz devaient une somme considérable à M. F. E. Kew de Londres, somme pour laquelle ils signèrent conjointement un billet à ordre. La dette fut ensuite réduite à 600 livres, que McKenney fut forcé de rembourser lors d'un voyage en Angleterre. À son retour, il entama des procédures contre Schultz pour récupérer sa part. Au début de 1868, McKenney obtint un jugement par défaut contre Schultz.

Comme il n'avait d'autre moyen de se faire rembourser, il décida de saisir, en tant que shérif, les biens de son ancien associé. Schultz résista et, après une échauffourée avec le shérif et ses hommes, il fut ligoté et jeté en prison. On l'accusa de voies de fait sur un représentant de la loi dans l'exercice de ses fonctions. Le «docteur» fut amené devant un magistrat qui décida de le garder en prison jusqu'à son procès.

Cette nuit-là, le 17 janvier 1868, un groupe d'amis de Schultz (dont sa femme) pénétrèrent de force dans la prison, maîtrisèrent les gardiens, enfoncèrent la porte de sa cellule et le libérèrent. Les autorités ne firent ensuite aucun effort pour reprendre Schultz ou pour accuser ceux qui avaient contribué à l'évasion.

Lors d'une réunion du conseil d'Assiniboia convoquée pour discuter des désordres et du mépris de l'autorité dans la communauté, on décida de lever un corps d'auxiliaires bénévoles de la police. On assermenta un certain nombre d'hommes, mais on ne fit jamais appel à eux. Ainsi se termina ce que l'on pourrait bien considérer comme le coup fatal porté à l'autorité de la Compagnie de la Baie d'Hudson à Rivière-Rouge.

La même année, Schultz vendit The Nor'Wester à un de ses partisans, le dentiste Walter Bown. Profitant de l'agitation populaire causée par l'évasion de Schultz, le journal proposa de modifier le système de gouvernement pour que la population élise ses représentants. C'est dans ce but que Schultz et Bown firent signer une pétition adressée au gouvernement britannique. Un groupe de colons lança immédiatement une autre pétition affirmant, entre autres, que la libération illégale du docteur Schultz n'avait pas l'appui de la majorité de la population de Rivière-Rouge. Cette pétition recueillit 804 signatures. Le groupe de colons se rendit chez le rédacteur en chef du *Nor'Wester* pour lui demander de la publier, mais en vain.

Enfin, 1868 fut une année très difficile à Rivière-Rouge. La chasse du bison fut un échec, le gibier et le poisson se faisaient rares. La sécheresse et une invasion de sauterelles dévastèrent les récoltes. On forma un comité de secours auquel la Compagnie de la Baie d'Hudson contribua généreusement. On reçut en outre des dons du Canada (particulièrement du Québec), d'Angleterre et des États-Unis. L'argent venant du Canada devait servir à la construction d'une route.

À cette époque, il n'existait pas de route par voie de terre entre le Canada et le Nord-Ouest. Même les représentants du gouvernement canadien et le courrier officiel à destination de Winnipeg devaient passer par le nord des États-Unis. Le gouvernement canadien, c'était évident, n'était pas dans une position favorable par rapport au problème de Rivière-Rouge. Le 12 juin 1866, le général Banks du Massachusetts présenta au Congrès américain un projet de loi pour annexer le Nord-Ouest aux États-Unis. Le projet fut toutefois abandonné devant la montée de l'opposition au Canada.

William McDougall, ministre des Travaux publics au sein du cabinet de coalition de John A. Macdonald, avait prévu la possibilité que l'Ouest soit rattaché au Canada; il autorisa donc la construction d'une route du fort Garry jusqu'au lac Supérieur; cette route devait plus tard être connue sous le nom de route de Dawson.

L'itinéraire qu'elle devait suivre, à travers une forêt pratiquement vierge, avait été sommairement relevé depuis 1860 par l'arpenteur des Terres du dominion, J.S. Dawson.

McDougall ne demanda aucune autorisation à la Compagnie de la Baie d'Hudson ni aux représentants de la population locale avant d'ordonner à ses arpenteurs et à ses équipes d'ouvriers de commencer le travail. C'est seulement plusieurs mois plus tard, après avoir semé la crainte parmi les fermiers de la région, que McDougall demanda et obtint de la Compagnie l'autorisation de laisser ses hommes traverser un territoire sur lequel le Canada n'avait aucune autorité.

L'arrivée des premiers arpenteurs rappela brusquement aux colons qu'ils n'avaient pas de titres légaux sur leurs terres, même si leurs familles y habitaient depuis des générations.

La Compagnie de la Baie d'Hudson avait divisé les terres de Rivière-Rouge selon le système en usage dans le Bas-Canada (le Québec d'aujourd'hui): d'étroites bandes de terre longues d'environ 3,2 km, bordant la rivière sur une largeur qui variait de huit à quinze chaînées (une chainée = vingt mètres). À une époque où le transport se faisait surtout en canot ou par les bateaux d'York de la Compagnie de la Baie d'Hudson, il était juste et nécessaire que les colons aient accès au plan d'eau. À l'arrière se trouvait une autre bande de trois kilomètres sur laquelle il y avait un «droit de fenaison» permettant de prélever du fourrage lorsque les crues rendaient les pâturages inutilisables.

Lorsqu'il avait acheté le territoire, lord Selkirk s'était engagé à accorder des terres à tous les employés de la Compagnie de la Baie d'Hudson ayant habité la région depuis trois ans. Quand la Compagnie racheta le territoire du fils de Selkirk, elle conserva cette pratique. Les Métis qui avaient travaillé pour la Compagnie avaient légalement droit à leurs terres, mais ils n'avaient aucun document pour le prouver. D'autres familles, dont certaines habitaient là depuis des générations, ne pouvaient s'appuyer sur aucun titre légal, mais seulement sur le fait qu'elles avaient continuellement occupé et amélioré leurs terres. Selon toutes les coutumes de la communauté (et du droit commun), ces gens possédaient la terre qu'ils cultivaient; ils n'étaient pas des nomades comme le prétendait le groupe de Schultz.

L'équipe de construction de la route, dirigée par l'arpenteur John Snow, entreprit ses travaux en 1868, à un endroit nommé Pointe-aux-Chênes, qui allait devenir Sainte-Anne-des-Chênes. Bien que le groupe de Snow fût d'abord bien reçu, il s'attira bientôt le mécontentement de la population de Rivière-Rouge en choisissant de s'associer à Schultz.

C'est Charles Mair, qui avait été nommé comptable et intendant du projet de construction de la route, qui fut l'artisan de ce rapprochement avec Schultz. Son père, James Mair, de Lanark en Ontario, s'était enrichi dans l'industrie du bois. Charles Mair avait étudié à l'université Queen's de Kingston en 1856 et 1857, puis il avait abandonné ses études pour s'occuper des affaires de la famille. Les livres d'histoire du Canada en parlent surtout comme d'un écrivain et poète qui publia *Dreamland and Other Poems* en 1868 et *Tecumseh: a Drama*, en 1886. Mair commença par correspondre avec Schultz puis, en 1869, il épousa sa nièce, Élisabeth Louise McKenney.

«Les Denison, tels des soldats d'élite, se tenaient en première ligne pour défendre le Haut-Canada contre l'agression extérieure et la trahison intérieure[10].» Le riche Torontois qu'était George Taylor Denison ne se faisait aucun scrupule de se servir de Mair pour masquer les intrigues du mouvement *Canada First*.

Ce mouvement, fondé en 1868 par un groupe d'intellectuels sectaires et fanatiques de la même trempe que Charles Mair, était très proche de l'ordre d'Orange. Ses membres faisaient grand étalage de leur loyauté envers le gouvernement fédéral et leur bien-aimée mère patrie, l'Angleterre. Ils justifiaient leurs divagations à l'endroit des catholiques en général, et contre les Canadiens français et les Métis en particulier, en paradant sous la bannière de l'ultra-patriotisme. Cependant l'appât du gain (pas toujours récompensé d'ailleurs) les motivait autant que le chauvinisme et les idées religieuses bornées.

Il semble que Denison n'ait pas été étranger au fait que les lettres de Mair, prétendument adressées à son frère Holmes Mair, soient parvenues à George Brown, propriétaire et rédacteur en chef du *Toronto Globe*. Ces lettres étaient censées fournir «une juste description des capacités du territoire en ce qui concerne son sol, ses produits, son climat et ses possibilités de colonisation[11]». Elles ne tardèrent pas à faire écho aux idées de Schultz et à promouvoir ses objectifs.

Une de ses premières lettres raillait les habitants de Rivière-Rouge.

> Après avoir passé quelques jours à l'hôtel Dutchman [...] je suis allé m'installer chez le docteur Schultz. Du tapage d'une foule hétéroclite de Métis buvant et jouant au billard, au confort tranquille et solide d'un foyer, le changement fut agréable, je te l'assure. J'ai été invité à dîner chez Begg avec le beau-frère du gouverneur, un riche marchand nommé Isbister, et d'autres habitants du Nord-Ouest. Somme toute, l'accueil a été des plus chaleureux, et j'ai quitté l'endroit enchanté de la plupart des choses que j'y ai vues. Cependant, la jalousie et l'animosité sont présentes. Plusieurs hommes riches sont mariés à des Métisses qui n'ont qu'un «totem»

en guise d'armoiries et cherchent à combler leur insuffi-
sance par toutes sortes de manigances à l'endroit de leurs
sœurs «blanches». Celles-ci se replient sur elles-mêmes
pendant que leurs maris se font d'abominables politesses et
gentillesses, alors qu'ils n'ont que le pognon en tête[12].

Les Métisses n'avaient pas d'armoiries, mais les profiteurs
du genre de Schultz et de Snow en avaient-ils, eux? Et même s'ils
avaient fait partie de la haute ou de la petite noblesse, en quoi
cela les aurait-il rendus supérieurs aux Métis ou aux Indiens?
Après tout, le père de Mair n'était qu'un marchand!

À Rivière-Rouge, les préjugés sociaux et raciaux qu'exprimait la prose insipide de Mair provoquèrent l'indignation.
Dutch George Emmerling, propriétaire du Dutch George Hotel,
déclara «que si l'auteur de ces diatribes devait pénétrer dans la
maison [hôtel] qu'il a diffamée, il serait expulsé». Et madame
Bannatyne, épouse d'un riche commerçant et futur député de
Provencher, lui administra plusieurs coups de cravache lorsqu'elle le rencontra au bureau de poste.

Snow établit son quartier général dans une maison qu'il
loua à Pointe-aux-Chênes, à cinquante kilomètres du village. À
quinze kilomètres de là, on construisit une baraque et un groupe
d'hommes se mit au travail sur la route. Bien que McDougall en
parlât plus tard comme d'un projet de secours, la route fit bien
peu pour soulager la misère à Rivière-Rouge. Seuls quelques-
uns des quarante ouvriers venaient de la région. La plupart
venaient du Canada ou des États-Unis et leur salaire de trois
livres sterling par mois leur était versé en grande partie sous
forme de provisions au magasin qu'exploitait Schultz à Pointe-
aux-Chênes. Les hommes étaient d'ailleurs indignés des prix qui
étaient plus élevés qu'à Rivière-Rouge.

Le mécontentement et la méfiance augmentèrent lorsque
Snow et Mair furent accusés de tenter «d'acheter des lopins de
terre aux alentours de Pointe-aux-Chênes, le quartier général
des ouvriers du gouvernement. Certains de ces lopins de terre
étaient habités et ils appartenaient aux Indiens qui n'avaient pas
le droit de vendre. L'affaire souleva une telle indignation que les
responsables du chantier furent avisés de quitter les lieux sur-
le-champ, et Snow fut ensuite condamné par le juge de paix à
payer une amende de dix livres pour avoir donné de l'alcool aux
Indiens[13]». Cette amende, qui équivalait à trois mois et un tiers

du salaire d'un ouvrier de l'équipe de Snow, indique que le conseil d'Assiniboia considérait le fait de donner de l'alcool aux Indiens comme une infraction grave.

Au sujet de cet épisode, Riel écrivit:

> L'arrivée des représentants canadiens dans cette région fut marquée par le mépris qu'ils manifestèrent envers les autorités du territoire des Métis, particulièrement à Pointe-aux-Chênes, une paroisse établie à environ trente milles à l'est du fort Garry. Ils prétendaient acheter des terres des Indiens et pour se renforcer avant de nous affronter, ils cherchèrent à former une alliance avec eux en leur vendant des boissons alcooliques, ce qui était contraire à la loi[14].

Le 22 décembre 1868, le gouverneur adjoint de la Compagnie de la Baie d'Hudson écrivit à sir Frederick Rogers du ministère des Colonies, lui demandant l'intervention du gouvernement de Sa Majesté contre ce qu'il appelait «une intrusion illégale à l'intérieur de la propriété foncière de la Compagnie». La lettre fut transmise à sir Georges-Étienne Cartier et à William McDougall qui se trouvaient alors en Angleterre pour négocier l'acquisition de la Terre de Rupert par le dominion du Canada.

La formation du Comité national des Métis

En réponse à cette lettre, William McDougall dépêcha le colonel John Stoughton Dennis à Rivière-Rouge. Il était chargé de mettre au point un plan pour l'établissement de municipalités dans le Nord-Ouest.

La «Loi sur le gouvernement temporaire de la Terre de Rupert par un lieutenant-gouverneur et un Conseil» fut adoptée à la Chambre des communes du Canada le 1er octobre 1869. William McDougall fut nommé lieutenant-gouverneur.

Le colonel Dennis arriva à Rivière-Rouge en août. McDougall n'avait pas encore pris la peine de prévenir William Mactavish, gouverneur d'Assiniboia et principal administrateur de la Compagnie de la Baie d'Hudson à Rivière-Rouge, que la Terre de Rupert allait devenir territoire canadien dans quelques mois.

Même le siège social de la Compagnie à Londres ne l'avait pas prévenu – il avait eu vent de rumeurs, mais n'avait reçu aucun avis officiel. Personne n'avait cherché, non plus, à informer la population de Rivière-Rouge de la décision prise à l'autre bout du monde par le Canada et la Compagnie, sous les pressions de l'Angleterre.

Mactavish mit Dennis en garde. Le gouverneur connaissait bien la population; il prévint Dennis que les Métis et les Indiens feraient valoir leurs droits à la terre et arrêteraient les travaux jusqu'à ce que leurs revendications soient satisfaites.

L'évêque Taché était en route pour Rome lorsque le colonel Dennis arriva à Saint-Boniface. Il put toutefois rencontrer l'abbé J.M. Lestanc, sans doute le remplaçant de Taché durant son absence. Et, selon ce que Dennis écrivit plus tard, il lui fit part des directives qu'il avait reçues du gouvernement canadien, à savoir de ne déranger aucun fermier. Mais cette information ne fut pas transmise aux Métis.

Le colonel John Stoughton Dennis semble avoir été un «jeune homme prometteur» toute sa vie. Prometteur, puisqu'il put apparemment obtenir une interminable série de nominations politiques grâce à des amis influents.

Il était né le 19 octobre 1820 à York (Toronto). Un tribunal militaire, enquêtant sur sa conduite alors qu'il commandait un détachement au fort Érié pendant les attaques des Fenians, déclara qu'il s'était conduit de façon «inexcusable, imprudente et inefficace». Mais il semble que le tribunal militaire, fidèle à lui-même, ne le rétrograda pas et que Dennis resta colonel jusqu'à la fin de ses jours. Son piètre comportement face aux Fenians ne l'empêcha pas d'être nommé au poste d'agent des Terres publiques dans le Haut-Canada. Son bon ami William McDougall le nomma ensuite au même poste dans le Nord-Ouest – une rétrogradation, mais un emploi tout de même.

La population de Rivière-Rouge commença à se méfier de Dennis lorsqu'il choisit, tout comme Mair avant lui, de s'associer à Schultz. Le commandant Charles A. Boulton, arpenteur dans le groupe de Dennis, décrit ainsi leur arrivée:

> Lorsque le groupe d'arpenteurs arriva, nous renvoyâmes d'abord les chevaux à Pointe-du-Chêne avec ceux de M. Snow, le contremaître du chantier dont j'ai parlé plus haut. Certains d'entre nous furent frappés par la beauté de

l'endroit et décidèrent de s'y installer. Ils se choisirent des terrains qu'ils délimitèrent en vue des les occuper plus tard. Cela provoqua la jalousie des Métis de l'endroit qui nous observaient; et Riel, en l'occurrence, nous suivit pour se rendre compte de ce que nous allions faire. Il n'eut pas de mal à convaincre les sang-mêlé que nos gestes étaient contraires à leurs intérêts, et ils se rassemblèrent pour nous intercepter. Riel, qui était leur porte-parole, nous avertit de ne pas arpenter le terrain et de ne pas en prendre possession. J'ai oublié ses termes exacts mais il déclara, pour l'essentiel, que la région leur appartenait et que nous n'avions pas le droit de l'arpenter. Nous lui avons répondu que nous n'étions que des employés du gouvernement canadien et que nous n'étions pas maîtres des décisions. Il n'y eut aucune manifestation de violence ou d'hostilité, et nous n'accordâmes pas d'importance à cette manifestation. Ce fut pourtant la première scène de la tragédie qui allait se dérouler; c'est ce qui, j'en suis sûr, donna l'idée aux sang-mêlé de répéter l'opération, ce qui donna lieu à ce que l'on appelle «la revendication des piquets[15].»

L'historien Alexander Begg aborde aussi cette question:

Peu après le début des travaux d'arpentage dans la colonie, ces hommes se mirent à revendiquer tous les meilleurs terrains n'appartenant pas encore aux colons. La méthode suivie était celle-ci: lorsqu'un individu choisissait un terrain, il commençait par tracer un sillon avec une charrue tout autour, puis il y plantait des piquets marqués à son nom. Cela était jugé suffisant pour lui donner droit à ce terrain; c'est ainsi que des centaines d'acres furent pris par les spéculateurs. Dès qu'il fut certain que l'Honorable William McDougall allait être gouverneur, il semble que tous ceux qui se prétendaient ses amis à Rivière-Rouge s'empressèrent de s'emparer du plus grand nombre possible de terrains. Et il est notoire que le plus important de ces spéculateurs, le chef du soi-disant *Canadian Party* (Schultz), s'empara de suffisamment de terrains pour devenir le plus grand propriétaire foncier du dominion[16].

L'arpentage continua. Dennis divisa le territoire selon le système américain, soit en zones carrées de 260 hectares avec suffisamment d'espace pour les routes. Aucune des fermes existantes ne convenait à cette méthode d'arpentage.

Dans son récit, le commandant Boulton apporte d'autres détails:

> Nous étions maintenant dans la prairie, loin de toute civilisation, et nous ignorions tout de ce qui se passait dans les villages. Nous avons remonté vers le nord le long du méridien jusqu'au lac Shoal, à l'est du lac Manitoba. L'hiver arriva sans prévenir et paralysa nos travaux. Nous avons lu dans les journaux, qui nous arrivaient à l'occasion, que l'Honorable William McDougall avait été nommé premier gouverneur du Territoire du Nord-Ouest et qu'il était en route pour cette région. Nous avons également appris que Riel et certains sang-mêlé avaient contrecarré les travaux du commandant Webb, un autre arpenteur, et que celui-ci attendait maintenant des ordres. Il semble que M. Webb ait empiété sur la bande de deux milles qui faisait l'objet d'un droit de fenaison, et qu'il jugea plus prudent d'abandonner[17].

La résistance aux arpenteurs se fit de plus en plus forte au cours de l'été 1869 et culmina avec l'établissement du Comité national des Métis de Rivière-Rouge, le 16 octobre.

Les insultes de John Schultz, de Charles Mair et du groupe d'Ontariens qui devinrent leurs partisans avaient suscité le mécontentement des Métis. Ils avaient d'abord vu Snow et ses constructeurs de route se joindre au parti de Schultz. Et maintenant, Dennis et ses arpenteurs mesuraient leur terre ancestrale et s'en emparaient.

Pour les Métis, le mot «Canadien» était synonyme de Schultz. Ils craignaient que l'annexion au Canada n'amène un flot d'individus du même acabit que Schultz et Mair, des protestants fanatiques issus des enclaves orangistes de l'Ontario, ouvertement hostiles non seulement aux Métis, mais aussi aux Québécois et, en fait, aux catholiques de toutes origines.

Dans le but de protéger leurs droits, les Métis entreprirent de s'organiser et ils le firent selon le modèle ordonné des chasseurs de bisons. C'est alors que Riel, de retour depuis peu de l'Est, prit la tête des siens. Le choix était logique: l'homme était instruit et s'exprimait parfaitement en français et convenablement en anglais; il pouvait donc communiquer avec toutes les personnes concernées.

Louis Riel fut probablement le premier Métis à apprendre

la nomination de McDougall au poste de lieutenant-gouverneur de la Terre de Rupert. On peut supposer qu'il avait lu et entendu des commentaires à ce sujet durant son séjour au Québec. Rodolphe Laflamme devait avoir une opinion sur McDougall et les journaux de Montréal commentèrent l'arrivée de ce libéral radical au sein de la coalition Macdonald. Avec ce qu'il savait, Riel était en mesure de prévoir que le futur lieutenant-gouverneur serait tout à fait à l'aise avec la bande de Schultz. Car McDougall était non seulement probritannique, mais anti-francophone, anti-Indien et anti-Métis.

McDougall était un homme corpulent qui prétendait à l'élégance vestimentaire et à des manières raffinées, mais ne parvenait qu'à paraître pompeux et suffisant. Il était totalement dépourvu de tact, toujours convaincu d'avoir raison. John A. Macdonald, pressé d'écarter ce personnage politiquement embarrassant, pouvait avancer quelques raisons pour justifier le choix de McDougall. N'était-ce pas lui qui avait fait pression en faveur de l'acquisition de la Terre de Rupert et des Territoires du Nord-Ouest? N'était-il pas de ces Ontariens qui avaient insisté pour que le Canada colonise l'Ouest?

En juin 1869, Mair et Snow furent aperçus en train d'arpenter des lots à Saint-Norbert, en compagnie du Métis William Hallet qui avait rallié le parti de Schultz[18]. Devant le mécontentement des villageois, ils durent partir en toute hâte. Au début de juillet, un groupe de Métis se rassembla à Saint-Norbert et on décida que Jean-Baptiste Lépine et Baptiste Tourond organiseraient des patrouilles pour empêcher de nouveaux venus de délimiter des terrains en bordure des rivières Rouge et Assiniboine[19]. D'après les notes du père Ritchot, les patrouilles demandaient instamment aux nouveaux venus de s'emparer des concessions au sud de la rivière Sale et non pas dans les paroisses métisses.

Le 24 juillet 1869, un avis signé Pascal Bréland, Joseph Genthon, William Dease et William Hallet, tous Métis, fut publié dans *The Nor'Wester*, invitant leurs compatriotes à une assemblée le 29 juillet au palais de justice du fort Garry. L'assemblée fut dirigée par Dease que les Métis, surtout les francophones, soupçonnaient d'être au service de Schultz. Il insista sur deux points: un, les 300 000 livres payées par le Canada à la Compagnie de la Baie d'Hudson devraient être distribuées aux premiers propriétaires de la région, les Indiens et les Métis; deux,

les Métis devraient faire valoir leurs droits avec force et confisquer les propriétés de la Compagnie à Rivière-Rouge.

L'assistance fut généralement d'accord avec le premier
point. Le territoire avait d'abord appartenu aux peuples autochtones. La Compagnie de la Baie d'Hudson qui l'avait acquis
l'avait ensuite octroyé à leurs pères et grands-pères. Ne leur
appartenait-il toujours pas?

Cependant l'assemblée n'appuya pas l'idée de la confiscation des biens de la Compagnie. John Bruce et Louis Riel s'éle-
vèrent contre cette proposition. Il est difficile de savoir si Riel
comprit que Dease, agissant pour Schultz et ses Canadiens, ne
cherchait qu'à détourner l'opposition sur la Compagnie. C'était,
en tout cas, l'opinion du père Ritchot. Selon lui, la tenue de cette
assemblée eut pour effet concret de mettre «les Métis en garde»
contre Schultz[20].

Louis Riel consacrait alors beaucoup de son temps et de ses
réflexions à la mise au point d'une stratégie: les patrouilles ne
parviendraient pas longtemps à empêcher que l'on s'empare des
terres des Métis.

Au cours de l'été 1869, alors qu'il parcourait la colonie en
discutant de la situation, il en vint à la conclusion qu'un comité
représentant tous les Métis francophones et anglophones devrait se réunir pour étudier «la situation de la région et trouver
des moyens de protester énergiquement contre l'injustice et les
torts faits à la région par le Canada[21].

Deux représentants élus de chaque paroisse formèrent donc
un comité qui se réunit au début d'octobre dans la maison du
père Ritchot à Saint-Norbert. Ritchot ne prit pas part aux discussions, mais il les suivit sûrement de près.

C'est sans aucun doute à cette occasion que fut décidée l'action du 11 octobre 1869. Un groupe d'arpenteurs avançant vers
le nord depuis la frontière commença à dérouler ses chaînes
d'arpentage dans le lot frappé d'un «droit de fenaison» d'André
Nault, à l'arrière de sa propriété. Aussitôt, Riel, Baptiste Tourond et un groupe de Métis arrivèrent. Sans démonstration de
violence, ils foulèrent aux pieds la chaîne des arpenteurs.

Riel déclara alors que la région au sud de la rivière Assini-
boine appartenait à la population de Rivière-Rouge et non au
Canada. Les arpenteurs ne pouvaient poursuivre leur chemin.
Webb ramassa donc ses affaires et s'en alla[22].

Il était temps de réagir. Le 16 octobre 1869, un groupe de

Métis se réunit chez le père Ritchot à Saint-Norbert. Ils y élirent le premier président du «Comité national des Métis», John Bruce, et un comité directeur dont Louis Riel était le secrétaire.

Dennis porta plainte au gouverneur Mactavish et à son adjoint, le docteur William Cowan, juge et administrateur en chef du fort Garry[23]. Tous deux étaient, dans le langage de la Compagnie, des associés d'hivernage. Ils participaient aux profits de la vente des fourrures mais, contrairement aux actionnaires anglais, ils ne participaient pas aux profits que la Compagnie retirait de la vente de terres, de bâtiments ou autres biens. Le transfert de la Terre de Rupert et des Territoires du Nord-Ouest au Canada n'apportait rien aux associés d'hivernage; au contraire, la réduction des zones de chasse diminuait leurs revenus. Mactavish et Cowan considéraient que la Compagnie avait mal protégé leurs intérêts, et ceux de tous ses employés au Canada. Cela pourrait expliquer pourquoi les agents de la Compagnie de la Baie d'Hudson, sans approuver les méthodes des Métis, firent bien peu pour s'y opposer.

Mactavish étant beaucoup trop malade pour faire face à une situation aussi grave, l'affaire fut donc confiée à Cowan. Ce dernier convoqua Riel qui lui déclara simplement que le gouvernement du Canada n'avait pas «le droit de faire des relevés dans ce territoire sans la permission expresse de la population de la colonie[24]».

Entre-temps, McDougall avait quitté Ottawa avec sa suite pour prendre officiellement possession du Nord-Ouest au nom du gouvernement canadien. Ils voyagèrent aux États-Unis jusqu'au bout de la voie ferrée, à Saint-Cloud au Minnesota. Charles Mair, lui, était en voyage de noces avec Élisabeth Louise McKenney, la nièce de John Schultz. Il envoya quand même un télégramme à McDougall pour lui offrir ses services.

McDougall était accompagné d'un groupe important: il y avait son secrétaire, lui aussi un McDougall, deux membres du futur Conseil, J. A. N. Provencher, neveu de l'ancien évêque de Saint-Boniface et le capitaine D.R. Cameron, gendre de sir Charles Tupper, sa femme et ses serviteurs, le docteur A.G. Jacques, le commandant Wallace et M. Richards. Avec les serviteurs de McDougall et les hommes engagés pour voir aux campements sur la route du fort Garry, la troupe était considérable. Toute une bureaucratie était importée d'Ottawa.

Ce sont probablement des Métis qui chargèrent les bagages

de McDougall à bord de ses nombreuses charrettes à Rivière-Rouge. Deux d'entre eux, Elzéar de Lagimodière et un compagnon, observaient attentivement. S'ils aperçurent le trône (selon Alexander Begg, il s'agissait d'un meuble plus luxueux que le trône d'Ottawa), ils furent beaucoup plus intéressés par les 350 carabines Enfield et les caisses de munitions.

Près du fort Abercrombie, McDougall croisa brièvement l'Honorable Joseph Howe qui revenait d'un court voyage de reconnaissance au fort Garry. Il faisait un temps maussade et Howe promit d'écrire à McDougall. Sa lettre datée du 31 octobre 1869 à Saint-Paul mettait McDougall en garde contre Schultz et sa petite clique de fauteurs de troubles; il l'informait que Schultz prétendait être «un représentant et un homme de confiance du gouvernement canadien». Howe ajoutait que «ce serait une grave erreur d'encourager la petite clique de ceux qui s'opposent aux éléments les plus influents de la société[25]».

Le groupe de McDougall venait de traverser Georgetown lorsqu'ils furent dépassés par Elzéar de Lagimodière et son compagnon, pressés d'annoncer à Riel l'arrivée des carabines et des munitions.

Riel et plusieurs dirigeants du Comité national des Métis se réunirent à Saint-Norbert. Un certain nombre d'hommes en armes les accompagnaient. Au sujet de McDougall, ils furent catégoriques. Un ordre bref fut rédigé[26]:

> Saint-Norbert, Rivière-Rouge
> En ce 21e jour d'octobre 1869
> Monsieur:
> Le Comité national des Métis de Rivière-Rouge ordonne à William McDougall de ne pas pénétrer dans le territoire du Nord-Ouest sans la permission spéciale du comité susmentionné.
>
> > Par ordre du président
> > John Bruce
> > Louis Riel, secrétaire

Le même jour, quarante cavaliers quittaient la maison du père Ritchot pour aller ériger une barricade en travers de la route que devait emprunter le soi-disant gouverneur McDougall.

Ce ne sont cependant pas tous les Métis qui étaient convaincus de la légalité ou de la justesse de l'action du Comité national. Le dimanche suivant, après la messe, il y eut une discussion si violente que le père Ritchot fut contraint d'intervenir. Il fit remarquer que tous étaient d'accord sur le fait que le Canada n'avait pas traité la colonie avec respect et qu'il était normal de protester. Le désaccord portait sur la manière de le faire. Personne n'était obligé de suivre Riel et le Comité national. Ritchot lui-même n'appuyait pas le recours aux armes et il cessa toute participation active au soulèvement.

Le lendemain, 25 octobre, Riel et Bruce furent convoqués par le conseil d'Assiniboia. En l'absence de Mactavish, c'est le juge John Black qui présida la séance. Au nom du Conseil, il exprima l'espoir que les Métis francophones n'empêchent pas, comme on le prétendait, McDougall d'entrer à Rivière-Rouge.

Riel répondit que les Métis étaient «parfaitement satisfaits du présent gouvernement et n'en voulaient pas d'autre... Ils s'opposaient à tout gouvernement nommé par le Canada sans les consulter... Ils n'accepteraient jamais aucun gouverneur, étranger à la Compagnie de la Baie d'Hudson peu importait qui le nommerait, à moins que des délégués n'aient d'abord été envoyés pour en négocier les conditions.»

Ils étaient «non instruits et seulement à demi civilisés et ils croyaient que si les immigrants venaient en grand nombre, il n'y aurait plus de place pour eux dans cette région qu'ils réclamaient comme la leur...». Ils étaient convaincus qu'ils agissaient «non seulement pour leur propre bien, mais pour celui de toute la colonie...». Ils ne croyaient pas agir illégalement; «ils défendaient seulement leur liberté...». Ils ne s'attendaient à aucune opposition de leurs «compatriotes anglophones, et espéraient seulement qu'ils se joignent à eux pour réclamer leurs droits communs».

Le Conseil ne parvint pas à convaincre Riel que sa ligne de conduite mènerait les Métis droit au désastre. Riel promit cependant de rapporter l'opinion du Conseil à ses partisans.

Les conseillers discutèrent ensuite de ce qu'ils allaient faire. Comme ils n'avaient aucune force armée à leur service, ils demandèrent à William Dease, le seul membre métis présent, et à Roger Goulet de conscrire «le plus grand nombre possible de francophones respectables et de se rendre au camp de ceux qui voulaient intercepter le gouverneur McDougall pour tenter, si possible, de les disperser pacifiquement[27]».

Goulet refusa de prendre parti. Malgré ses efforts, Dease ne trouva pas de partisans et les quelques-uns qu'il réussit à soudoyer quelques jours plus tard pour l'accompagner à Saint-Norbert comprirent tout de suite qu'ils ne pourraient pas disperser les partisans de Riel. Lorsque le conseil d'Assiniboia se réunit à nouveau le 30 octobre, le juge Black dut constater que la mission de Dease avait complètement échoué. La réunion fut ajournée.

Tensions sur les modalités d'annexion

McDougall arriva le 30 octobre au village frontière de Pembina. Au bureau des douanes américaines, un messager métis lui remit l'ordre du Comité national des Métis.

Contrarié, l'Honorable McDougall fit une violente colère; il fulmina et tempêta contre les messagers métis. Qu'est-ce que c'était que ce comité métis? Il pénétra quand même en territoire britannique et s'installa dans un poste abandonné de la Compagnie de la Baie d'Hudson à quelques kilomètres au nord de Pembina.

Un des membres de sa troupe, Provencher, lui, décida de continuer, suivi de Cameron. Mais, à Saint-Norbert le capitaine Cameron eut beau donner l'ordre, sur un ton martial, d'«ignorer cette satanée barricade», rien n'y fit. Les cavaliers métis reconduisirent Provencher et Cameron à Pembina.

Le 2 novembre, une patrouille de quatorze Métis armés, conduits par Ambroise Lépine, se rendit au poste de la Compagnie de la Baie d'Hudson et ordonna à McDougall de quitter la région avant neuf heures du matin. McDougall fit état du mandat qu'il avait reçu; Lépine l'ignora. «Qui donc m'expulse de la région?» demanda McDougall. «Le gouvernement», répondit Lépine.

McDougall n'eut d'autre choix que de traverser à nouveau la frontière où on lui donna un avertissement: «Vous ne devez plus franchir cette limite.»

Le pauvre gros McDougall, si élégant, était contraint par de misérables Métis de rester dans un vulgaire village de frontière! Sa colère n'aurait pas été moindre s'il avait connu le contenu de la lettre envoyée le 16 novembre 1869 par John A. Macdonald au ministre des Finances, John Rose, qui s'était rendu à Londres à ce sujet: «... McDougall est parti à Rivière-Rouge. On dit dans un journal que les sang-mêlé ont d'abord tenté de l'empêcher de pénétrer dans son morne domaine, mais qu'il les a harangués avec tant d'éloquence que, plutôt que de lui barrer la route, ils lui ont constitué une garde d'honneur et l'ont conduit en triomphe au fort Garry[28]!»

Une semaine plus tard, écrivant encore à Rose, Macdonald fait preuve d'une meilleure compréhension de la situation:

> Comme vous le constatez, nous avons commencé à étendre notre souveraineté à l'occasion d'une guerre! Ce dont je vous ai déjà informé par câble. Il semble que l'on ait indisposé les sang-mêlé en leur racontant toutes sortes d'histoires sur l'intention qu'aurait le Canada de les déposséder de leurs terres et de gouverner sans tenir compte des habitants. Ces histoires ont été habilement propagées et, entre nous, je crains que les gens que McDougall a envoyés là-bas, Snow, Mair et Stoughton Dennis, n'aient pas contribué à aplanir les difficultés.

> Ces sang-mêlé francophones ont toujours été loyaux envers la Compagnie de la Baie d'Hudson et détestent profondément Schultz et cette petite secte qui publie *The Nor'Wester* et qui s'oppose à la Compagnie. Je crains que Snow et Dennis n'aient trop fraternisé avec cet individu extrêmement hargneux et malveillant. De plus, ce qui n'améliore pas la situation, le gouverneur Mactavish est mourant et n'est pas en mesure d'agir avec fermeté. Néanmoins, il faut nous armer de patience et traiter avec ces rebelles du mieux que nous le pouvons.

> Malheureusement, la plupart des prêtres là-bas sont originaires de vieille France et n'ont aucune sympathie à notre égard. Et ce qui n'arrange pas les choses, Cartier a plutôt rabroué l'évêque Taché lorsque celui-ci est passé ici en route pour Rome. Langevin croyait qu'il avait bien agi, mais il semble maintenant que l'évêque ait communiqué son irritation à son représentant – un Français d'origine.

> Nous avons l'intention d'envoyer Charles de Salaberry qui a déjà séjourné là-bas. Il comprend parfaitement les sang-mêlé, pour qui il était presque un héros à l'époque. De même pour monseigneur Thibault qui a déjà été vicaire général là-bas et peut-être monseigneur Belcour[29]...

Le premier rapport de McDougall à Macdonald est daté du 31 octobre 1869 à Pembina:

Je suis désolé mais il semble bien qu'il y aura une insurrection et que le sang pourrait couler. Les documents ci-joints vous fournissent tous les renseignements qui me sont parvenus, à l'exception des rumeurs locales. Celles-ci n'ont pas vraiment de signification et ne valent pas la peine d'être répétées, mais il est un fait important, à savoir: les colons sang-mêlé d'ici, peut-être une douzaine de familles, ont tenu des réunions secrètes à l'instigation d'émissaires venus du fort Garry. Je ne crois pas qu'ils aient pris de décision jusqu'ici.

Deux des colons les plus influents m'ont rendu visite aujourd'hui. Leur porte-parole, un certain Marceau, d'origine canadienne-française, m'a assuré qu'il n'appuyait pas le mouvement et qu'il refusait de participer aux réunions. Il dit que les sang-mêlé sont ignorants et que des groupes les poussent à agir; qu'ils avaient lu dans les journaux que toutes les lois seraient statuées par le gouvernement du Canada et que personne de Rivière-Rouge ne ferait partie de la loi (c'est-à-dire du Conseil); que les sang-mêlé seraient repoussés loin de la rivière et leurs terres octroyées à d'autres, etc.

Je l'ai assuré qu'il n'y avait rien de vrai dans ces histoires et que ses compatriotes ne devraient pas croire ce que publient les journaux canadiens, particulièrement le *Globe*, au sujet des intentions du gouvernement canadien. Il doit revenir me voir demain et se propose d'aller à la barricade pour persuader ses compatriotes de rentrer chez eux. Je mentionne ce cas pour illustrer comment les commentaires et déclarations malavisés des journaux canadiens provoquent la violence dans cette région éloignée.

Mais le pire dans cette affaire, c'est l'apparente complicité des prêtres. Il semble assuré qu'au moins l'un d'entre eux a ouvertement prêché en faveur de la sédition et a fourni aide et réconfort aux groupes armés. J'ai été désolé d'apprendre que tous les prêtres de la région, à une ou deux exceptions près, viennent de France et n'ont aucune sympathie pour le Canada et les Canadiens.

Les journaux qui accompagnent mon rapport ont probablement exagéré, puisque leurs sources d'information sont protestantes; mais j'ai suffisamment de renseignements en provenance d'autres sources pour me convaincre que l'on ne peut compter sur le clergé catholique local pour appuyer l'autorité du nouveau gouvernement. Vous devrez lancer un appel aux volontaires pour coloniser la région et chacun d'eux devrait avoir une bonne carabine parmi ses instruments aratoires[30]...

«Volontaires... coloniser... une bonne carabine...», l'attitude de McDougall était claire. Le messager envoyé par le Comité national l'empêchait d'entrer «sans permission». Mais il était trop entêté pour s'enquérir des conditions de cette permission.

McDougall était ce type d'homme du XIXe siècle pour qui tout Métis devait obéir sans délai à tout ordre émis au nom de la reine.

❑

Riel voulait négocier un accord ferme; le gouvernement ne voulait pas. Riel comprit donc qu'il devait retarder l'occupation du territoire par le Canada jusqu'à ce que les droits économiques, politiques et religieux des Métis soient garantis. Cela signifiait qu'il devait s'emparer du fort Garry qui occupait une position stratégique: la mainmise sur le fort équivalait au contrôle de la région. Avec 400 hommes à loger et à nourrir, les provisions du fort lui étaient indispensables. En outre, en occupant le fort Garry il ferait la preuve de sa capacité de commander, ce qui amènerait les Métis anglophones à comprendre qu'il était dans leur intérêt de s'unir à leurs frères pour présenter un front commun face au Canada.

Le fort Garry était situé au centre de l'actuelle Winnipeg, sur la rive nord de l'Assiniboine, juste avant sa jonction avec la rivière Rouge. Ses hauts murs de pierre formaient un rectangle de 185 mètres de long par 155 mètres de large, le long d'un axe allant du sud-est au nord-ouest. Le mur sud-est faisait face à la rivière Assiniboine et était percé au centre d'un portail appelé *porte de la rivière*. Ce portail fut démoli en 1884. Le mur nord-ouest avait plus fière allure avec sa porte principale qui s'élève encore aujourd'hui dans le parc du fort Garry, près de l'hôtel du même nom. Chaque coin de l'enceinte était protégé par une tour circulaire en pierre.

Le mess des officiers, au bout du champ de manœuvres faisant face à la *porte de la rivière*, était le centre de la vie sociale du fort. L'escalier extérieur menait à un palier à l'étage. C'est de cet endroit que Riel et Donald Smith s'adressèrent aux Métis durant les assemblées tenues au début de l'hiver 1870. À l'intérieur, les murs étaient décorés de masques représentant des hommes et des animaux, de fusils bien astiqués, de cornets à plombs, de cornes à poudre, de sacs à feu, d'objets d'art indien faits d'écorce, d'aiguilles de porc-épic et de perles, le tout parmi des gravures européennes représentant des scènes de chasse ou de courses de chevaux.

Le 2 novembre 1869, 120 hommes armés dirigés par Riel pénétrèrent par petits groupes dans le fort Garry.

Sur l'événement, Alexander Begg écrit: «Riel et ses hommes furent reçus par le docteur Cowan», un important négociant de la Compagnie et officier responsable du fort.

«Que venez-vous faire ici avec tous ces hommes armés?, demanda Cowan.

– Nous sommes venus protéger le fort, répondit Riel.

– Contre qui?

– Contre un danger qui me paraît imminent mais que je ne peux vous dévoiler pour l'instant[31].»

Le docteur Cowan était impuissant. Ces hommes étaient précisément les fidèles employés de la Compagnie qu'il aurait enrôlés en cas de danger. Dès le début de la confrontation, Riel et ses hommes s'engagèrent à respecter les personnes et la propriété. Ils étaient parvenus à s'emparer du fort Garry avant que McDougall ou la clique de Schultz ait eu le temps de lever une troupe quelconque.

Le succès du plan de Riel dépendait de l'appui des colons anglophones, dont certains jugeaient son geste tyrannique. Il publia donc, le 6 novembre 1869, l'invitation suivante:

> Le président et les représentants de la population franco-phone de la Terre de Rupert réunis en Conseil (les spolia-teurs de nos droits ayant été expulsés) sont conscients de votre solidarité et vous tendent une main amie, à vous,

aimables concitoyens: ce faisant, nous vous invitons à nous envoyer douze représentants, à savoir:

– Saint-Jean	1
– Sainte-Marguerite	1
– Headingly	1
– Saint-Jacques	1
– Saint-André	1
– Saint-Clément	1
– Sainte-Marie	1
– Kildonan	1
– Saint-Paul	1
– Saint-Pierre	1
– Winnipeg	2

dans le but de constituer, avec le conseil de douze membres susmentionné, un organisme devant examiner la situation politique de la région et adopter toute mesure jugée bénéfique pour l'avenir de ladite région.

Une réunion du conseil susmentionné à laquelle participeront les représentants invités se tiendra au palais de justice du fort Garry, le mardi 18 novembre.

Par ordre du président,
Louis Riel, secrétaire[32]

Lors d'une réunion tenue le 16 novembre, on adopta un drapeau. La seule description que nous en ayons se trouve dans le document 33 du 41e Congrès américain, 2e session: «Un drapeau a été adopté représentant trois croix sur fond blanc, la croix du centre étant grande et mauve, les deux autres plus petites et dorées. Une frange dorée borde le fond blanc.»

Au cours de cette période, les clefs du fort Garry furent remises au Comité national et un nouveau drapeau, représentant une fleur de lis dorée sur fond blanc, fut hissé au mât du fort Garry, preuve de la reddition du poste de la Compagnie de la Baie d'Hudson. L'assemblée suivante eut lieu le 23 novembre.

Les colons anglophones, sans être convaincus des avantages d'appuyer Riel, ne voyaient pas de raison de se taire. Leurs représentants participèrent donc à la réunion. À un certain moment, les échanges furent orageux, surtout entre Riel et James Ross, le Métis anglophone de Kildonan et ancien propriétaire du Nor'Wester. La discussion porta sur une proclamation émise le même jour par le gouverneur Mactavish. Bien qu'elle fût peut-être publiée sous les ordres de McDougall, son ton indiquait que Mactavish, mourant, espérait dissuader les Métis de poser des gestes qu'il jugeait nuisibles à leur cause.

Mactavish y énumère les «gestes illégaux», le sixième et dernier étant «de résister aux modalités prévues par le Parlement impérial pour le transfert du gouvernement de cette région, ce qui constitue pratiquement un geste de défi à l'endroit de l'autorité royale». Il termine sur ces mots: «Vous faites face à une crise dont les conséquences peuvent être infiniment bénéfiques ou infiniment néfastes: aussi, avec toute l'autorité octroyée par ma charge officielle et toute mon influence personnelle, je vous somme enfin de n'adopter que des mesures conformes à la loi et à la constitution, à la raison et à la prudence[33].»

Dès le début de la réunion, Ross déclara que la proclamation montrait que les Métis étaient en rébellion contre la reine. Les notes de Riel nous fournissent sa réponse:

> Si nous sommes des rebelles, alors nous sommes des rebelles contre la Compagnie qui nous a vendus, et contre le Canada qui veut nous acheter. Nous ne nous rebellons pas contre l'autorité britannique qui n'a pas encore donné son approbation finale au transfert de la région... Nous sommes fidèles à notre terre natale. Nous la protégeons contre les dangers qui la menacent. Nous voulons que le peuple de Rivière-Rouge soit un peuple libre.
>
> Aidons-nous les uns les autres. Nous sommes tous frères et amis, selon M. James Ross, et c'est vrai. Ne nous séparons pas. Voyez ce que dit M. Mactavish. Il dit que cette assemblée et les décisions qu'elle prendra pourraient avoir des conséquences incalculablement bénéfiques. Unissons-nous. Le mal qu'il craint ne surviendra pas. Voyez comment il parle. Est-ce surprenant? Ses enfants sont de sang mêlé comme nous[34].

Riel considérait la formation d'un gouvernement provisoire comme le moyen d'unir tous les colons et de leur permettre de négocier avec le Canada. Il avait d'abord dû vaincre les réticences des Métis francophones. Pour les amener à accepter son idée, les discussions avaient été longues et ardues. Et maintenant que les colons anglophones, et particulièrement Ross, le mettaient au défi d'expliquer les demandes et les projets des francophones, il était en mesure de répondre, comme il l'écrit dans ses notes:

> Vous savez parfaitement bien ce que nous voulons. Nous voulons ce que chaque paroisse francophone désire. Et elles veulent former un gouvernement provisoire pour notre protection et pour traiter avec le Canada. Nous vous invitons à vous joindre à nous en toute sincérité. Ce gouvernement sera composé à parts égales de francophones et d'anglophones et il ne sera que provisoire, de par sa nature même[35].

La réunion fut ajournée pour permettre l'étude des propositions. La discussion fut vive parmi les groupes anglophones mais, craignant que la mésentente avec les francophones ne renforce la position de la clique de Schultz, ils suggérèrent un compromis. Selon le *Journal* d'Alexander Begg, le docteur Curtis J. Bird, un natif de Rivière-Rouge qui représentait Saint-Paul, W.B. O'Donoghue, un Américain représentant Saint-Boniface, A. G. B. Bannatyne et Alexander Begg lui-même proposèrent de remettre sur pied le conseil d'Assiniboia en tant que corps législatif et d'élire un nouveau conseil exécutif «dont la tâche serait de négocier avec le gouvernement canadien les modalités de l'annexion de cette région au Canada[36]».

Ce n'est qu'après une longue discussion, le 27 novembre, que Riel accepta ce compromis, mais à la condition que les paroisses anglophones s'engagent à rejoindre les francophones sur un pied d'égalité afin, selon le *Journal* de Begg, de «présenter les revendications de la population au gouvernement du Canada».

Le *Canadian Party* de Schultz avait tenté de dissuader les colons anglophones d'accepter l'invitation de Riel. Le groupe s'empressa de publier la proclamation du gouverneur Mactavish et publia une édition spéciale du *Nor'Wester* avec une pétition adressée à Mactavish de la part des «amis du Canada», lui demandant d'ordonner la dispersion des Métis. Ils firent en outre circuler une pétition demandant le retrait des représentants de Winnipeg du Comité national.

Les résultats de leurs efforts furent négligeables. Mais McDougall était toujours à Pembina et, le 1er décembre, il deviendrait lieutenant-gouverneur du territoire. Alors, croyait Schultz, son groupe prendrait la situation en main.

Schultz ne savait pas, et l'arrogant McDougall non plus, que le 26 novembre, John A. Macdonald avait écrit au ministre britannique des Colonies: «Le Canada ne peut accepter le Nord-Ouest tant que la paix n'y sera pas assurée. Nous avons prévenu le ministère des Colonies de retarder la publication de la proclamation... Entre-temps, l'argent sera mis en dépôt et les fonds seront retenus[37].»

Macdonald écrivit à McDougall le 27 novembre 1869, trop tard cependant pour l'empêcher de commettre une imprudence:

> Vous parlez de franchir la frontière et d'être assermenté dès que vous recevrez l'avis officiel du transfert du territoire. Il nous apparaît cependant que nous ne pouvons passer à cette étape. Vous ne devez pas prêter serment de remplir des fonctions que l'action des insurgés vous empêchera d'exécuter.
>
> En entrant en fonction, vous libérez les autorités de la Compagnie de la Baie d'Hudson de toute responsabilité gouvernementale. Or, les choses étant ce qu'elles sont, la Compagnie est responsable du maintien de la paix et de la bonne administration de la région et elle doit conserver cette responsabilité jusqu'à ce que la paix soit revenue.
>
> Une proclamation comme celle que vous suggérez, demandant en votre qualité de lieutenant-gouverneur au peuple de s'unir derrière la loi et aux insurgés de se disperser, une telle proclamation, dis-je, serait excellente s'il était certain que l'on s'y soumette. Cependant, si l'on ne s'y soumettait pas, votre faiblesse et votre incapacité à faire respecter l'autorité du dominion serait cruellement exposée, non seulement aux yeux de la population de Rivière-Rouge, mais également aux yeux de la population et du gouvernement des États-Unis.
>
> Bien sûr, si vous entriez en fonction, cela mettrait fin au gouvernement de la Compagnie de la Baie d'Hudson et le gouverneur Mactavish et son Conseil seraient privés d'un semblant de légalité pour intervenir. Il n'existerait plus alors, si vous ne pouviez y pénétrer, aucun gouvernement légal dans la région et l'anarchie régnerait. Dans un tel cas, peu importe la cause de l'anarchie, la loi des Nations autorise la population à former un gouvernement *ex necessitate* pour protéger les vies et la propriété; pareil gouvernement détient certains droits souverains *jus gentium*, ce qui ferait

très bien l'affaire des États-Unis mais serait extrêmement contrariant pour vous. Les États-Unis seraient très tentés de reconnaître un tel gouvernement, un risque qu'il nous faut éviter de courir.

Nous avons officiellement et par télégramme fait part de la situation au ministère des Colonies et l'avons prévenu de l'impuissance et de l'inaction des autorités de la Compagnie de la Baie d'Hudson. Nous avons rejeté la responsabilité sur le gouvernement impérial qui télégraphiera sans doute aux gens de la Compagnie pour leur demander d'agir promptement et avec vigueur. Entre-temps, vous avez somme toute bien agi. En demeurant à Pembina, vous serez à faible distance du territoire et pourrez, espérons-le, entrer en communication individuellement ou d'une autre façon avec les chefs insurgés[38].

Grâce à cette manœuvre politique, Macdonald remettait le problème – et le prix à payer – entre les mains de la Compagnie de la Baie d'Hudson et du gouvernement britannique.

À Pembina, ignorant des gestes de Macdonald, McDougall écouta les conseils de Snow et Mair. Ceux-ci l'assurèrent que s'il publiait sa proclamation le 1er décembre, la population anglophone de Rivière-Rouge se soulèverait et l'appuierait. Il pourrait alors compter sur la puissance de l'Empire pour disperser les Métis de Riel et le Comité national. Tout serait fait de façon légale et ordonnée.

En cette froide journée du 1er décembre 1869, McDougall franchit la frontière avec quelques-uns de ses partisans et se rendit à l'ancien fort de la Compagnie de la Baie d'Hudson. Il lut alors sa proclamation et déclara, en sa qualité de lieutenant-gouverneur et représentant de la reine, que le Nord-Ouest était désormais territoire canadien.

Peut-être McDougall trouva-t-il quelque réconfort à la pensée qu'il avait, par ce geste théâtral, inscrit son nom dans l'histoire. Quoi qu'il en soit, son petit groupe décampa en vitesse pour retourner se mettre à l'abri à Pembina, aux États-Unis.

❑

La proclamation de McDougall avait été envoyée à Winnipeg et on en distribua des exemplaires dans tout Rivière-Rouge. Chez les colons anglophones, cela eut pour effet de saper leur confiance et l'espoir que Riel puisse négocier des conditions satisfaisantes avec le Canada. Mais la détermination de Riel s'en trouva raffermie.

Il nota cependant: «Si M. McDougall est vraiment notre gouverneur, nos chances sont meilleures que jamais. Il n'a qu'à nous prouver qu'il désire nous traiter correctement. S'il garantit nos droits, je serai de ceux qui iront à sa rencontre pour l'escorter jusqu'à son siège au gouvernement[39].»

Le Comité national entreprit de rédiger une Déclaration des droits. Les articles furent discutés et adoptés à l'unanimité par les représentants francophones et anglophones comme étant les conditions de l'entrée de la Terre de Rupert dans la Confédération.

Les représentants francophones proposèrent alors d'envoyer une délégation à Pembina pour demander à McDougall s'il pouvait garantir ces droits en vertu de ses pouvoirs. S'il le pouvait, alors les francophones l'escorteraient comme un seul homme jusqu'à son siège. S'il ne le pouvait pas, les délégués exigeraient qu'il reste là où il était ou qu'il retourne au Canada jusqu'à ce que le Parlement canadien garantisse leurs droits.

Les représentants anglophones, eux, manquèrent de courage; ils prétextèrent qu'ils n'avaient pas de mandat pour le faire et refusèrent de nommer des délégués.

Riel n'avait pu persuader anglophones et francophones de s'unir fermement dans la défense de leurs droits et il s'emporta. Il écrivit dans son journal: «Allez, retournez en paix dans vos fermes. Restez dans les bras de vos femmes. Donnez cet exemple à vos enfants. Mais regardez-nous agir. Nous irons de l'avant pour obtenir la garantie de nos droits et des vôtres. À la fin, vous les partagerez avec nous[40].»

Pour Schultz, la situation était encourageante. L'étape suivante consistait à rassembler une troupe assez forte pour écraser les Métis. D'après lui, la proclamation de McDougall mettait fin au pouvoir des agents de la Compagnie de la Baie d'Hudson. En outre, le jour où McDougall s'était aventuré de ce côté-ci de la frontière pour lire la proclamation, il avait nommé le colonel Dennis «lieutenant et gardien de la paix» en vertu de l'autorité conférée par le gouvernement canadien. Ce mandat accordait à

Dennis de larges pouvoirs «pour lever, organiser, armer, équiper et approvisionner une troupe suffisante... de façon à attaquer, arrêter, désarmer ou disperser ladite force armée... et avec la troupe susmentionnée, attaquer, bombarder, démolir ou pénétrer de force à l'intérieur de toute maison, tout fort, bastion ou autre endroit où les hommes armés susmentionnés pourraient se trouver». De plus, Dennis était autorisé «à louer, acheter, marquer et prendre tout vêtement, toute arme, toutes munitions et provisions, tout bétail, cheval, traîneau, toute voiture ou tout autre véhicule nécessaires aux troupes devant être levées[41]...».

Dennis publia le texte de son mandat et lança un appel à tous les hommes loyaux du Nord-Ouest afin de lever les effectifs nécessaires. Il occupa le fort abandonné à trente kilomètres au sud du fort Garry. Le commandant Boulton de même que William Druries, un autre arpenteur du groupe de Dennis, s'employèrent à entraîner des hommes. Dennis donna en outre mission au docteur Lynch de lever une compagnie à Winnipeg, tandis que le commandant Webb devait en lever quatre autres à Portage-la-Prairie.

Schultz demanda à Dennis d'attaquer le fort Garry de nuit avec un groupe d'arpenteurs et d'ouvriers de Snow. Mais Dennis préférait attendre de jouir d'une supériorité numérique écrasante.

Les journaux de Saint-Paul faisaient état de rumeurs selon lesquelles Dennis aurait tenté de renforcer ses troupes en amenant des Sioux du sud de la frontière. Curieusement, dans son démenti, Dennis déclara avoir convaincu un groupe de Sioux en route pour la colonie de rebrousser chemin vers les États-Unis.

Quoi qu'il en soit, avec le plus total mépris des conséquences, et de connivence avec des employés de la Compagnie de la Baie d'Hudson, Dennis donna bel et bien des carabines à répétition à une bande d'Indiens swampy reconnus pour être des voleurs de bétail.

Depuis la guerre d'extermination menée aux États-Unis contre les Indiens, les autorités légales et la population des deux côtés de la frontière considéraient le fait de donner des armes aux Indiens comme un des crimes les plus graves qu'un Blanc puisse commettre. Aux États-Unis, les agissements de Dennis inquiétèrent un avocat du nom d'Enos Stutsman, au point que ce dernier déclara sous serment à un greffier du palais de justice de Pembina: «... J'ai vu à l'intérieur de l'enceinte du dit fort un certain F.D. Bradley, receveur adjoint des Douanes pour le gouvernement du dominion du Canada à North Pembina, en train d'engager, enrôler et armer un groupe d'Indiens Chippewa habitant au nord de la frontière...»

Lorsque Riel eut vent des tentatives de Dennis pour lever une armée et conscrire des Indiens, il agit sans tarder. Il saisit toutes les armes et munitions des magasins et des maisons privées de Winnipeg et il se prépara à défendre le fort Garry. Comme le *Nor'Wester* avait déclenché une campagne contre la proposition de gouvernement provisoire, il ferma le journal et, le 3 décembre, il posta des hommes armés devant la maison de Schultz, dans l'enceinte du fort.

Le 4 décembre, le futur gouvernement provisoire émit sa «Déclaration du peuple de la Terre de Rupert et du Nord-Ouest», dans laquelle il revendiquait le droit pour un peuple, lorsqu'il n'existe pas de gouvernement, d'établir le type d'administration qu'il désire. La déclaration rejetait indirectement les proclamations de McDougall et de Mactavish et repoussait toute contrainte venant du Canada. Le nouveau gouvernement provisoire était «la seule autorité légale existant dans la Terre de Rupert et le Nord-Ouest, et il demande l'obéissance et le respect de la population... Nous nous tenons prêts à entreprendre avec le gouvernement canadien toute négociation pouvant être favorable au bon gouvernement et à la prospérité de cette population[42]».

Qu'est-ce qui poussa Schultz à transformer sa maison de Winnipeg, sur laquelle flottait le drapeau du *Canada First Party*, en une forteresse défendue par une garnison de 48 hommes? Il possédait un stock de munitions et de viande de porc. Peut-être pensa-t-il que Riel allait l'attaquer pour s'en saisir?

Riel était exaspéré. Et il devait poser un geste énergique pour éviter la guerre civile. Le 7 décembre, il marcha dans Winnipeg avec ses hommes, encercla la maison de Schultz et pointa deux canons sur la porte principale du «fort Schultz».

A.G.B. Bannatyne et le révérend George Young intercédèrent auprès de Riel pour qu'il permette à Schultz et à sa garnison de sortir sans armes.

Après avoir lu à voix haute la proclamation de Dennis annonçant que McDougall l'avait nommé «gardien de la paix», Riel la déchira et la piétina. Il donna aux assiégés quinze minutes pour se rendre, leur promettant la vie sauve. Ils se rendirent. Et les Métis escortèrent 47 partisans du *Canada First Party* jusqu'au fort Garry.

Les épouses de Schultz, Mair et O'Donnell, accompagnèrent leurs maris au fort. Un comptable, J.H. McTavish, offrit sa résidence aux hommes mariés et à leurs familles. Des gens de Winnipeg leur apportèrent des provisions et même des friandises, et ils purent recevoir la visite des pasteurs. Riel et les Métis n'étaient pas des geôliers très sévères...

Le 10 décembre, le futur gouvernement provisoire adopta et hissa son propre drapeau à la place de celui de la Compagnie de la Baie d'Hudson. Le drapeau métis représentait une fleur de lis et un trèfle sur fond blanc[43].

Dennis décida de faire faux bond à McDougall et il s'enfuit au Canada. L'opinion du gouvernement à son sujet ressort clairement d'une lettre de Joseph Howe à McDougall: «... Les agissements du colonel Dennis, selon ses propres propos, sont si téméraires et invraisemblables que vous avez toute notre sollicitude pour avoir un officier si imprudent sous vos ordres.

> Si, lors de l'éclatement des troubles, la population de la Terre de Rupert s'était levée pour y mettre fin, ou si le gouverneur Mactavish avait organisé l'occupation de ses forts et maintenu son autorité, tout se serait bien passé et Riel et ses gens auraient été tenus responsables du sang répandu et des propriétés détruites. Mais le colonel Dennis, sans autorité légale, décide de s'emparer d'un fort, propriété de la Compagnie de la Baie d'Hudson et non des insurgés, y stationne une garnison composée d'autant d'Indiens que de Blancs, et propose de livrer bataille aux insurgés dès qu'il aura été rejoint par des troupes qu'il a fait entraîner près de la rivière Assiniboine. Il semble qu'il n'ait jamais songé qu'aussitôt la guerre déclenchée, tous les Blancs se retrouveraient à la merci des Indiens beaucoup plus nombreux; divisés comme ils le seraient, les Blancs pourraient alors être facilement vaincus[44].

Même la lettre du 27 novembre de Macdonald ne put convaincre McDougall du caractère insensé de sa petite incursion de l'autre côté de la frontière. Subséquemment, il écrivit au gouverneur Mactavish:

> Si, par suite de l'action du gouvernement du dominion (qui

a retardé le paiement de la somme due à la Compagnie de la Baie d'Hudson), la remise et le transfert de la région n'ont pas eu lieu le 1er décembre comme convenu, alors vous demeurez l'administrateur en chef comme auparavant et vous êtes responsable du maintien de la paix et de l'application de la loi. Si, au contraire, le transfert a bel et bien eu lieu le 1er décembre, alors, si je comprends bien, mon mandat est confirmé et l'avis sous forme de proclamation émis sous mon autorité ce jour-là énonce correctement les faits et divulgue le statut légal des parties respectives.

William Mactavish, mourant, n'ayant que des rumeurs pour toute information, dut pousser un grognement. Le 18 décembre, McDougall repartit pour Ottawa.

À Ottawa, Macdonald avait exposé *ses* raisons pour refuser la Terre de Rupert et le Nord-Ouest tant que la paix n'y serait pas rétablie, et rejeté le blâme sur la Compagnie de la Baie d'Hudson:

La résistance armée de la population fut une surprise pour tous, je suppose; du moins, ce le fut sûrement pour le gouvernement canadien.

À cet égard, la Compagnie n'est pas exempte de responsabilités. Elle avait depuis longtemps un gouvernement parfaitement organisé, auquel la population semblait obéir d'emblée. Leur gouverneur (Mactavish) disposait d'un conseil (d'Assiniboia) où siégeaient certains des citoyens les plus en vue. Ils disposaient de tous les moyens nécessaires pour connaître les sentiments de la population.

Ils connaissaient, ou auraient dû connaître, le point de vue de la population sur les négociations proposées. S'ils étaient au courant du mécontentement, ils auraient dû en faire état franchement aux gouvernements de l'Empire et du Canada. S'ils ignoraient le mécontentement, ils doivent être tenus responsables de l'aveuglement délibéré de leurs administrateurs.

Ces négociations se prolongèrent pendant plus d'un an; c'était donc le devoir de la Compagnie de préparer la population au changement, de lui expliquer les mesures prises pour défendre ses intérêts et d'éclaircir les malentendus.

Il semble que rien de cela n'ait été fait. La population a été amenée à imaginer qu'elle avait été vendue au Canada, au plus grand mépris de ses droits et de ses positions.

De toute évidence, ce n'est pas à la souveraineté de Sa Majesté ni au gouvernement de la Compagnie de la Baie d'Hudson que ces personnes abusées s'opposent, mais à l'hypothèse d'annexion par le gouvernement du Canada.

Il valait mieux avoir un semblant de gouvernement avec la Compagnie que pas de gouvernement du tout. Alors que la publication de la proclamation mettrait fin au gouvernement de la Compagnie de la Baie d'Hudson, celui-ci ne serait pas pour autant remplacé par le gouvernement du Canada. Un tel gouvernement est matériellement impossible tant qu'existera une résistance armée; il s'ensuivrait alors une situation d'anarchie et de chaos, et tout gouvernement constitué de fait, formé par les habitants pour protéger leurs vies et leurs biens, pourrait avoir un statut légal[45].

NOTES

1. *Compte rendu* (des activités de Riel), Winnipeg, Société historique de Saint-Boniface.

2. Shrive, Norman, *Charles Mair*, Toronto, University of Toronto Press, 1965, p. 62.

3. *The Nor'Wester*, 5 février 1862, A.P.M.

4. *Ibid.*, novembre 1862.

5. Archives épiscopales de Saint-Boniface.

6. «Memoir by Louis Riel on the Course and Purpose of the Red River Resistance, January 22, 1874», Begg, Alexander, *Alexander Begg's Red River Journal*, éd. Morton, W.L., Toronto, The Champlain Society, 1956, p. 527.

7. *Ibid.*

8. *Ibid.*

9. Hargrave, Joseph, J., *Red River*, Montréal, John Lovell, 1871, p. 426.

10. Gagan, David, *The Denison Family of Toronto*, Toronto, University of Toronto Press, 1973.

11. *The Toronto Globe*, 4 janvier 1869.

12. *Ibid.*

13. Begg, Alexander, *The Creation of Manitoba*, Toronto, A.J. Hovey, 1871, p. 17.

14. Begg, *Red River Journal*, p. 528.

15. Boulton, Charles A., *Reminiscences of the North-West Rebellions* , Toronto, Grip Printing, 1886, p. 57.

16. Begg, *The Creation of Manitoba*, p. 24.

17. Boulton, *Reminiscences*, p. 59.

18. Père Ritchot, Notes III, Archives de Saint-Norbert.

19. *Ibid.*

20. *Ibid.*

21. *Ibid.*

22. D.P.C.., 1870, V, n⁰ 12, Mémorandum de Dennis, 11 octobre 1869.

23. *Ibid.*

24. *Ibid.*

25. Stanley, *The Birth of Western Canada*, p. 75.

26. Stanley, *Louis Riel*, p. 62.

27. Procès-verbal d'une réunion du gouverneur et du Conseil d'Assiniboia, 25 octobre 1869.

28. Pope, Joseph, *Correspondence of Sir John A. Macdonald*, Toronto, Doubleday, 1921, p. 103.

29. *Ibid.*, p. 106.

30. *Ibid.*, p. 101.

31. Begg, *The Creation of Manitoba*, p. 53.

32. 6 novembre 1869, A.P.M.

33. Proclamation of Wm. Mactavish, 16 novembre 1869, *Creation of Manitoba*, p. 69.

34. Parliamentary Select Committee to Inquire into the Causes of the Troubles in the North-West, 1874, A.P.C., p. 200-207, and Begg, *The Creation of Manitoba*, p. 528.

35. *Ibid.*

36. Begg, *The Creation of Manitoba*, p. 185.

37. Creighton, *John A. Macdonald*, vol. II, Toronto, Macmillan, 1952, p. 48.

38. *Ibid.*, p. 51.

39. Begg, *The Creation of Manitoba*, p. 157.

40. Collection Masson, notes de Riel concernant l'entente du fort Garry, A.P.C.

41. D.P.C. 1870, V, nᵒ 12.

42. Begg, *The Creation of Manitoba*, pp. 167-170.

43. *Ibid.*, p. 225.

44. *Ibid.*, p. 149.

45. Macdonald to McDougall, 27 novembre 1869, Documents publics, A.P.C.

III

1870: un gouvernement provisoire pour négocier l'annexion

«La seule autorité légale»

Le Comité national des Métis devint officiellement le gouvernement provisoire le 10 février 1870. Ses membres étaient: Louis Riel, président; Thomas Bunn, secrétaire d'État; Louis Schmidt, secrétaire d'État adjoint; W.B. O'Donoghue, trésorier; Ambroise Lépine, adjudant général; James Ross, juge en chef, et A.G.B. Bannatyne, ministre des Postes. Ces hommes représentaient assez fièrement les différentes classes sociales, les opinions politiques, les nationalités et les races qui composaient à cette époque la communauté de Rivière-Rouge.

Louis Schmidt, ancien compagnon de classe de Riel, était un Métis d'origine anglaise qui parlait également français et comprenait bien les problèmes des anglophones et des francophones. Il était employé comme administrateur et connaissait les nombreux fonctionnaires du gouvernement et leurs collaborateurs. William B. O'Donoghue, citoyen américain d'origine irlandaise, habitait la région depuis des années et représentait les éléments favorables à l'annexion aux États-Unis. Andrew Graham Bannatyne, ancien membre du conseil d'Assiniboia et employé de la Compagnie de la Baie d'Hudson, représentait cette dernière. Ambroise Lépine, fermier, était un des dirigeants des Métis francophones depuis des années. James Ross représentait très bien les Métis anglophones. Il avait étudié dans l'Est du

Canada, il était le fils du shérif d'Assiniboia et un ami personnel de Schultz. Thomas Bunn, marchand de fourrures très prospère à Rivière-Rouge, représentait favorablement les intérêts commerciaux.

À la tête du gouvernement, Riel devait répondre à d'innombrables questions et il avait bien des problèmes à résoudre[1].

La Grande-Bretagne et la Compagnie de la Baie d'Hudson étaient prêtes à céder leur autorité à Ottawa, mais elles s'inquiétaient pour leurs intérêts stratégiques et financiers. Deux autres pays s'intéressaient grandement à ce territoire: la France et les États-Unis.

❑

Napoléon III rêvait de rebâtir l'Empire français en Amérique du Nord.

Quelques années auparavant, le 7 juin 1863, l'armée française avait proclamé Maximilien, archiduc d'Autriche, empereur du Mexique. Cependant, à cause des pressions américaines, l'armée française dut rentrer au pays et, le 19 juin 1867, le peuple mexicain fusilla Maximilien.

Napoléon III tourna alors ses regards vers le nord, vers Rivière-Rouge où la majorité de la population était d'origine française et le gouvernement incertain.

Dans son journal, Begg écrit: «Un certain M. Gay est arrivé dans la colonie avec une lettre de recommandation pour le commandant Robinson, rédacteur en chef du journal *The New Nation*... Il arrive directement de Paris, à ce qu'il dit, et prétend être le correspondant d'un journal français.» Au tout début, comme il ne pouvait répondre de façon satisfaisante aux questions de la police métisse, Gay fut mis en prison. On le relâcha peu après, une fois son identité connue.

Norbert Gay, de Nice en France, capitaine dans l'armée de la IIIe République, avait été envoyé comme espion par Napoléon III afin de «s'enquérir de la situation». Comme il avait été colonel de cavalerie dans son pays, il gagna la confiance des Métis en entraînant leur cavalerie. Ses intrigues d'espion semblent avoir été bien moins importantes que sa contribution au succès du gouvernement provisoire. Les Métis, qui étaient devenus de formidables cavaliers et tireurs d'élite en chassant le bison, formèrent, grâce à ce soldat de carrière, une très puissante cavalerie, égale à n'importe quelle autre d'Europe.

Dès son arrivée, Gay s'accapara l'autorité d'O'Donoghue auprès des Métis, et leur conseilla de ne pas se joindre aux États-Unis, de conserver leur indépendance et d'édifier leur propre nation. Ces facteurs furent à l'origine de son long antagonisme avec O'Donoghue.

En juin 1870, Gay fut rappelé en France pour servir dans la guerre franco-prussienne, avant de devenir colonel en chef dans les escadrons d'Afrique.

En 1872, une politique erratique, de nombreux échecs et la Commune de Paris avaient évincé Napoléon III du pouvoir. Le 20 août, Gay écrivit à Riel. La lettre était rédigée sur du papier à en-tête de l'Armée auxiliaire des hussards du Corps de l'étoile, Escadrons d'Afrique de la République française. Le colonel Gay y exprimait la joie de Napoléon III d'apprendre que Louis Riel était le président de l'«État du Nord-Ouest» et qu'il jouissait d'un très grand appui populaire.

❏

Les tentatives des Américains pour annexer le Canada remontaient au tout début de leur révolution. Thomas Jefferson était convaincu qu'il suffirait «de faire défiler les troupes» pour s'emparer du Canada; et selon Andrew Jackson, ce ne serait qu'«une promenade militaire».

Richard Montgomery commanda la première expédition américaine au Canada en compagnie du colonel Benedict Arnold. Il occupa Montréal le 13 novembre 1775 et Trois-Rivières le 4 décembre de la même année. Le 31 du même mois cependant, il fut défait par le général Carleton à Québec.

En 1811, le président américain John Quincy Adams déclara: «Le continent nord-américain tout entier semble être destiné par la Divine Providence à être peuplé par une seule nation, parlant la même langue, professant une même religion et une même politique, et ayant les mêmes us et coutumes.»

La plupart des livres d'histoire décrivent la guerre de 1812-1814 comme une guerre entre les États-Unis et la Grande-Bretagne. Mais pour les Canadiens et le Canada, où se déroulèrent la plupart des combats, ce fut la première manifestation d'une nation autonome.

En 1828, le gouvernement américain envoya une milice au Nouveau-Brunswick et affecta dix millions de dollars à la construction d'un fort pour appuyer les magnats américains de l'industrie du bois. Le Nouveau-Brunswick et la Nouvelle-Écosse se préparèrent alors à combattre. Mais les États-Unis reculèrent; la «guerre de l'Aroostook» était gagnée.

L'expansion américaine vers le nord avait été stoppée par la force des armes. Mais pour les remercier de l'aide fournie en 1837-1838, l'Angleterre céda aux États-Unis certaines parties du Nouveau-Brunswick, ainsi que Rouse's Point sur le lac Champlain et Isle Royale, près de Thunder Bay, lors du traité Webster-Ashburton en 1842. Le Canada devait aussi perdre l'Alaska dans ces échanges entre grandes puissances.

En 1870, les événements de 1775, 1812, 1838 et 1842 étaient encore frais dans la mémoire populaire. Les Canadiens, francophones et anglophones, étaient unis au moins dans leur rejet des flatteries de leur voisin du sud.

Les États-Unis s'étaient étendus au sud et à l'ouest. Ils avaient acheté la Louisiane en 1803, puis la Floride et l'Alaska. Après avoir vaincu le Mexique lors de la guerre de 1846-1848, et l'avoir remporté sur leurs propres États sudistes au cours de la guerre civile de 1861-1865, ils tournèrent leurs regards vers le nord.

Les fonctionnaires américains des États du centre-nord, surtout à Saint-Paul, étaient d'actifs partisans de l'annexion du territoire de la Compagnie de la Baie d'Hudson, annexion qui aurait permis de former un corridor terrestre jusqu'en Alaska. Le 24 novembre 1869, un éminent politicien du Minnesota du nom d'Ignatious Donnely déclara que l'expansion des États-Unis à travers les vallées des rivières Rouge et Saskatchewan était inévitable parce qu'elle était géographiquement nécessaire. Après avoir négocié l'achat de l'Alaska avec la Russie, le secrétaire d'État de Lincoln, William Seward, prévoyait que toute l'Amérique du Nord deviendrait territoire américain.

Hamilton Fish, secrétaire d'État américain vers la fin des années 1860 et expansionniste convaincu, s'intéressait tellement à la région de Rivière-Rouge qu'il chercha à vérifier les rumeurs qui voulaient que le gouvernement libéral britannique de Gladstone ne tienne pas tellement à conserver ses colonies. La possibilité que l'Angleterre retire ses garnisons du Canada alimenta le rêve américain de colonies sans défense, prêtes à être occupées.

Les grondements répétés en provenance de Washington et les menaces d'incursions des Fenians convainquirent John A. Macdonald qu'il avait besoin des troupes britanniques. Son refus d'accepter la Terre de Rupert et le Nord-Ouest tant que «la paix n'y serait pas assurée» visait à maintenir à tout le moins les soldats anglais au Canada.

L'ambassadeur américain en Angleterre, J.L. Motley, s'enquit auprès de sir Curtis Lampson, gouverneur adjoint de la Compagnie de la Baie d'Hudson, de l'opinion des employés de la Compagnie sur l'avenir politique de Rivière-Rouge. Et Lampson fit part à sir Stafford Northcote du vif intétêt des représentants américains pour la région. Quant à Hamilton Fish, il demanda à sir Henry Thornton, ambassadeur britannique à Washington, si la Grande-Bretagne s'opposerait à un vote libre dans le Nord-Ouest au sujet de l'annexion aux États-Unis.

Grâce à un certain nombre d'agents et au système télégraphique américain, le *State Department* eut toujours une meilleure connaissance des événements politiques dans la région de Rivière-Rouge que le gouvernement de John A. Macdonald.

Le principal informateur des Américains était James Wickes Taylor qui, sous diverses couvertures, à compter de 1859, surveilla la région de Rivière-Rouge pendant vingt-cinq ans. Il fut consul, agent du ministère américain des Finances et membre du lobby des compagnies ferroviaires; mais il était avant tout «agent spécial» d'Hamilton Fish, secrétaire d'État dans le gouvernement Grant. Les autres agents américains ignoraient probablement tout des activités de Taylor; il était extrêmement habile et trop discret pour permettre à un quelconque bavard de venir compliquer son travail.

Dans une lettre à Macdonald, datée du 25 janvier 1870, C.J. Brydges, du chemin de fer du Grand-Tronc, raconte sa conversation avec le gouverneur Smith du Vermont, qui était aussi président du *Vermont Central Railway* et du *Northern Pacific Railway*.

Smith avait déclaré à Brydges que la construction du chemin de
fer entre la tête du lac Supérieur et Georgetown sur la rivière
Rouge était commencée, et qu'il avait obtenu l'autorisation de
le prolonger jusqu'à Pembina. À partir de Georgetown vers
l'ouest, la voie ferrée passait souvent à moins de trente ou cinquante kilomètres de la frontière. Brydges était convaincu qu'il
y avait des raisons politiques «derrière ça et que le gouvernement des États-Unis est impatient de profiter du *Northern Pacific Railway* pour vous empêcher d'établir l'emprise du Canada
sur le territoire de la Compagnie de la Baie d'Hudson».

Jay Cooke, un fonctionnaire américain, possédait des intérêts dans le *Northern Pacific* et il avait un informateur à Rivière-
Rouge; James Wickes Taylor, en effet, ne voyait rien d'immoral
dans le fait de vendre à Cooke les informations qu'il recueillait
pour Washington.

Oscar Malmros, nommé consul américain le 1er juillet 1869,
informait régulièrement Hamilton Fish; mais ses désirs prirent
le pas sur son changement lorsqu'il émit l'opinion qu'«en cas
d'insurrection», mille hommes suffiraient pour former un noyau
«autour duquel pourraient se rassembler des volontaires des
États du Nord-Ouest». Il avança ensuite que 25 000 $ «assure-
raient le succès du mouvement pour l'indépendance». Il écrivit
en outre au sénateur Ramsey qu'avec 100 000 $, le mouvement
annexionniste atteindrait son but. Il dut quitter Winnipeg lorsque sa correspondance avec Fish fut rendue publique, le 18 mars
1870.

Enos Stutsman était un homme brillant et tout à fait excep-
tionnel. Il était né en 1826 dans le comté de Coles en Illinois, de
parents allemands établis en Pennsylvanie. Comme de nombreux agents secrets américains, il était avocat, bien qu'il utilisât
plusieurs couvertures. En 1865, il exploitait une prospère entreprise immobilière à Sioux City dans l'Iowa et fut élu à l'assemblée législative du territoire du Dakota. En 1869 à Pembina, il
était spéculateur foncier, correspondant du *Daily Press* de Saint-
Paul et avocat, pratiquant à Winnipeg et à Pembina. Au début
de novembre 1869, Stutsman écrivit au président Grant: «Je
manquerais à mon devoir si je n'attirais pas votre attention sur
la situation existant dans cette partie de l'Amérique du Nord et
sur l'occasion qui s'offre au gouvernement des États-Unis
d'agir de manière prompte et énergique. Il n'existe pratique-

ment plus de gouvernement dans la Terre de Rupert et la majorité des habitants y sont favorables à l'annexion aux États-Unis.»

Stutsman devint conseiller officieux de Louis Riel et on le considère en partie responsable de la Charte des droits des Métis et de la formation du gouvernement provisoire. Il devint l'ami personnel, le conseiller et le confident du clergé catholique de Rivière-Rouge. Il était en outre le représentant officieux du gouvernement provisoire de Rivière-Rouge aux États-Unis. Lorsque le député canadien Joseph Howe ne put traverser la frontière pour aller rencontrer Riel, c'est lui qui lui remit un sauf-conduit qui allait lui permettre de traverser les lignes des soldats métis et obtenir immédiatement une audience.

Avec un autre agent américain, Henry Robinson, il acheta le *Nor'Wester* en 1869 des mains du docteur Bown, un des adversaires de Riel. Puis, en collaboration avec ce dernier, ils changèrent son nom pour *The New Nation* et nommèrent Henry Robinson rédacteur en chef.

Les éditoriaux du journal se mirent alors à défendre avec insistance l'annexion aux États-Unis. Après quelques semaines, Riel se rendit compte de la division créée par le fait que le seul journal de Rivière-Rouge agissait comme agent d'une puissance étrangère et divergeait d'opinion avec son gouvernement qui était formé d'une coalition de tous les éléments de la communauté. La grande majorité de la population désirait faire partie du Canada, pourvu qu'on en arrive à une entente satisfaisante.

Riel remplaça donc Robinson par un Métis loyal, Thomas Spencer, qu'il considérait au moins comme probritannique. Mais les éditoriaux continuèrent à défendre l'annexion aux États-Unis. Riel permit quand même au journal de continuer à paraître, probablement parce qu'il était maintenant trop occupé pour se pencher sur cette question.

Plus tard, lorsque l'armée anglaise commandée par Wolseley occupa le fort Garry et que la possibilité d'annexion fut écartée, Stutsman entra au service des douanes américaines avec pour mission de détruire les alambics qui fabriquaient de l'alcool destiné aux Indiens. Enos Stutsman était cul-de-jatte de naissance et il se déplaçait au moyen de béquilles. Pour aller à cheval, il s'était fait construire une selle en forme de boîte dans laquelle il se hissait grâce à ses bras puissants.

W.B. O'Donoghue est un autre agent américain proannexionniste qui a joué un rôle très actif dans les événements politiques de Rivière-Rouge. Né en 1843 dans le comté de Sligo en Irlande, il était parti pour les États-Unis avec sa famille à l'âge de dix ans, fuyant la terrible «famine de la pomme de terre». À New York, il se débrouilla pour obtenir une excellente éducation et se joignit aux Fenians, ce groupe qui voulait libérer l'Irlande du joug britannique.

Les Fenians espéraient aider les patriotes irlandais en exerçant une pression militaire sur les colonies anglaises. Leur quartier général en Amérique du Nord se trouvait à New York et était dirigé par le général John J. O'Neill, un ancien officier de cavalerie dans l'armée unioniste. À son apogée, O'Neill commandait 15 000 hommes. Au cours des années 1860, les Fenians organisèrent des attaques armées contre le Canada à partir du Vermont, de Buffalo et Malone dans l'État de New York.

En 1868, O'Donoghue rencontra à Port Huron, au Michigan, l'évêque Grandin et le père Grioux qui rentraient à Rivière-Rouge. Il les accompagna et fut nommé professeur de mathématiques au collège Saint-Boniface de Winnipeg. Favorable à la cause métisse, il abandonna l'enseignement en 1869 pour aider Riel. Il était le second de Riel dans la hiérarchie militaire métisse et usa de toute son influence pour encourager les Métis et leur chef à se rallier aux États-Unis.

Louis Riel fut toujours d'une honnêteté irréprochable. Si lui et les membres du gouvernement provisoire l'avaient voulu, ils auraient pu s'enrichir en livrant la région de Rivière-Rouge à l'expansionnisme américain. Dans une lettre au gouverneur général datée du 23 juillet 1870, et à nouveau dans son témoignage fait sous serment devant la commission parlementaire de la Chambre des communes en 1874, l'archevêque Taché affirme que des membres du gouvernement provisoire s'étaient vu offrir des sommes totalisant plus de quatre millions de dollars ainsi que des hommes et des armes (sans compter les offres des Fenians), mais que Riel et les Métis demeurèrent fermement loyaux envers le Canada.

On a fait toutes sortes de conjectures et d'hypothèses pour expliquer l'indéfectible fidélité de Riel envers la Couronne britannique et son refus persistant d'appeler Washington à l'aide. Certains ouvrages n'ont pas accordé suffisamment d'importance à sa foi catholique. Les enseignements de monseigneur Bourget avaient influencé le jeune Riel. Selon lui, les Canadiens français constituaient un peuple choisi dont la mission était de préserver et d'étendre le royaume de Dieu dans le Nouveau Monde. Ils devaient rester un peuple à part, à l'abri du libéralisme et même favorable au monarchisme.

Durant son séjour au séminaire, Riel avait sûrement appris que les Québécois avaient refusé de se joindre aux colonies américaines durant la guerre révolutionnaire de 1776. Tous les Québécois connaissaient les atrocités commises par les puritains de Nouvelle-Angleterre, les pendaisons de sorcières, la folie des pauvres âmes générée par des prédicateurs insensés et le sort difficile fait à ceux qui refusaient cette grotesque théocratie. Le clergé savait sans doute qu'en 1700, une loi de New York permettait de pendre tout prêtre catholique pénétrant volontairement dans la colonie. De nombreux Québécois et Acadiens avaient déménagé au Vermont, au New Hampshire, au Maine, au Massachusetts et au Rhode Island. Leurs prêtres, et particulièrement les missionnaires qui allaient d'une paroisse à l'autre pour prêcher des retraites et qui œuvraient aussi au Québec, connaissaient bien la situation. Si la vie était difficile sous le régime britannique et canadien, au moins il n'existait rien de semblable à ces excès commis plus au sud.

Dans l'Ouest, Métis et Indiens pouvaient encore traverser librement la frontière. Et ils étaient au courant de la guerre menée contre les Indiens dans les États de l'Ouest et de l'opinion qui y était répandue à l'effet qu'«un bon Indien est un Indien mort*».

Riel dut bientôt faire face à une vague d'émissaires d'Ottawa qui n'avaient, en fait, aucun pouvoir pour négocier, mais que John A. Macdonald avait mandaté pour espionner et corrompre le gouvernement provisoire par des mensonges et des pots-de-vin.

Les premiers d'entre eux étaient déjà en route pour l'Ouest. Macdonald espérait que monseigneur Jean-Baptiste Thibault, missionnaire oblat à Rivière-Rouge pendant 27 ans et vicaire général de Saint-Boniface de 1845 à 1860, puisse exercer une influence déterminante sur les Métis.

Quant au colonel Charles de Salaberry, un employé de la Compagnie de la Baie d'Hudson, il était connu pour son apti-

---

* *A good Indian is a dead Indian*, célèbre adage de l'Ouest américain. (N.D.T.)

tude à bien s'entendre avec les Métis et les Indiens. Son père, le colonel de Salaberry, était célèbre au Québec pour sa victoire contre les Américains à Châteauguay durant la guerre de 1812-1814. Il avait réussi, en utilisant habilement ses clairons, à repousser un ennemi dix fois supérieur en nombre.

Dennis raconte que c'est lors de sa rencontre avec de Salaberry «dans les plaines, sur mon chemin de retour au Canada» qu'il apprit que «la proclamation et le mandat rendus publics par M. McDougall à la suite d'un malentendu... n'avait aucune valeur».

Lorsque Thibault et de Salaberry arrivèrent à Pembina, d'après le *Red River Journal* d'Alexander Begg, Enos Stutsman envoya un messager à Riel le prévenant que si les émissaires d'Ottawa avaient «la permission de communiquer librement avec votre peuple, ils vous causeront des difficultés. Attendu que le père Thibault vient en tant que représentant officiel, il devrait être considéré comme tel, et non comme un ministre du Christ.»

On permit à l'ancien vicaire général de Saint-Boniface de se rendre chez l'évêque Taché, mais on lui interdit tout contact avec la population. Quant au colonel de Salaberry, il dut demeurer à Pembina en attendant l'invitation de Riel.

Ce dernier se rendit à Saint-Norbert le 24 décembre pour rencontrer Thibault, puis permit à de Salaberry de venir au fort Garry. Mais ce n'est que le 5 janvier que les deux envoyés purent rencontrer le Conseil de Riel. Ce dernier amorça la rencontre en faisant remarquer qu'ils n'avaient aucun pouvoir de négocier, mais que le Conseil serait heureux de les écouter.

Thibault déclara que lui et de Salaberry apportaient de bonnes nouvelles. Le gouvernement canadien ne désirait que la paix et la conciliation, dans le respect de leurs personnes et de leurs droits; il voulait améliorer le sort de la région en construisant une route qui faciliterait les communications avec le Canada. Le gouvernement admettait qu'il pouvait s'être trompé dans le choix de ses employés, qui lui avaient causé du tort et avaient abusé de sa confiance, et il condamnait fermement les gestes arbitraires qu'ils avaient posés.

Donald A. Smith, administrateur principal de la Compagnie de la Baie d'Hudson au Canada, dut sûrement impressionner Macdonald; celui-ci en effet, approuva tout de suite son voyage à Rivière-Rouge, lui suggérant de prétendre, du moins au début, effectuer un voyage d'affaires. En fait, puisque le transfert au Canada n'avait pas eu lieu, Smith était, aux yeux du gouvernement britannique, responsable de l'administration du Nord-Ouest, car le ministère des Colonies n'avait sûrement pas reconnu le gouvernement provisoire. Les pouvoirs de Donald A. Smith étaient donc plus vastes que ceux de de Salaberry et de Thibault.

Dans une lettre datée du 13 décembre 1869, Macdonald écrit:

> Smith part, un rameau d'olivier à la main... Il faut écarter toute intervention militaire tant que les moyens pacifiques n'auront pas été épuisés. Mais si ces misérables sang-mêlé ne se dispersent pas, il faudra les réprimer et alors, dans la mesure où je peux intervernir, je serai très heureux de donner au colonel Wolseley la chance de conquérir la gloire et de courir le risque d'être scalpé[2]!

Le 28 décembre, Donald Smith écrit à Macdonald qu'il est arrivé au portail du fort Garry la veille, à cinq heures du soir. Des hommes armés l'empêchèrent d'abord d'entrer, puis Riel fut prévenu et l'invita à rencontrer les membres de son Conseil, tous très polis. Comme on lui demandait de jurer qu'il ne tenterait pas de nuire au gouvernement provisoire, Smith refusa mais promit de ne pas quitter le fort avant le matin et de ne rien faire pour rétablir l'autorité de la Compagnie de la Baie d'Hudson. Par ce geste, le principal administrateur de la Compagnie au Canada reconnaissait le gouvernement provisoire.

> La situation est critique, continue Smith, tout le pouvoir est entre les mains de M. Riel et de son groupe. On dit que le père Thibault est détenu à la mission catholique en face, et il n'existe aucune possibilité que M. de Salaberry obtienne la permission de communiquer avec les insurgés.

> Tout cela, bien sûr, pourrait mener à l'annexion. C'est du moins ce que croient les Américains de Pembina et tout particulièrement un certain colonel Stutsman, de toute évidence un homme très habile, qui avance l'idée que l'Angleterre, c'est-à-dire le gouvernement impérial, ne tentera pas d'empêcher que les territoires du Nord-Ouest ne tombent aux mains des États-Unis...

Smith émet ensuite l'opinion qu'une proclamation de la reine aurait probablement plus d'effet que tout autre geste venant du gouvernement canadien. Et il propose d'utiliser les voies de communication de la Compagnie pour éviter d'éventer son personnage d'employé de celle-ci... «Il semble que nous soyons incapables, tout comme les autres groupes de la colonie, de leur opposer quelque résistance, et je suis d'avis qu'il faudrait par-dessus tout que la solution use de moyens pacifiques...

Il y a maintenant dans ce fort et en prison soixante-quatre prisonniers – pour la plupart canadiens[3]...»

Le 30 décembre, l'honorable Charles Tupper écrivit à John A. Macdonald pour lui annoncer qu'il était arrivé à Pembina la veille de Noël, puis s'était rendu au fort Garry le dimanche après-midi. Il y avait rencontré Riel et le Conseil à qui il avait expliqué qu'il était venu chercher la valise de sa fille nouvellement mariée, que l'on avait envoyée par erreur au fort Garry. On l'avisa d'attendre à Saint-Norbert où on lui rapporterait la valise.

Le lendemain soir, le père Ritchot l'invita à passer la nuit dans sa maison.

> Nous avons discuté de la question sous tous ses aspects, et j'espère qu'il en résultera du bien. Le père Thibault était bel et bien prisonnier... J'ai exprimé l'opinion que lui et le colonel de Salaberry devraient être reçus et avoir la chance de présenter les vues du gouvernement. À dix heures du soir, Riel et M. LeMay, un important conseiller américain, sont arrivés à Saint-Norbert. J'ai évité tout contact personnel avec Riel mais au matin, le père Ritchot m'annonça qu'ils avaient décidé de recevoir le colonel de Salaberry et le père Thibault... Selon M. LeMay, M. Smith s'est présenté devant le Conseil en tant qu'administrateur de la Compagnie de la Baie d'Hudson et s'est dit prêt à reconnaître le seul gouvernement en place sur le territoire[4]...

Riel soupçonnait de Salaberry de détenir des fonds pour soudoyer les Métis et les convaincre de retirer leur appui au gouvernement provisoire. Au bout de quelques jours cependant, il apprit que c'était Smith qui avait l'argent. En 1874, la commission parlementaire apprit que Smith avait distribué 500 livres à des Métis «dont l'aide m'avait été absolument nécessaire dans mon rôle de commissaire canadien en 1869 et 1870[5]».

En 1869, la livre sterling équivalait à 5 $ en or – cent ans plus tard, ces 500 livres vaudraient environ vingt fois plus, soit 50 000 $, une bien grosse somme pour une communauté de pionniers. Si on se souvient des trois livres par mois que payait Snow à ses ouvriers, on a une idée de la valeur des 500 livres de Smith: quatorze années de salaire pour un ouvrier.

Lorsque Riel comprit que Smith était agent du gouvernement, il demanda à voir ses lettres de créance. Smith répondit qu'il avait laissé ses papiers à Pembina. Riel répliqua alors qu'un de ses hommes irait les chercher avec Richard Hardisty, le beau-frère métis de Smith. Avant de lui permettre de s'adresser au Conseil, il était bien décidé à savoir si Smith avait le pouvoir de négocier. Il projetait d'intercepter Hardisty mais son plan échoua. Bien que mourant, William Mactavish devina la pensée de Riel et envoya Pierre Léveillé et deux autres Métis pour escorter Hardisty. Lorsque Riel et le père Ritchot tentèrent de saisir de force les papiers de Smith à Saint-Norbert, le prêtre fut bousculé et Riel menacé au pistolet par Léveillé.

Ce fut une grave erreur, Riel le savait. Mais le Conseil était disposé à entendre Smith, et Riel voulait prouver, avant même qu'il ne puisse utiliser son pouvoir de persuasion, que Smith n'avait aucune autorité. Il rentra au fort Garry, ses rapports avec Smith sérieusement compromis.

Comme Riel l'avait prévu, plutôt que de présenter ses documents pour étude au Conseil, Smith se contenta de proposer une assemblée générale pour que «toute la population de Rivière-Rouge connaisse sa mission». Riel accepta, à contre-cœur. Il ne pouvait se résoudre à ce que ce soit le Conseil qui décide de ce que la population devrait entendre.

Le 19 janvier 1870, il faisait beau et froid. Environ mille personnes s'étaient rassemblées et la réunion se tint en plein air. Les dignitaires qui prirent place sur le balcon du mess des officiers étaient: le père Thibault, le père Ritchot, le colonel de Salaberry, Donald Smith et Louis Riel. Thomas Bunn, secrétaire du gouvernement provisoire, présida l'assemblée et le greffier Black agit comme secrétaire. Riel traduisait.

Smith commença par demander que l'on abaisse le drapeau du gouvernement provisoire qui flottait au mât devant lui; comme sa demande suscitait peu d'appui, il poursuivit.

Il affirma qu'il connaissait bien la région de Rivière-Rouge, bien qu'en fait il s'agissait de son premier voyage dans l'Ouest et qu'il avait surtout servi la Compagnie de la Baie d'Hudson au Labrador. Il rappela qu'il avait épousé une Métisse du nom d'Isabelle Hardisty, dont plusieurs parents se trouvaient dans l'assistance. Pour le bien de Rivière-Rouge, il se disait prêt à se retirer de la Compagnie. Il se mit ensuite à lire ses documents, son mandat et ses instructions, et des lettres de responsables gouvernementaux adressées à McDougall et Mactavish, qui, toutes, exprimaient les intentions les plus nobles et les plus bienveillantes du gouvernement canadien envers le Nord-Ouest. Pendant cinq heures, dans le froid, les gens écoutèrent Smith parler et Riel traduire. Vers la fin, quelqu'un demanda la libération des prisonniers. «Pas maintenant», répondit Riel. «Oui! Oui!» cria-t-on dans la foule. Les hommes de Riel, mousquet à la main, apparurent. L'assemblée fut suspendue jusqu'au lendemain[6].

Le lendemain, A.G.B. Bannatyne remplaça le greffier Black comme secrétaire – prendre les notes d'une assemblée en plein air par temps glacial était extrêmement difficile.

John Burke, qui avait demandé la veille la libération des prisonniers, s'excusa devant l'assemblée, et avoua que «ces sentiments n'étaient pas les siens, comme Begg le note dans son journal, mais lui avaient été suggérés par quelqu'un d'autre».

Selon le journal métis *The New Nation*, on s'entendit généralement pour ne pas libérer totalement les prisonniers canadiens «durant cette période troublée». Et le père Lestanc fit remarquer: «Jusqu'ici nous avons tous été de bons amis dans la colonie, je voudrais dire que nous le serons encore ce soir.»

Smith continua la lecture de ses documents. Des lettres du gouverneur général adressées à Mactavish et de Joseph Howe à McDougall répétaient l'assurance que les libertés civiles et religieuses seraient respectées, de même que le droit de propriété; en outre, on assurait que des représentants locaux seraient nommés au Conseil et que la nomination de McDougall n'était que provisoire.

Riel traduisit tout. Il proposa ensuite que les colons anglophones délèguent vingt des leurs à une rencontre avec autant de représentants francophones à midi le 25 janvier, dans le but d'étudier le mandat de Smith et de trouver la meilleure solution aux problèmes de la région. La proposition fut appuyée par A.G.B. Bannatyne et adoptée.

Avant de lever l'assemblée, Riel prit la parole: «Avant de

clore cette assemblée, je ne peux m'empêcher d'exprimer mes sentiments, même brièvement. En venant ici, j'avais peur. Nous ne sommes pas encore des ennemis, mais nous avons bien failli le devenir. Dès que nous nous sommes compris, nous avons exigé, conjointement avec nos concitoyens anglophones, ce que nous considérons comme nos droits. Je ne crains pas de dire 'nos droits' car nous avons tous des droits. Nous n'exigeons pas de demi-droits, voyez-vous, mais tous les droits qui nous sont dus. Ces droits seront exposés par nos représentants et, qui plus est, messieurs, nous les obtiendrons[7].»

Riel avait un motif de se réjouir. Car bien que Smith fût parvenu à le court-circuiter en s'adressant directement à la population, Riel avait pu manœuvrer pour rétablir la collaboration entre anglophones et francophones.

L'élection des représentants provoqua rivalités et rancœurs. Des Américains de Winnipeg cherchèrent à se faire élire par les partisans de l'annexion aux États-Unis; malgré des protestations, Alfred Scott fut élu. Scott était barman au Red Saloon, propriété des frères O'Lone. Charles Nolin, George Klyne et Thomas Harrison, des Métis opposés à Riel, faisaient partie des vingt représentants francophones.

La rencontre, présidée par le greffier Black, eut lieu le 26 janvier. On forma un comité de six personnes, trois francophones et trois anglophones, pour réviser la Charte des droits.

Trois jours plus tard, le comité remit son rapport. La nouvelle charte reprenait une bonne partie de l'ancienne, mais avec d'importantes modifications. À la demande d'un lien ferroviaire avec Saint-Paul, on ajoutait la demande «d'ici cinq ans» d'une voie ferrée entre Rivière-Rouge et le lac Supérieur. Pour la construction d'écoles, de ponts et de routes, on demandait maintenant de l'argent et non des terrains. Il ne devait y avoir aucune taxation directe tant que la région n'aurait pas le statut de province.

On demandait aussi que «toutes les propriétés, tous les droits et privilèges dont nous avons joui jusqu'ici soient respectés et que ce soit le gouvernement local qui régisse les coutumes, les usages et les privilèges locaux».

Le corps législatif devait avoir autorité sur toutes les terres «à l'intérieur d'une circonférence dont le centre serait le fort Garry et dont le rayon serait égal à la distance qui sépare le fort de la frontière américaine».

Tout homme âgé de 21 ans et plus aurait droit de vote, à condition d'habiter dans la colonie depuis trois ans. Le territoire devrait avoir deux représentants au Parlement du dominion et un au Sénat. La population de Rivière-Rouge ne devrait pas être tenue responsable des 300 000 livres dues par le Canada à la Compagnie de la Baie d'Hudson.

On révisa la Charte, article par article. Le 3 février, Riel proposa un amendement stipulant que le statut de province, plutôt que d'être laissé à la discrétion du Parlement fédéral, serait une condition préalable à l'entrée dans le Canada.

Son amendement fut rejeté.

Il proposa ensuite d'annuler la vente du territoire par la Compagnie de la Baie d'Hudson. La colonie de Rivière-Rouge devrait plutôt négocier elle-même son transfert au Canada et recevoir les 300 000 livres dues à la Compagnie.

Lorsque cet amendement, qui correspondait à une revendication de longue date, fut défait, Riel s'emporta. Il en voulait surtout à Nolin, Klyne et Harrison qu'il croyait soudoyés par Smith. Il affirma avec colère que, tôt ou tard, on reconnaîtrait le bien-fondé de cet amendement et il accusa Nolin, Klyne et Harrison d'avoir perdu toute influence au sein de la communauté en trahissant la confiance populaire. La réunion se termina dans la confusion.

Riel était convaincu que Smith, Mactavish et Cowan avaient persuadé Nolin et les autres de s'opposer à lui. Il fit placer sous surveillance Cowan et A.G.B. Bannatyne, pourtant les hommes qui lui étaient les plus favorables parmi les colons anglophones. Lorsque les soldats de Riel voulurent arrêter Nolin, le drame fut évité de justesse. Duncan Nolin s'empara d'un pistolet, un soldat pointa son mousquet, mais les coups de feu ratèrent leurs cibles.

Les représentants se rencontrèrent à nouveau le 7 février. Après avoir écouté Thibault et de Salaberry, ils comprirent ce que Riel avait déjà saisi des semaines plus tôt. Thibault et de Salaberry n'étaient que des ambassadeurs de bonne volonté, dépourvus de tout pouvoir d'engager Ottawa de quelque façon que ce soit. Smith, lui, avait apparemment certains pouvoirs, mais lesquels?

C'est donc entre lui et Riel que l'affrontement se produisit. L'allure respective des deux hommes devait contraster vivement. Riel, jeune et sans expérience, un visage intelligent couronné par une abondante chevelure tirant vers le roux; Smith, le front dégarni, arborant une longue barbe carrée et des sourcils exceptionnellement touffus au-dessus d'yeux clairs d'habile négociateur.

Riel s'opposait aux idées de Smith, à «ce que pensait Smith»; il exigeait la garantie que Smith, en tant que commissaire, pouvait prendre des décisions qui lieraient le gouvernement canadien.

Lorsqu'on proposa à Smith de donner son avis sur la Charte des droits, Riel voulut s'assurer si Smith pouvait... «nous dire qu'il est en mesure de nous accorder ce que nous voulons. Est-il, en tant que commissaire, capable de garantir un seul article de la charte[8]?»

Mais Smith tenta d'éluder la question et répondit: «Dans la mesure où on ne peut garantir quoi que ce soit en rapport avec une chose qui n'est pas encore arrivée, je ne pourrais, dès lors, m'engager en ce qui concerne l'ensemble...»

«Donc, dit Riel, vous ne pouvez nous garantir un seul article de cette charte.»

Smith refusa d'admettre la vérité. «Je pense que mes pouvoirs me permettent de garantir certains articles de cette charte, en autant qu'il soit possible de garantir ce que le Parlement n'a pas encore adopté.»

«Vous êtes embarrassé, répondit Riel. Je vois que vous êtes un gentleman et je ne veux pas vous bousculer. Je vois que le gouvernement canadien ne vous a pas accordé toute la confiance qu'il aurait dû placer entre vos mains. Néanmoins, nous vous écouterons, bien que nous soyons convaincus que vous ne pouvez nous accorder ni nous garantir quoi que ce soit en vertu de votre mandat[9].»

Smith examina la Charte des droits, donna son avis du mieux qu'il put, et utilisa des expressions pouvant signifier tout et rien à la fois, «le plus grand respect», «pleine et entière justice», et parfois «assurance formelle». Après tout, la Compagnie de la Baie d'Hudson était bien décidée à faire encore des affaires au Canada et Donald A. Smith était un homme d'affaires trop habile pour prendre un engagement susceptible d'embarrasser Ottawa.

À la fin de la rencontre, Smith, parlant en son nom et en celui de Thibault, de de Salaberry et du gouvernement canadien, annonça qu'il était autorisé à «offrir un accueil chaleureux aux délégués que cette région pourrait envoyer à Ottawa».

Par un étrange caprice de l'histoire, l'envoyé de John A. Macdonald avait offert à Riel exactement ce qu'il voulait. Riel avait forcé le gouvernement canadien à entreprendre des négociations avec la population de Rivière-Rouge. Mieux encore, l'invitation d'envoyer des délégués avait été faite devant les représentants des colons anglophones et francophones.

Le 8 février, on adopta la proposition suivante:

> Tribunal du fort Garry
> 8 février 1870
> Les commissaires canadiens ayant invité une délégation de cette région à discuter avec le gouvernement canadien des problèmes de ladite région, et un accueil chaleureux ayant été promis auxdits délégués, il est proposé par James Ross, appuyé par M. Riel et adopté à l'unanimité, que l'invitation soit acceptée et qu'on en avise les commissaires.
>
> Par ordre,
> W. Coldwell,
> Louis Schmidt,
> secrétaires de l'assemblée[10]

Le temps était maintenant venu d'élargir la base du gouvernement provisoire. Pour ce faire, Riel avait des arguments convaincants. Le conseil d'Assiniboia n'existait plus. Personne ne pouvait prévoir la durée des négociations ni la date où les représentants canadiens pourraient commencer à gouverner.

«La situation laisse à désirer, dit Riel. Il faut maintenant nous placer en position plus favorable. Il nous faut une assise plus solide avant d'aller de l'avant.»

La «position plus favorable» et l'«assise plus solide» prirent la forme d'un exécutif permanent et d'un gouvernement provisoire efficace. Selon des rumeurs, des colons anglophones prenaient les armes à Portage-la-Prairie. Il était temps d'établir une autorité avant que la dissolution du comité ne laisse «un vide qui pourrait engouffrer tout notre peuple». Riel prévoyait en outre que des dissensions pourraient surgir si des ambitieux cherchaient à profiter de la situation.

Les débats durèrent encore deux journées complètes. Les colons anglophones hésitaient car ils doutaient de la légalité du gouvernement provisoire. «Le gouvernement provisoire est un fait, déclara Riel. Pourquoi ne pas le reconnaître? En réalité, vous l'avez pratiquement reconnu par vos intentions dans cette assemblée. Cela a donné de bons résultats. Continuez ainsi[11].»

Comme le Canada n'avait pas complété l'achat du territoire, certains auraient pu soutenir que le gouverneur Mactavish représentait encore l'autorité. Pourquoi ne pas demander son avis? John Sutherland, John Fraser, Ambroise Lépine et Xavier Pagée se rendirent le consulter. À leur retour, Sutherland rapporta les paroles de Mactavish: «Formez votre gouvernement, pour l'amour de Dieu, et rétablissez la paix et l'ordre dans la colonie.»

Les colons anglophones ainsi rassurés, on forma un comité chargé d'ébaucher une constitution; celui-ci était composé de Louis Riel, W.B. O'Donoghue, Charles Nolin, James Ross, Thomas Bunn et du docteur Curtis J. Bird.

Ross proposa que Riel soit l'un des délégués envoyés à Ottawa. Mais dans la discussion qui s'ensuivit, certains des représentants anglophones parlèrent de retourner consulter leurs électeurs.

Riel protesta à sa façon typique:

Je sais que vous êtes obligés envers votre peuple; mais pourquoi ne l'avez-vous pas dit au moment de mettre le comité sur pied? À quoi cela sert-il de nommer un comité s'il ne peut agir? Tous les membres de ce comité sont anglophones sauf un ou deux. Mais c'est une organisation sans tête... Si vous devez reculer, alors reculez; et si vous ne revenez pas, bien, votre peuple restera tel qu'il est. Quant à nous, nous continuerons à travailler comme nous l'avons fait... Nous ne ferons pas que notre travail, mais le vôtre aussi... Si vous ne revenez pas, nous considérerons ce qui a été fait comme nul. Nous rédigerons une nouvelle charte des droits, nous formerons un gouvernement provisoire et nous tenterons de le faire respecter.

Je déclare solennellement que si les préjugés de votre peuple devaient prévaloir, alors qu'ils prévalent, mais ce sera au prix de mon sang[12].

La manière plus que les mots donnaient à entendre que Riel agirait seul et que c'en serait fait de l'unité de la colonie.

Xavier Pagée proposa d'adopter le rapport du comité et que Riel soit nommé président. La proposition fut adoptée. Riel fit relâcher Mactavish, Cowan et Bannatyne. Il promit également de relâcher les Canadiens prisonniers au fort Garry.

Le 10 février 1870, le comité présenta son rapport qui suggérait la mise sur pied d'un conseil élu de 24 membres, et d'un exécutif formé d'un président, de deux secrétaires, l'un francophone et l'autre anglophone, et d'un trésorier. Les tribunaux fonctionneraient comme avant, Norbert Larance remplacerait William Dease comme juge de paix. Les responsables seraient: Louis Riel, président; Thomas Bunn et Louis Schmidt, secrétaires; W.B. O'Donoghue, trésorier; James Ross, juge en chef. Le docteur Curtis J. Bird, coroner, Henry McKenney, shérif et A.G.B. Bannatyne étaient confirmés dans leurs fonctions. Le père Ritchot, Alfred Scott et le juge Black seraient délégués à Ottawa.

The New Nation put annoncer la fin heureuse de l'assemblée, marquée par une fête générale. Dans son journal, Alexander Begg mentionne que ce fut une «véritable beuverie... à laquelle tous semblèrent participer».

Le meurtre du métis Norbert Parisien

Pendant tout ce temps, Schultz et Mair étaient en prison. À son arrivée au fort Garry, Donald Smith avait fait état de soixante-quatre prisonniers. Neuf d'entre eux furent relâchés le 4 janvier 1870: ils avaient juré d'appuyer le gouvernement provisoire ou de quitter Rivière-Rouge et de n'y revenir que sans armes.

Les femmes pouvaient apporter de la nourriture aux prisonniers. À Noël, il y avait eu une «danse entre hommes», du rosbif, du plum-pudding et un gâteau de Noël. Les Métis ne constituaient pas des geôliers très cruels. Les nombreuses évasions portent à croire que les gardiens ne prenaient pas leur rôle très au sérieux. Les cadres des fenêtres, auxquelles on avait ajouté des barreaux de fer, étaient en bois.

Samedi le 9 janvier, plusieurs prisonniers s'échappèrent,

parmi lesquels Charles Mair et Thomas Scott. Alexander Begg, en observateur infatigable, note que Mair fut accueilli avec un cordial et des vêtements chauds par William Drever, à Winnipeg.

Le 23 janvier, ce fut au tour de Schultz de s'évader. Il abusa de la bonté de Robert MacBeth, qui le détestait mais ne pouvait refuser d'aider un homme menacé d'un châtiment sévère, peut- être la mort, s'il était pris. Les cavaliers métis reprirent plusieurs des évadés mais Mair, Scott et ses compagnons ainsi que Schultz s'en tirèrent.

❑

Le succès du *Canada First Party* s'explique en bonne partie par le fait que la population de l'Est du Canada recevait ses informations sur l'Ouest via des hommes comme Schultz, Mair et l'arrogant reporter du *Toronto Globe*, Robert Cunningham.

> Sur le coup de dix heures, écrit Cunningham dans le *Globe* du 28 janvier 1870, heure à laquelle on m'avait formellement promis une apparition du président, je ressentis un peu d'anxiété. J'avais vu quelques dessins à la plume du président, où il était représenté tantôt en Alexandre, tantôt en Napoléon; et la perspective de rencontrer l'un ou l'autre était de nature à énerver n'importe qui.

> J'étais assis, attendant impatiemment son arrivée lorsque je perçus de l'agitation dans la pièce voisine. Je m'enquis de la cause de cet émoi et on me répondit que M. le président était enfin arrivé.

> Sur ce, je me levai et pénétrai dans la pièce où, parmi les sang-mêlé rassemblés, j'aperçus deux nouveaux venus. L'un d'eux avait un peu l'allure d'un prêtre, cheveux blonds, rasé de près, avec un air servile et rusé qui me fit tout de suite penser à Uriah Heep.

> Il se présenta comme étant W.B. O'Donoghue et plus il parlait, plus la comparaison avec Uriah Heep se confirmait

dans mon esprit. Mais il y avait un autre nouveau venu
dans la pièce. Il s'agissait d'un homme d'une trentaine d'années, mesurant environ 5 pieds 7 pouces – plutôt costaud.
Sa chevelure abondante était foncée et frisée; ses traits
avaient quelque chose de juif, avec un front très étroit et très
fuyant.

Celui-là, j'en étais sûr, c'était monsieur le président Riel et
il me jeta un regard des plus perçants, du moins c'est sûrement ce qu'il croyait. Je fis de mon mieux pour l'imaginer
en Napoléon ou en Alexandre, mais ce fut peine perdue –
totalement perdue –, je ne pouvais m'empêcher de songer
que j'avais devant moi l'adjoint d'un marchand de draps.
Là-dessus, impossible de se tromper et bien qu'il me fixât
pendant dix bonnes minutes, je ne pus m'empêcher de voir
en lui un misérable marchand, et même s'il avait continué
à me fixer jusqu'à maintenant, le résultat aurait été identique.

Il portait une veste de tweed de ton clair et un pantalon noir
dont il semblait extrêmement fier – avec raison d'ailleurs –
car aussi vrai qu'il les portait, il avait payé ces vêtements en
vendant l'unique vache de sa pauvre veuve de mère.

Cette allusion désobligeante de Cunnigham ne fait que souligner encore plus l'intégrité et l'honnêteté de Riel. Car en aucun
moment, il n'utilisa les ressources de la Compagnie de la Baie
d'Hudson pour alléger le lourd fardeau de sa famille.

On peut comparer le reportage chauvin de Cunningham
avec les descriptions faites par Mme Macdonald, qui habitait
alors dans la colonie et connaissait les Riel, et par un Américain,
N.P. Langford, qui visita le fort Garry en 1870.

J'ai souvent rencontré Louis Riel quand j'étais jeune, raconte Mme Macdonald, et nous le trouvions tous très élégant. Il était très poli et bien élevé et il avait un air distingué
avec ses beaux cheveux ondulés. Il venait souvent à cheval
de Saint-Norbert et de Saint-Vital, et il s'arrêtait souvent
chez nous. Il était excellent cavalier.

Je me souviens de m'être rendue chez la mère de Riel avec
M. Taylor, le consul américain à Winnipeg, que tous
connaissaient. Il désirait écrire quelque chose sur Louis
Riel. Celui-ci était absent, parti quelque part dans les États
de l'Ouest. Mme Riel était devant sa maison, très occupée

à faire bouillir du savon qu'elle brassait avec une palette de bois. Elle refusa de dire quoi que ce soit, car elle ne voulait pas parler de son fils à des étrangers.

Je me rendis chez Riel, écrit N.P. Langford, en compagnie du gouverneur Marshall. Riel a environ 28 ans, un physique agréable et un tempérament vif; c'est un grand travailleur et je le crois doué d'une grande endurance. Il est costaud, son front est haut mais étroit; ses manières sont très engageantes et convaincantes; toute sa personne dégage de l'énergie et l'esprit de décision. C'est là, en fait, que réside toute sa force car je ne vois pas en lui une grande profondeur, bien qu'il soit avisé et, je le crois, véritablement patriote et non moins véritablement incorruptible.

Durant cette rencontre avec nous, il se montra très diplomate et réservé. Cela n'avait toutefois rien d'offensant et, à mon avis, c'était tout à son honneur[13].

❑

Schultz, Mair et Scott s'activèrent bientôt à organiser l'opposition au gouvernement provisoire. Thomas Scott fut parmi ceux qui recrutèrent environ soixante hommes à Portage-la-Prairie pour libérer les prisonniers du fort Garry. Le commandant Boulton raconte qu'il tenta de les dissuader car il craignait qu'ils ne compromettent les efforts des commissaires canadiens. Lorsqu'il devint évident qu'ils étaient décidés à agir, Boulton les accompagna à contrecœur, espérant, dit-il, empêcher quelque geste stupide.

À Poplar Point, High Bluff et Headingly, ils recrutèrent encore quelques hommes. Ils étaient plus d'une centaine lorsqu'ils encerclèrent la maison d'Henri Coutu. Coutu était le cousin de Riel et il était notoire que ce dernier y passait souvent la nuit. Boulton et Scott pénétrèrent dans la maison; Riel n'y était pas. Boulton conduisit alors le goupe à Kildonan.

Entre-temps, Schultz parcourait les paroisses écossaises et rassemblait une troupe de plusieurs centaines d'hommes, y compris un certain nombre d'Indiens swampy. Il fut enhardi par l'arrivée de John Taylor, un Américain, qui lui affirma que Boulton l'attendait avec sa troupe à Kildonan. Il s'y dirigea avec ses hommes et son petit canon tiré par des bœufs.

À Kildonan, au soir du 15 février, les hommes de Boulton capturèrent un «espion» – un jeune Métis simple d'esprit du nom de Norbert Parisien – en route vers sa maison après une journée passée à couper du bois[14]. Boulton, qui aurait dû voir que le jeune garçon était inoffensif, présente sa version des faits: «Au crépuscule, on amena un prisonnier soupçonné d'espionnage, un nommé Parisien. Il fut pris en charge par les gardiens qui, n'ayant d'autre endroit plus sûr, l'emprisonnèrent sous la chaire de l'église de Kildonan[15].» L'endroit avait moins de 50 centimètres de haut. L'église n'était pas chauffée et c'était la mi-février.

Pour une raison ou pour une autre, le garçon ne mourut pas de froid pendant la nuit. Au matin, un gardien le conduisit à la porte principale de l'église. Il y avait là une voiture avec un fusil sur le siège. Parisien s'empara de l'arme et s'enfuit en courant sur la rivière gelée.

Hugh John Sutherland commença à le poursuivre à cheval. Parisien pointa son arme et tira: Sutherland tomba, blessé à mort. Parisien fut poursuivi, abattu et repris. Boulton poursuit son récit:

> Je descendis jusqu'à la rivière pour m'enquérir de ce qui était arrivé à Parisien. J'aperçus à environ un demi-mille une foule nombreuse. Je m'y rendis en courant pour constater qu'ils avaient repris le prisonnier et le malmenaient sérieusement. La mort de Sutherland les avaient rendus furieux et ils avaient l'intention de lui faire un mauvais parti. Il avait les pieds liés et on le traînait sur la glace par une corde passée à son cou. À n'en pas douter, il allait très bientôt payer pour son geste. Mais j'intervins[16]...

Dans *Woman of Red River*, Mme Black n'impute à Norbert Parisien aucune responsabilité pour la mort de son frère:

> Hugh John mourut le lendemain matin. Avant de mourir, il supplia instamment qu'on ne punisse pas le jeune Parisien. Selon mon père, le pauvre bonhomme était trop effrayé pour savoir ce qu'il faisait! Ceux qui avaient capturé Parisien le traitèrent très rudement et parlèrent de le pen-

dre sur-le-champ. Mais le révérend John Black intervint et
sauva la vie du jeune homme. Je me souviens que, d'après
le docteur Black, le jeune Parisien n'était plus qu'une chose
pitoyable lorsqu'il l'aperçut à demi inconscient, le sang
ruisselant d'une blessure que Thomas Scott lui avait faite
d'un coup de hachette au côté de la tête. Il mourut peu
après[17].

En fait, Norbert Parisien survécut jusqu'au 4 avril. Le récit
de Mme Black correspond à celui de Begg: «On dit que Parisien
reçut quelques vilains coups à la tête et plusieurs anglophones
voulaient le lyncher, mais le bon sens l'emporta et on se contenta de le faire prisonnier[18].»

Mme Ross ajoute un autre fait révélateur:

> Le matin où ce pauvre Sutherland fut abattu, j'étais partie
> à Middlechurch... En arrivant près de l'église de Kildonan,
> j'aperçus des hommes attroupés. On avait transporté le
> jeune Sutherland dans la maison du révérend docteur
> Black. À l'intérieur, je rencontrai le docteur Schultz dans
> l'entrée. Il criait: «La guerre! la guerre[19]!»

Schultz exploita cette tragédie pour pousser son groupe à
l'agression. Le révérend John Black envoya un message à Riel,
lui disant que lui et le groupe rassemblé à Kildonan refusaient
d'appuyer le gouvernement provisoire.

À nouveau, à Winnipeg, on craignit que Schultz et ses partisans ne provoquent une guerre civile. On se prépara à défendre le fort Garry et des Américains songèrent à s'y mettre à l'abri.

Dans l'église de Kildonan, le nombre des rebelles continuait
d'augmenter. Le 17 février, Begg note que sur un prisonnier au
fort Garry, on avait trouvé des lettres

> montrant qu'il existait un plan pour attaquer le fort de trois
> directions à la fois: le groupe de William Dease progresse-
> rait à partir de l'amont de la rivière Rouge, un autre groupe
> partirait de Portage-la-Prairie et un troisième groupe
> s'avancerait en aval de la colonie. Plus inquiétant encore,
> les Sioux devaient être de la partie et le plan prévoyait que
> ces scélérats mettent le feu aux maisons des colons franco-
> phones et y tuent femmes et enfants – si ce dernier point est
> vrai, c'est tout simplement horrible...

Riel envoya une lettre aux insurgés leur disant qu'ils «étaient libres de former un gouvernement provisoire, mais qu'ils devaient se tenir loin du fort Garry». Il ajoutait que la guerre, l'horrible guerre, dévasterait la région.

> Tous les prisonniers ont été libérés... tous ont juré de ne pas troubler l'ordre public... Monsieur William Mactavish vous a demandé, pour l'amour de Dieu, de former et compléter le gouvernement provisoire. C'est sur cette base que vos représentants se sont joints à nous. Maintenant, qui viendra détruire la colonie de Rivière-Rouge[20]?

Boulton, selon sa version, conseilla aux hommes réunis dans l'église de Kildonan «d'accepter l'hospitalité de nos amis des villages anglophones, jusqu'à ce que l'agitation se soit un peu apaisée et que nous puissions retourner un à un à Portage-la-Prairie».

À ce qu'il écrit, sa proposition fut rejetée. «Nous sommes venus en braves, déclara Michael Power, nous devrions repartir ensemble en braves.» Murdoch McLeod menaça Boulton, l'avisant «d'agir en homme et de marcher droit».

C'est ainsi qu'à quatre heures du matin le 18 février, le groupe de Portage-la-Prairie, prétextant rentrer chez soi, monta à bord des traîneaux pour se diriger vers Winnipeg. Or, la route passait à quelques centaines de mètres du fort Garry.

Riel surveillait ces têtes brûlées de très près et ne voulait courir aucun risque. *The New Nation* rapporte, le 18 février 1870, qu'au fort Garry, «des hommes se rassemblent, en toute hâte. Les canons sont en position, la mitraille et les obus sont disposés en ordre. Selon nos renseignements, plus de 500 hommes occupent les bastions et les remparts. Balles et cartouches sont empilées en vrac. On a fait l'impossible pour s'opposer fermement aux Anglais et leur donner la frousse.»

On demanda aux femmes et aux enfants de Winnipeg de se mettre à l'abri. Un groupe de Métis dirigés par O'Donoghue se rendit à Winnipeg à la recherche d'armes et de poudre. Comme Bannatyne avait refusé de livrer la clef de son magasin, on le saccagea et on le vida jusqu'au dernier baril.

Vers onze heures du matin, les Métis aperçurent les traîneaux et les hommes en armes qui approchaient. Au nord de

Winnipeg, les traîneaux bifurquèrent vers l'ouest. Cherchaient-ils à encercler le fort?

Lépine et O'Donoghue sortirent par le portail nord à la tête d'un groupe de cavaliers, suivis par une cinquantaine d'hommes à pied. Depuis le fort, on observait la scène attentivement, espérant éperdument que la fusillade n'éclate pas.

La cavalerie métisse encercla la troupe de Boulton. Celui-ci raconte qu'il avait ordonné de ne tirer «sous aucun prétexte [21]». Après les avoir fait prisonniers, O'Donoghue et ses hommes les escortèrent jusqu'au fort Garry.

Les quarante-huit hommes, y compris le commandant Boulton et Thomas Scott, furent alors désarmés. Prudent, Mair avait décidé de regagner Portage-la-Prairie par un autre chemin.

Schultz comprit finalement qu'il ne pourrait vaincre Riel ni par la force, ni en se gagnant la population de Rivière-Rouge. Il resta donc en sécurité à Toronto aux côtés de Denison et de son *Canada First Party*, à fomenter l'hystérie anti-Riel dans l'Est du Canada.

L'exécution de Thomas Scott

Alors que Schultz fuyait vers Toronto, les hommes de Riel parcouraient toute la région de Rivière-Rouge à sa recherche. Ils ignoraient qu'un Métis anglophone, Joseph Monkman, avait aidé Schultz, blessé à la jambe, à se rendre en raquettes jusqu'à la tête de la ligne du chemin de fer, à Saint-Cloud aux États-Unis.

Cette deuxième tentative de soulèvement armé contre le gouvernement provisoire inquiétait vivement Riel. Cette situation allait-elle se reproduire périodiquement? Si ces écervelés s'entêtaient et que des gens étaient tués ou blessés, les colons seraient sans doute profondément divisés. Riel avait travaillé d'arrache-pied pour unir la population de Rivière-Rouge et renforcer l'appui aux délégués qui devaient négocier le meilleur accord possible avec le Canada. Comment empêcher les fauteurs de troubles de détruire tout ce travail?

Le Conseil métis jugea que les actions du commandant

Charles Boulton et de Thomas Scott méritaient la cour martiale. Tous deux en effet commandaient une troupe armée.

Boulton donna un compte rendu des événements qui s'ensuivirent

C'est Riel qui l'informa de la sentence de mort prononcée contre lui. «Commandant Boulton, préparez-vous à mourir demain à midi[22].»

«Très bien», répondit Boulton, et Riel le laissa seul.

Il revint cependant peu après pour le questionner. Quel était le but de leur attaque? Qu'auraient fait Boulton et Scott s'ils avaient trouvé Riel chez Henri Coutu à Winnipeg? Peu importe les réponses de Boulton, Riel savait sans doute très bien qu'il n'aurait pas survécu longtemps entre les mains d'individus tels que Schultz, Mair et Scott. En partant, Riel dit: «Vous voulez voir l'archidiacre McLean? Je le ferai venir[23].»

Lorsque la nouvelle de la condamnation à mort de Boulton se répandit, les appels à la clémence se firent entendre. L'archidiacre McLean, l'évêque Machray, le père Lestanc, James Ross, Oscar Malmros, le consul américain et les parents de Hugh Sutherland intercédèrent auprès de Riel. Mais les appels aux sentiments le laissaient froid; Riel était convaincu que l'exécution de Boulton était nécessaire au maintien de l'ordre à Rivière-Rouge.

Donald Smith, lui, parla en termes politiques; il montra que l'exécution de Boulton provoquerait précisément ce que Riel voulait éviter: la division au sein de la population de Rivière-Rouge. Riel pouvait entendre raison. Et il pouvait montrer à Smith, l'homme d'affaires, qu'il savait tirer profit d'une situation. Il pouvait échanger la vie de Boulton contre la collaboration de Smith[24].

«Jusqu'ici je suis resté sourd à toutes les suppliques, mais si je vous accorde la vie de cet homme, puis-je vous demander une faveur?»

«Tout ce que vous voudrez, si l'honneur me le permet», répondit Smith. L'honneur, pour Smith, n'était qu'un prétexte pour ne pas agir. Au même moment, il manquait à sa parole envers Riel et soudoyait des Métis.

«Le Canada nous a divisés; userez-vous de votre influence pour nous réunir? Vous le pouvez, sinon ce sera la guerre – une guerre civile sanglante.»

Smith déclara qu'il ferait tout en son pouvoir pour favoriser l'union pacifique avec le Canada.

«Nous voulons seulement faire respecter nos droits de citoyens britanniques et nous voulons seulement que les anglophones se joignent à nous pour les revendiquer.

– Dans ce cas, promit Smith, je les rencontrerai au plus tôt et les inciterai à poursuivre ce but, en élisant d'autres délégués.

– Si vous y parvenez, la guerre sera évitée. Non seulement la vie mais la liberté de tous les prisonniers sera assurée, car de votre succès dépend la vie de tous les Canadiens de la région.»

Riel alla ensuite annoncer à l'archidiacre McLean qu'il avait gracié Boulton et que tous les prisonniers seraient relâchés après l'élection du nouveau gouvernement provisoire.

Boulton raconte que Riel lui fit alors une étonnante proposition.

«Je suis venu vous serrer la main et vous faire une proposition. Je vois que vous êtes un homme de valeur, un chef. Les anglophones n'ont pas de chef. Accepteriez-vous de vous joindre à mon gouvernement et d'être leur chef[25]?»

Boulton aurait alors répondu à Riel que s'il libérait tous les prisonniers et lui permettait de retourner consulter ses amis à Portage-la-Prairie, il réfléchirait sérieusement à sa proposition[26].

Riel quitta la pièce. De toute évidence Boulton n'était pas celui dont il avait besoin. Indécis, ce dernier était incapable de prendre une décision rapide.

Quelques jours plus tard, aux environs du 24 février, Riel tomba gravement malade. Coutu dut aller chercher un prêtre à Saint-Boniface et faire venir sa mère de Saint-Vital.

On diagnostiqua une fièvre cérébrale. C'est ainsi qu'à l'époque on appelait l'encéphalite, qui est une inflammation du cerveau. Comme les antibiotiques étaient encore inconnus, un abcès aurait très bien pu se former. Une infection tuberculeuse était probablement à l'origine de la maladie.

Mais Riel se remit vite sur pied. Le travail ne manquait pas. La nourriture et l'argent, par contre, se faisaient rares. On craignait les attaques des Sioux. Et puis, il y avait les prisonniers. Il avait promis à Smith de les libérer dès que le gouvernement provisoire, formé de représentants de tout Rivière-Rouge, serait solidement établi. On combla le manque d'argent en empruntant dans les coffres de la Compagnie de la Baie d'Hudson.

Thomas Scott était le moins commode des prisonniers. Les

Métis n'étaient pas des geôliers d'expérience. Chasseurs, trappeurs et canoteurs intrépides, ils étaient habitués à faire face au danger mais non à des captifs qui les insultaient, les harcelaient et les provoquaient délibérément.

Scott était originaire d'Irlande du Nord. Il avait brièvement appartenu au bataillon de chasseurs Hastings, près de Belleville en Ontario. Mair cite le capitaine Row, selon qui Scott était «le plus bel homme du bataillon... vingt-cinq ans, environ six pieds deux pouces... orangiste, loyal jusqu'à la moelle[27]». Scott, qui n'avait apparemment aucun emploi défini, partit pour Rivière-Rouge en 1868 avec les ouvriers de Snow. Le salaire y était environ le même que celui d'un engagé dans une ferme de l'est de l'Ontario.

En novembre 1869, Scott comparut devant le greffier Black pour avoir entraîné ses camarades de travail à faire la grève. Ils exigeaient quelques journées de salaire que Snow refusait de leur payer; ils s'étaient donc emparés de lui, l'avaient traîné jusqu'à un ruisseau et avaient menacé de le noyer. Snow eut la vie sauve grâce à deux Métis, Damas Harrison et Louis Blondeau. Snow paya mais porta plainte contre Scott et ses compagnons qui furent condamnés à payer une amende de quatre livres chacun[28].

Scott était un jeune homme impétueux et inexpérimenté, incapable de comprendre les préceptes de l'ordre d'Orange, bouffi de prétentions loyalistes et convaincu que les natifs de l'Ulster étaient tous des soldats hors pair. Si on lui avait montré le rapport de la Commission parlementaire britannique de 1835 qui dévoilait la complicité de l'ordre d'Orange dans le complot visant à évincer la princesse Victoria du trône et à placer l'héritier successible Ernest, duc de Cumberland, sur le trône d'Angleterre, Scott aurait probablement crié à la supercherie papiste.

Il ne pouvait comprendre que les ouvriers sous-payés de Belfast, si prompts à exiger de meilleurs salaires, puissent prêter foi à la propagande orangiste qui répandait le bruit d'un terrible complot des jésuites pour installer le pape dans la lugubre (et protestante) Belfast. Si on lui avait dit que Cromwell avait assassiné un roi anglais, en avait banni un autre et soudoyé un troisième – son héros, Guillaume d'Orange, qui ne parlait pas un mot d'anglais et méprisait les Britanniques – Scott aurait sans doute éclaté de fureur.

C'est le contexte de son enfance et la haine fanatique propagée par les Orangistes d'alors contre les catholiques, contre les francophones et les Métis qui furent, tout autant que le peloton d'exécution, responsables de la mort de Scott.

Après avoir perdu son emploi au chantier de la route, Scott s'installa à Winnipeg où on ne lui connut pas d'emploi régulier. Il se lia apparemment d'amitié avec Schultz. Voilà bien le type de bagarreur qui pouvait être utile à Schultz. Après une de ses frasques, Scott fut arrêté par les Métis puis relâché sur la promesse de ne plus troubler l'ordre public.

Dans *Le Monde* de Montréal, en 1874, Riel donne sa version des événements qui menèrent à l'exécution de Scott:

> Le 27 février, lorsque Boulton fut pris avec quarante-sept hommes tous armés, sous les murs du fort Garry, Scott était l'un de ceux-là. Arrêté, donc, pour une seconde fois, Scott se distingua en prison par son comportement violent, surtout pendant le mois de mars. C'est alors que lui et McLeod forcèrent les portes de leur cellule et se jetèrent sur les gardiens, en invitant leurs compagnons à faire de même.
>
> Les Métis, qui avaient toujours traité leurs prisonniers avec beaucoup d'égards, étaient si furieux de tant de violence qu'ils traînèrent Scott à l'extérieur et s'apprêtaient à le tuer quand un de leurs dirigeants intervint. Tous exigeaient que Scott comparaisse devant le conseil de guerre.

On raconte qu'il fut immédiatement traduit en cour martiale. Riel voulait éviter d'en venir à ces extrémités et rendit visite au prisonnier. Il lui demanda de réfléchir à sa situation et l'enjoignit de se calmer, quels que fussent ses sentiments; ainsi, lui dit le président du gouvernement provisoire, j'aurais un motif pour vous éviter de comparaître devant le Conseil du général adjoint comme l'exigent à cor et à cri les soldats métis. Scott ignora ce conseil et persista dans son attitude.

> À tout moment, de nouveaux troubles pouvaient éclater, menaçant la vie de nos citoyens; le départ de nos délégués s'en trouvait retardé. Pareil retard ne pouvait qu'avantager le docteur Schultz qui, incapable de rester à Rivière-Rouge, s'était rendu en Ontario pour soulever l'opinion publique contre le gouvernement provisoire, pour empêcher que nos délégués soient reçus officiellement à Ottawa, et les remplacer par une délégation de son choix.

Le 3 de ce même mois, Scott comparut devant la cour martiale. Il fut confronté à des témoins assermentés, trouvé coupable et condamné à mort.

Le lendemain, 4 mars 1870, nous exerçâmes dans toute sa sévérité le pouvoir gouvernemental qui nous avait été confié pour protéger une colonie anglaise et que nous n'avions pas utilisé au cours de trois mois de lutte acharnée, sauf pour désarmer nos ennemis. Scott fut exécuté parce que c'était nécessaire au maintien de l'ordre; nous avions le devoir de faire respecter l'ordre.

Et maintenant, non seulement le Canada n'a-t-il rien à dire sur le plan légal au sujet de cette exécution, mais il ne serait pas raisonnable qu'un individu soit tenu responsable du geste d'un gouvernement et que le Canada traite comme de vulgaires aventuriers les membres et dirigeants d'un gouvernement légal avec lequel il a négocié au vu et au su de tout le monde durant presque toute une session parlementaire.

Scott avait refusé d'entendre raison. Il continua à bousculer et à insulter les Métis, qu'il croyait trop lâches pour oser le fusiller. Si tant est qu'il fut capable de réflexion, il jugea peut- être la grâce accordée à Boulton comme une marque de faiblesse et il conclut qu'il pouvait continuer à agir de façon puérile et à défier ses geôliers.

C'est Ambroise Lépine qui présida le tribunal. Il était accompagné de Joseph Delorme, André Nault, Elzéar Lagimodière, Janvier Ritchot, Baptiste Lépine et Elzéar Goulet. Le greffier était Joseph Nolin. Les témoins furent interrogés sous serment; parmi eux, Riel et deux gardiens. Scott, déclarèrent-ils, s'était rebellé contre le gouvernement provisoire, avait frappé un gardien et agressé Riel.

Celui-ci expliqua à Scott en anglais le contenu de le preuve.

Puis, Ritchot proposa la peine de mort et Nault l'appuya. Delorme et Goulet approuvèrent aussi. Baptiste Lépine jugeait le châtiment trop sévère. Elzéar Lagimodière considérait qu'il suffirait d'expulser Scott de la région, et il s'offrit à le reconduire de l'autre côté de la frontière. Scott répliqua aussitôt qu'il serait de retour avant Lagimodière. Ses paroles furent interprétées comme un refus de saisir la dernière chance qui s'offrait à lui.

Ambroise Lépine décida que puisque la majorité s'était prononcée pour la peine de mort, il fallait l'exécuter.

Le révérend George Young, un pasteur méthodiste, fut l'un des premiers à apprendre la nouvelle. Il rendit visite à Scott puis demanda à rencontrer Riel. Celui-ci rejeta sa demande: «C'est un homme très mauvais, il a insulté mes gardiens et fait obstacle au maintien de la paix; je dois donc faire un exemple pour frapper les esprits et amener les gens à respecter mon gouvernement. Il périra le premier et, si nécessaire, d'autres suivront[29].»

Young demanda alors à Smith d'intercéder en faveur de Scott. Smith raconta plus tard son entrevue avec Riel en compagnie du père Lestanc.

Il semble que Riel ne tint guère compte du père Lestanc, car il dit seulement: «Vous savez exactement ce qu'il en est.»

À Smith, il donna les détails de l'inconduite de Scott depuis sa menace de noyer Snow. Il avait été pris deux fois «les armes à la main». Bien qu'on eût promis la liberté aux prisonniers, Scott avait été «incorrigible et tout à fait incapable de comprendre la clémence avec laquelle on le traitait... Il était brutal et grossier avec les gardiens.» L'exemple de Scott «avait été des plus néfastes parmi les autres prisonniers, devenus si insubordonnés qu'il était difficile d'empêcher les gardiens de se venger». Riel craignait que Scott ne provoque une violence plus grande encore.

Smith déclara que «le grand mérite» de l'insurrection de Riel était que «jusqu'ici, elle n'a pas versé le sang, sauf pour un malheureux cas que tous s'entendent pour considérer comme un accident». Il insista pour que Riel «ne la souille pas, ne l'accable pas de ce qui serait considéré comme un crime horrible».

Riel répliqua que les Métis devaient se faire respecter du Canada.

Smith insista, en vain. La discussion prit fin quand Riel demanda au père Lestanc de prier pour le condamné.

Il ne fait aucun doute que, pour Riel, l'exécution de Scott était légale et nécessaire. Le condamné fut conduit à l'extérieur, accompagné du révérend Young; on lui mit un bandeau sur les yeux. Au signal, le peloton d'exécution fit feu et Scott s'effondra. Un des hommes du peloton s'approcha et, avec son revolver, lui donna le coup de grâce.

L'exécution de Scott fut une erreur politique. Mais Riel ne pouvait prévoir qu'elle finirait par lui coûter la vie et qu'elle

empoisonnerait la scène politique canadienne durant un demi-
siècle.

NOTES

1. *The New Nation,* vol. 1, n° 2, p. 1.

2. Pope, *Correspondence of Sir John A. Macdonald,* p. 112.

3. *Ibid.,* p. 114.

4. *Ibid.,* p. 115.

5. Parliamentary Select Committee to Inquire into the Causes of the Troubles in the North-West, 1874 and Pope, *Correspondence of Sir John A. Macdonald,* p. 118.

6. *The New Nation,* 21 janvier 1870.

7. *Ibid.,* 26 janvier 1870.

8. *Ibid.,* 11 février 1870.

9. *Ibid.*

10. D.P.C. 1870, V, n° 12.

11. Stanley, *Louis Riel,* p. 97.

12. *The New Nation,* 18 février 1870. Begg, *Red River Journal,* p. 99.

13. Boulton, *Reminiscences of the North-West Rebellions,* p. 105.

14. *Ibid.,* p. 107.

15. *Ibid.,* p. 108.

16. *Ibid.,* p. 108.

17. Healy, *Women of Red River,* p. 222.

18. Begg, *Red River Journal,* p. 310.

19. Healy, *Women of Red River,* p. 230.

20. Boulton, *Reminiscences,* p. 114.

21. *Ibid.,* p. 123.

22. *Ibid.,* pp. 117-119.

23. *Ibid.,* p. 123.

24. *Ibid.,* p. 124.

25. *Ibid.,* p. 124.

26. Mair Papers Queen's University Library, Kingston et Young, Rev. George, *Manitoba Memories,* Toronto, Briggs, 1897, p. 143.

27. «L'affaire Scott», *The Canadian Historical Review,* Vol. VI, 1925, A.P.C., pp. 222-234.

28. Elliot et Brokovshe, *Ambroise D. Lépine,* Montréal, Burland, 1874, p. 120-121.

29. Young, *Manitoba Memories,* p. 135.

IV

La formation de
la province du Manitoba

Le mouvement *Canada First*

Dans *The Struggle for Imperial Unity*, George T. Denison raconte la formation, en 1868, du mouvement qui prendra en 1870 le nom de *Canada First*. Il décrit le secret qui l'entourait, ses plans pour organiser un mouvement de protestation en apparence spontané contre Riel et les Métis, son arrogante tentative d'intimider John A. Macdonald et sa menace, proférée à l'endroit du lieutenant-colonel Durie, d'occuper l'arsenal de Toronto et de fomenter une révolution[1].

En avril 1868 à Ottawa, Denison rencontra William A. Foster, avocat et journaliste; puis, grâce à un ami du nom d'Henry J. Morgan, il rencontra Charles Mair et Robert Haliburton. Ces cinq personnes furent les fondateurs du mouvement *Canada First*. D'après Denison, lorsque la nouvelle des troubles de Rivière-Rouge parvint à Toronto, ils avaient déjà recruté huit membres.

Le neuvième fut John Schultz qui joignit le mouvement en mars 1869 lorsqu'il vint en visite à Toronto muni d'une lettre de recommandation de Charles Mair[2].

Denison était mécontent de l'indifférence générale qui entourait les événements de Rivière-Rouge. Pourquoi les gens ne prenaient-ils par les armes pour abattre ces quelques Métis?

Foster et moi, nous nous rencontrions presque tous les jours et nous étions très déçus de l'apathie de la population lorsque nous apprîmes que Schultz, Mair et le docteur Lynch étaient en route pour l'Ontario et que Scott avait été assassiné. Aussitôt nous vîmes l'occasion d'attirer l'attention sur cette question en organisant un accueil public aux réfugiés loyalistes; quant au meurtre de Scott, il nous permettait de soulever l'indignation populaire afin de forcer le gouvernement à envoyer un corps expéditionnaire pour rétablir l'ordre.

Denison mentionne ensuite la suggestion faite par Foster à George Kinsmill, lui aussi membre du mouvement *Canada First* et rédacteur en chef du *Toronto Daily Telegraph*; il lui proposait de faire porter le deuil à son journal (par des espaces noirs entre les colonnes) en mémoire de Scott. Foster rédigea une série d'appels à ses compatriotes sous forme d'éditoriaux où il réfutait les arguments de la presse officielle[3].

Les organes gouvernementaux cherchaient en effet à apaiser l'opinion publique et laissaient ouvertement entendre que ceux qui avaient pris les armes au nom du gouverneur McDougall ne devaient leur emprisonnement et leurs souffrances qu'à leur imprudence.

Le 2 avril 1870, Denison arriva en retard à une rencontre privée entre sympathisants du mouvement *Canada First*. Il fut contrarié d'y entendre John Macnab, avocat du gouvernement, suggérer d'attendre que Schultz, Mair et Lynch aient exposé leur cas aux représentants du gouvernement.

Denison raconte qu'il était «profondément choqué. Je savais que pareille ligne de conduite équivalait à abandonner les loyalistes aux mains d'éléments hostiles». John A. Macdonald et le gouvernement du Canada, des «éléments hostiles»!?

Aussi, continue-t-il,

j'ai bondi aussitôt et j'ai répliqué avec véhémence à l'orateur. J'ai expliqué que ces réfugiés avaient risqué leur vie pour obéir à une proclamation faite au nom de la reine et les appelant à prendre les armes; qu'ils n'étaient que quelques Ontariens, soixante-dix en tout, dans cette région éloignée et inaccessible, entourés et assiégés par des demi-sauvages. Abandonnés par l'officier qui avait lancé l'appel aux armes, ils avaient dû se rendre et endurer de longs mois de prison.

Denison savait sûrement que la proclamation de McDougall n'avait aucune valeur légale. Mais les faits lui importaient peu. Sa façon de décrire sa propre éloquence illustre bien l'arrogance des partisans du mouvement *Canada First*.

> J'ai dit que ces Canadiens avaient agi pour le Canada; allions-nous, ici, critiquer la forme qu'avait pris leur dévouement pour notre pays? J'ai poursuivi en disant qu'ils s'étaient échappés et qu'ils rentraient dans leur pays pour raconter les injustices subies et demander de l'aide afin de libérer leurs camarades qui vivaient dans des conditions intolérables à Rivière-Rouge. J'ai demandé: y a-t-il un seul Ontarien qui refusera d'ouvrir les bras à ces hommes? Celui qui hésite n'est pas un vrai Canadien. Je ne le reconnais pas comme mon compatriote. Allons-nous parler d'imprudence quand des hommes ont risqué leur vie? Nous commettons trop peu de ces imprudences de nos jours et nous devrions les saluer avec enthousiasme. J'eus tôt fait de rallier toute l'assistance [4].

Cette même assistance décida de demander au maire de Toronto de convoquer une assemblée publique le 6 avril. Leur demande fut acceptée.

Entre-temps, on fit une autre requête pour que les réfugiés soient les hôtes de la ville durant leur séjour à Toronto et on loua pour eux des chambres à l'hôtel Queen's. Schultz, Lynch, Joseph Monkmam et «William Dreever» (Drever) arrivèrent le 6 avril. Les articles de Foster avaient produit leur effet: environ mille personnes accueillirent les réfugiés et les escortèrent jusqu'à l'hôtel. L'assemblée devait avoir lieu au St. Lawrence Hall. Mais la salle étant bondée et des milliers de personnes s'étant massées à l'extérieur, on se déplaça à Market Square. Les orateurs montèrent sur le toit de l'ancien hôtel de ville. C'est encore Denison qui raconte:

> Les résolutions adoptées concernaient trois points. Premièrement, nous voulions souhaiter la bienvenue aux réfugiés et leur manifester notre approbation au sujet de la résistance qu'ils avaient opposée au prix de leur liberté et de

leurs biens, à l'usurpation du pouvoir par l'assassin Riel. Deuxièmement, nous voulions recommander des mesures énergiques pour supprimer la révolte et fournir rapidement une protection aux sujets loyaux dans le Nord-Ouest. Et troisièmement, nous voulions voter une déclaration affirmant que ce serait une injustice flagrante envers les habitants loyaux de Rivière-Rouge, humiliante pour notre honneur national et contraire à toutes les traditions britanniques si notre gouvernement négociait avec les envoyés de ceux qui ont volé, emprisonné et assassiné de loyaux Canadiens dont la seule faute fut de défendre avec ardeur les institutions britanniques, dont le seul crime fut de montrer leur dévouement envers le drapeau ancestral[5]!

Imbues d'honneur national, de traditions et de patriotisme britanniques, les résolutions impliquaient l'envoi d'une troupe armée pour écraser les Métis et le refus du gouvernement du Canada d'entendre la version des délégués de Rivière-Rouge.

Denison poursuit en disant que Schultz, Mair et Lynch lui demandèrent de les accompagner à Ottawa pour les aider à défendre leur point de vue devant le gouvernement. On demanda à leurs sympathisants «d'organiser des manifestations de bienvenue aux loyalistes» à Cobourg, Belleville, Prescott et ailleurs.

Mais Denison constata que le gouvernement fédéral n'avait pas l'intention d'accueillir Schultz, Mair et Lynch en héros. Entre-temps, le père Ritchot et Alfred Scott, émissaires du gouvernement provisoire, étaient en route pour Ottawa.

Denison poursuit:

Je me rendis rencontrer sir John A. Macdonald le plus vite possible. Je lui demandai tout de suite s'il avait l'intention de rencontrer Ritchot et Scott en dépit du fait que, depuis l'invitation faite à Riel d'envoyer des délégués, Thomas Scott avait été assassiné. À mon grand étonnement, il me répondit qu'il devait les rencontrer. J'insistai fortement pour qu'il n'en fasse rien et envoie quelqu'un les prévenir de s'en retourner.

Je lui dis qu'il possédait un exemplaire de leur charte des droits, qu'il savait exactement ce qu'ils voulaient et pouvait trouver une solution magnanime en leur accordant tout ce qui était raisonnable: il éliminerait ainsi les motifs de revendications qui faisaient la force de Riel. Une expédition pourrait alors être envoyée et les chefs rebelles s'enfuiraient, abandonnés de leurs partisans; ce serait la fin des troubles.

Je lui fis observer que les assemblées qui se tenaient à travers l'Ontario renforçaient sa position et celle des Britanniques au sein de son cabinet, et que les Canadiens français seraient satisfaits si les sang-mêlé obtenaient entière justice, et que ces derniers ne devraient pas porter atteinte à notre honneur national.

Sir John semblait incapable de me répondre et se contenta de répéter qu'il n'y pouvait rien et que le gouvernement britannique était d'accord pour recevoir les délégués. Je crois que sir Stafford Northcote se trouvait alors à Ottawa, en tant que représentant du gouvernement britannique ou de la Compagnie de la Baie d'Hudson.

Comme je constatais qu'il était bien décidé à les recevoir, je lui dis: «Sir John, je vous ai toujours appuyé, mais à compter du moment où vous recevrez Ritchot et Scott, vous devrez me considérer comme un adversaire convaincu.» Il me tapota l'épaule et dit: «Oh non, vous ne vous opposerez pas à moi, vous ne devez jamais faire cela.» Je répondis: «Je le regrette beaucoup, sir John. Jamais je n'aurais cru que vous nous humilieriez[6]...»

Sir John en savait beaucoup plus que ne l'imaginait Denison. Il se contenta de toute évidence de le laisser parler et poursuivre sur la voie du dogmatisme et du fanatisme. Il ne fit cependant rien pour enrayer l'agitation de Denison. Comme celui-ci le lui avait dit, il avait besoin de l'appui de l'opinion publique pour envoyer le colonel Garnet Wolseley à Rivière-Rouge.

Denison écrivit plus tard qu'il ne vota pour Macdonald que le jour où «sir John se déclara ouvertement loyal envers l'Empire, au cri bien connu de: «Je suis né sujet britannique, je mourrai sujet britannique.»

Brown, rédacteur en chef du *Globe*, et Wolseley demandèrent, semble-t-il, à Denison d'accompagner l'armée dans le Nord-Ouest en tant que correspondant. Mais Denison croyait pouvoir être plus utile en restant dans l'Est afin de s'assurer qu'Ottawa, en dépit de l'influence de sir Georges-Étienne

Cartier et des protestations prévisibles du Québec, maintienne sa ligne de conduite.

L'arrogance de Denison et du mouvement *Canada First* semblait sans bornes. Ils avaient même assez de fonds et de relations pour s'opposer à l'autorité militaire: «Des lettres furent envoyées aux officiers de l'expédition pour retarder et retenir tout messager, au cas où les troupes seraient rappelées dans l'Est.»

Denison et ses amis firent circuler des pétitions et tinrent des assemblées pour s'opposer à ce que l'on accorde l'amnistie aux Métis.

> En apprenant, le 19 juillet 1870, que Cartier et Taché, en route pour Niagara, devaient passer par Toronto la nuit suivante, notre comité projeta une manifestation à la gare au cours de laquelle on brûlerait l'effigie de Cartier. Toutefois la nouvelle transpira et le lieutenant-colonel Durie, adjoint du district de Toronto, tenta d'organiser une garde d'honneur pour protéger Cartier qui était ministre de la Milice...
>
> Je n'étais plus dans l'armée à cette époque mais je me rendis chez le lieutenant-colonel Durie... pour lui dire que j'étais au courant de cette garde d'honneur et lui demander s'il pensait pouvoir nous intimider. Je lui dis que si nous en entendions encore parler, nous nous emparerions de l'arsenal la nuit même, que nous rassemblerions dix hommes pour chacun des siens et que nous étions prêts à nous battre contre n'importe qui dans les rues de Toronto. Il me dit que je menaçais de faire une révolution. Je répondis: «Oui, effectivement, et nous pouvons la faire. La moitié d'un continent est en jeu et cela vaut la peine de se battre [7]...»

Sir Georges-Étienne Cartier accepta la prudente suggestion de monseigneur Taché et il s'arrêta à Oswego pour prendre le train jusqu'à Buffalo.

En 1909, près de quarante ans plus tard, le fanatique Denison pouvait encore se vanter:

> L'assemblée... fut convoquée pour le 22 juillet. Outre les affiches officielles publiées à notre demande par le maire suppléant de Toronto, Foster et moi avions publié une série de placards incendiaires en gros caractères sur de grandes feuilles qui furent affichées sur les clôtures et les panneaux d'affichage à travers toute la ville. Il y en avait en grand

nombre. Certains disaient: «Atteint-on le Manitoba en passant par le territoire britannique? Alors laissez nos volontaires trouver une route ou bien la construire.» «Notre dominion se laissera-t-il mener par des rebelles français?» «Orangistes! Avons-nous déjà oublié notre frère Scott?» «Le représentant de notre reine devra-t-il franchir mille milles en pays étranger pour s'abaisser devant un brigand et un assassin?» «Les volontaires accepteront-ils la défaite aux mains du ministre de la Milice?» «Ontariens! La mort de Scott restera-t-elle impunie[8]?

Lors de cette assemblée, trois résolutions furent votées: tout d'abord, aucun rappel des troupes canadiennes et britanniques en route pour le fort Garry, comme certains le craignaient; deuxièmement, si le gouvernement retirait l'appui militaire aux Canadiens de Rivière-Rouge, il serait du devoir des Ontariens de fournir cet appui; finalement, le gouvernement canadien se devait en outre de venger les citoyens lésés alors qu'ils étaient placés sous sa protection.

Lorsque nous considérons rétrospectivement la rancœur et la vaine division qui s'ensuivirent chez les Canadiens et leur effet sur notre vie politique, nous devrions nous rappeler comment et par qui la protestation «spontanée» des Ontariens fut orchestrée. Elle fut le fruit des manipulations délibérées de quelques fanatiques influents. Elle ne dut son succès qu'aux cercles dirigeants du Canada, politiciens, industriels et financiers de la rue Saint-Jacques à Montréal, qui avaient partie liée avec l'Angleterre.

La loi du Manitoba

Le 23 mars 1870, deux délégués du gouvernement provisoire, le père Ritchot et Alfred Scott, quittaient Rivière-Rouge pour Ottawa. Le troisième délégué, le greffier John Black, partit le lendemain. Ils avaient pour instruction de négocier une union avec le Canada, aux conditions stipulées par le gouvernement provisoire.

Un bon indice de la bonne foi des deux parties est que, de

tous les délégués envoyés à Rivière-Rouge par Ottawa, aucun n'avait le pouvoir de prendre une décision liant le Canada, alors que les délégués de Rivière-Rouge connaissaient bien la volonté de la population et étaient à même de prendre des décisions.

Dans une lettre datée du 2 janvier 1870, Macdonald écrit à Donald Smith: «Vous êtes autorisé à inviter une délégation d'au moins deux habitants à se rendre à Ottawa pour qu'ils présentent les revendications de la population et défendent les intérêts de la Terre de Rupert. La représentation du territoire au Parlement sera discutée et établie en accord avec cette délégation[9].»

Il dit «habitants» et non «délégués du gouvernement provisoire»; Ritchot, Black et Scott auraient à éclaircir cette question en arrivant à Ottawa.

Il y avait cependant une autre partie à cette lettre que Smith se garda sans doute de dévoiler à la population de Rivière-Rouge. «Je ne peux que répéter ce que je vous ai déjà dit en personne, que toutes les ententes pécuniaires que vous ferez avec des particuliers concernant les sujets convenus seront menées à terme ici.»

«Ententes pécuniaires avec des particuliers»: pots-de-vin. Qui donc reçut de l'argent? Pour quels services rendus à Smith ou au gouvernement canadien?

Dans une lettre datée du 23 février 1870 adressée à sir John Rose, Macdonald étale encore plus sa duplicité. Avant même le départ des délégués de Rivière-Rouge, il avait décidé d'envoyer un corps expéditionnaire.

> L'évêque Taché était ici et est parti pour Rivière-Rouge après que nous lui ayons expliqué sans détour notre politique et nos exigences, qu'il approuve entièrement. Il s'oppose catégoriquement à l'idée d'une commission impériale, étant d'avis, comme nous tous en fait, que ce serait une erreur d'envoyer là-bas un Britannique intolérant, ignorant totalement la région et rempli de préjugés comme tous les Anglais. Il ferait sans aucun doute des propositions et consentirait à des ententes que le Canada ne pourrait pas ratifier.
>
> Une délégation devrait venir à Ottawa, y compris ce redoutable Riel. Si jamais il met les pieds ici, comme vous devez maintenant le savoir, il est perdu. Howe n'a pas de place

pour lui dans son ministère, mais peut-être pourrons-nous en faire un sénateur des Territoires!

Hier j'ai reçu votre câble m'annonçant que le gouvernement de Sa Majesté collaborera à l'expédition... Même si la troupe ne part pas, la promesse de collaboration de l'Angleterre nous satisfait et montre que l'Angleterre n'a pas l'intention d'abandonner ses colonies. Vous recevrez sous peu notre compte rendu concernant la proposition de formation d'un corps expéditionnaire, que vous approuverez, j'espère.

Je suis extrêmement heureux que le général Lindsay s'en vienne. Il a une certaine connaissance de la région, c'est un bon soldat, il est franc et efficace.

Si j'ai télégraphié au sujet de l'organisation de la police irlandaise, c'est que nous nous proposons de mettre sur pied, pour la région de Rivière-Rouge, une police montée commandée par le capitaine Cameron. Le gouvernement de cette région ne devra jamais être humilié comme Mactavish l'a été. Ces sang-mêlé impulsifs ont été empoisonnés par cette émeute* et il faudra une main de fer pour les maîtriser jusqu'à ce qu'ils soient submergés par un flot de colons[10].

Ainsi, Riel allait être perdu!

Le 14 avril, alors que les délégués de Rivière-Rouge sont toujours à Ottawa, Macdonald continue à dévoiler ses projets dans une lettre à lord Carnarvon, secrétaire d'État britannique aux Colonies: «La navigation ne pourra commencer avant le début du mois. Dès que les ports seront libérés des glaces et que nos vapeurs pourront se rendre au fort William, on y embarquera l'équipement et le matériel** nécessaire. Les troupes suivront peu après[11].»

La population de Rivière-Rouge, Riel et ses partisans, les délégués à Ottawa et les dirigeants de la Compagnie de la Baie d'Hudson, tous ignoraient les gestes posés par Macdonald. Son refus d'accepter, à la fin novembre 1869, le transfert de la Terre de Rupert et des Territoires du Nord-Ouest tant que la paix n'y

---

* C'est le terme français *émeute* qui est utilisé, et non le terme anglais *riot*.
** En français dans le texte.

serait pas assurée, avait provoqué la consternation à Londres. Lord Granville, secrétaire d'État britannique aux Affaires étrangères, avait câblé: «Gouvernement par Compagnie devenu impossible. Gouvernement par Canada seule solution et doit être établi.» Comment? demanda Macdonald, si les sang-mêlé empêchent McDougall d'entrer.

On ne pouvait organiser une expédition militaire en plein hiver. Prendre le pouvoir sans avoir les moyens de l'exercer ne ferait que dévoiler la faiblesse du Canada et exciter la convoitise de Washington. Comme il l'écrivit à sir John Rose, Macdonald ne pouvait comprendre «le désir du ministère des Colonies, ou de la Compagnie, d'imposer au Canada dès maintenant la responsabilité d'établir un gouvernement. Ce serait tomber dans le jeu des insurgés et des yankees qui tirent les ficelles et qui, dans une certaine mesure, influencent et dirigent le mouvement depuis Saint-Paul; on ne pourrait donc en prévoir les conséquences.»

La Grande-Bretagne avait encouragé la création de la Confédération en partie pour empêcher que ses colonies d'Amérique du Nord ne tombent aux mains des États-Unis. En remettant le Nord-Ouest au Canada avant qu'il ne soit en mesure de le défendre en cas de tentative d'annexion des Américains, l'Angleterre compromettait toute l'opération.

Lord Granville dut informer le Premier ministre Gladstone que l'Angleterre «ne pouvait forcer le Canada à accepter le territoire, s'il s'obstinait à le refuser[12]».

Comme c'était justemement ce que faisait Macdonald, du point de vue de Londres, le gouvernement de la région de Rivière-Rouge revenait de droit à la Compagnie de la Baie d'Hudson.

Le 6 mars 1870, la promesse de collaboration militaire arriva officiellement de Londres, mais à certaines conditions. Le Canada devait accepter le transfert du territoire et accorder des conditions raisonnables aux colons catholiques. Cela comprenait le paiement de la somme prévue, soit 300 000 livres, à la Compagnie de la Baie d'Hudson, et des titres de propriété sur 20 235 hectares autour de ses postes de traite.

La Compagnie devait en outre recevoir, dans chaque canton de prairie non occupé par des colons ou non réservé aux Indiens et Métis vivant à l'indienne, une section et trois quarts. Chaque section avait un mille carré, et chaque canton avait trente-six milles carrés. La Compagnie de la Baie d'Hudson conservait donc 2 686 827 hectares. C'est plus que quelques bouts de terrain au sein des villes et des villages!

Avant l'acquisition du territoire par la Couronne dans le but de le remettre au Canada, il ne faisait aucun doute, du moins dans l'esprit de Lord Granville, que la Compagnie de la Baie d'Hudson avait des droits de propriété.

Le 7 avril 1870, Louis Schmidt, secrétaire d'État adjoint du gouvernement provisoire, émit une proclamation annonçant à la population du Nord-Ouest que le gouvernement provisoire était maintenant maître de la situation, qu'il négociait avec le gouvernement canadien et qu'il informerait la population des résultats[13].

Le 11 avril, le père Ritchot et Alfred Scott arrivèrent à Ottawa. Le lendemain, Ritchot se rendit chez sir Georges-Étienne Cartier qui l'accueillit chaleureusement. Cartier était convaincu que les protestations organisées par Denison, Schultz et leur mouvement seraient bientôt oubliées; il proposa néanmoins aux délégués de Rivière-Rouge d'attendre sagement quelques jours avant de se présenter au gouvernement.

Ritchot n'était cependant pas rassuré. Il avait entendu dire qu'Alfred Scott avait déjà été arrêté et accusé de complicité pour le «meurtre de Thomas Scott» et que le même sort l'attendait. Sur le conseil d'amis, il se présenta à la police et fut libéré sous caution. Le 14 avril, il comparut devant le tribunal en compagnie de Scott. Le juge décida immédiatement que le magistrat de Toronto avait outrepassé ses pouvoirs en émettant le mandat d'arrêt et il prononça un non-lieu.

Mais les partisans du mouvement *Canada First* firent venir de Toronto Hugh Scott, frère de Thomas, et firent émettre un nouveau mandat. Arrêtés de nouveau, Ritchot et Scott comparurent devant le juge O'Gara le 23 avril. Le procureur de la Couronne ayant reconnu le manque de preuves, on prononça un autre non-lieu.

Entre-temps, Ritchot avait écrit au gouverneur général, sir John Young, pour protester contre la violation de l'immunité diplomatique. Il était le délégué du gouvernement provisoire d'Assiniboia, une région sur laquelle le Canada n'avait aucune autorité.

En attendant leur comparution, Ritchot et Scott eurent des «conversations officieuses» avec Macdonald et Cartier.

Macdonald avait d'autre part rencontré privément le greffier Black, «représentant de la Compagnie de la Baie d'Hudson». Il espérait éviter, semble-t-il, de reconnaître officiellement les délégués comme représentants du gouvernement provisoire. S'il y parvenait, les concessions pourraient être réduites au minimum.

Macdonald se rendit vite compte que Ritchot était un homme consciencieux et décidé à accomplir sa mission. Il fit quand même une dernière tentative pour discréditer les délégués et en tirer profit dans les négociations.

Scott avait déclaré à un journaliste que les délégués avaient apporté une charte des droits révisée. Cette révision prêtait à controverse, parce qu'une clause prévoyait des écoles séparées pour les catholiques. Sous l'administration de la Compagnie, les fonds destinés à l'éducation étaient divisés entre catholiques et anglicans. Il n'y avait que des écoles confessionnelles, non publiques, et la charte envoyée à Ottawa ne prévoyait donc pas de taxes scolaires. Il était faux d'affirmer que Riel seul, ou les colons francophones, avaient révisé la charte. Riel avait expliqué que la révision avait été menée par le comité exécutif: Thomas Bunn, Louis Schmidt, W.B. O'Donoghue et lui-même.

On tenta d'insinuer que Taché et Ritchot avaient influencé la révision. En fait, les seules paroles connues de Taché à Ritchot lui conseillaient d'être souple dans les négociations avec les fonctionnaires d'Ottawa.

Macdonald, Cartier et sir John Young, tous trouvèrent Ritchot aussi tenace que têtu. Le 23 avril, les délégués demandèrent officiellement, par écrit, que soient amorcées les négociations. Le 25 avril, Macdonald et Cartier reçurent Ritchot et Black. Mais Ritchot avait espéré une reconnaissance écrite que les délégués du gouvernement provisoire seraient reçus tel jour à tel endroit.

L'invitation officielle à négocier avec le Premier ministre vint finalement de sir John Howe.

Ritchot obtint le statut de province pour le Manitoba et l'appui du gouvernement au principe des écoles séparées. Comme il avait dû abandonner le contrôle des terres publiques à la Couronne, il demanda la reconnaissance du droit foncier pour les autochtones, y compris les Métis. Macdonald offrit 80 000 hectares; Ritchot en demanda 1 200 000. Il en obtint 560 000.

Macdonald craignait de perdre des votes au Québec, et il accorda aux délégués presque tout ce qu'ils voulaient. La menace d'une annexion par les États-Unis était maintenant écartée et il espérait, en envoyant des troupes à Rivière-Rouge, satisfaire les Orangistes ontariens.

L'amnistie était une question secondaire pour les délégués. Selon le gouvernement canadien, cette question relevait du gouvernement britannique qui avait alors encore juridiction sur le territoire.

À partir du 28 avril, Cartier remplaça Macdonald, malade. Le 4 mai 1870, la Loi du Manitoba passa l'étape de la première lecture à la Chambre des communes. Le 6 mai, Macdonald s'effondra dans son bureau, gravement malade. Cartier pilota donc le projet de loi à travers les deuxième et troisième lectures. La sanction royale survint finalement le 12 mai et Adams G. Archibald fut nommé lieutenant-gouverneur du Manitoba et des Territoires du Nord-Ouest.

Ritchot télégraphia la nouvelle à Thomas Bunn: «La Loi du Manitoba est adoptée. Elle est satisfaisante.»

Cependant, Ritchot n'était pas vraiment satisfait. Malgré tous ses efforts, Cartier et Macdonald refusaient de se prononcer clairement sur l'amnistie. Et il était préoccupé par les effectifs militaires que le gouvernement se préparait à envoyer dans le Nord-Ouest.

Ritchot n'avait pourtant rien à se reprocher; il avait fait tout ce qu'il pouvait. Avant de quitter Ottawa, il demanda à Cartier, Premier ministre suppléant, qui serait celui qui gouvernerait à Rivière-Rouge avant l'arrivée du nouveau lieutenant-gouverneur.

«Que monsieur Riel continue, répondit Cartier, à maintenir l'ordre et à gouverner comme il l'a fait jusqu'à présent[14].»

Les promesses d'amnistie

À la requête du gouvernement canadien, monseigneur Alexandre Taché avait quitté le concile œcuménique en cours à Rome. Il y avait des troubles dans son diocèse de Saint-Boniface et le gouvernement canadien, qui pourtant l'avait traité de haut peu auparavant, avait besoin de son aide. Taché se rendit d'abord à Londres pour rencontrer sir Stafford Northcote, gouverneur de la Compagnie de la Baie d'Hudson, sans doute, pour s'enquérir de la position de la Compagnie relativement aux événements de Rivière-Rouge.

Lorsque son bateau accosta à Portland, au Maine, l'évêque reçut une lettre pressante de sir Georges-Étienne Cartier lui demandant de se rendre sans délai à Ottawa.

C'est là que le 10 février, selon John A. Macdonald, Taché fut informé de la «politique et des exigences» du gouvernement canadien. On lui remit un exemplaire d'une proclamation du gouverneur général sir John Young, datée du 6 décembre 1869, qui promettait l'amnistie aux insurgés. Smith était en possession de cette proclamation mais ne l'avait pas dévoilée au gouvernement provisoire. Taché reçut également des lettres de Howe et Macdonald. La lettre de ce dernier disait:

«*Si le gouvernement de la Compagnie est rétabli**, non seulement l'amnistie générale sera-t-elle accordée mais, dans le cas où la Compagnie réclamerait un dédommagement, le gouvernement s'interposerait entre elle et les insurgés[15].»

C'était à la mi-février; Taché quitta Ottawa le 17. Plus de six semaines plus tôt, Charles Tupper avait écrit à Macdonald que Donald Smith, principal dirigeant de la Compagnie de la Baie d'Hudson au Canada et envoyé de Macdonald, «était prêt à reconnaître le seul gouvernement existant dans la région» – celui de Louis Riel.

En novembre, Macdonald avait refusé d'accepter la Terre de Rupert et le Nord-Ouest tant que la Compagnie ne pouvait en garantir la «possession pacifique».

Comme c'était Riel et non le gouvernement canadien qui détenait le pouvoir dans la région (fait démontré par la résistance fructueuse du gouvernement provisoire à deux tentatives de soulèvement armé), Macdonald craignait que cela n'excite les visées annexionnistes des Américains.

Macdonald avait besoin de la menace d'une guerre avec l'Angleterre pour tenir les Américains à distance. Il espérait maintenant conclure une entente assurant l'amnistie aux insurgés, en échange du rétablissement au moins nominal de l'administration (britannique) de la Compagnie. S'attendait-il à ce que les Métis obéissent aveuglément à Mgr Taché?

---

* Souligné par l'auteur. (N.D.T.)

Mgr Taché quitta Ottawa, convaincu par Macdonald et Cartier que la promesse d'amnistie générale allait se réaliser. Il arriva à Saint-Norbert le 8 mars, quatre jours après l'exécution de Thomas Scott. Il dut cependant patienter quelques jours avant de rencontrer Riel; étant plus âgé, peut-être s'attendait-il à ce que ce dernier lui fasse une visite de politesse.

Il apprit que le Conseil du gouvernement provisoire s'était réuni le 9 mars. Le *New Nation* avait fait état de la rencontre, de l'appel de Riel à l'unité et de ses commentaires au sujet d'un autre commissaire canadien «en la personne de Son Excellence l'évêque de Saint-Boniface... J'aimerais sûrement voir, en la personne de Son Excellence, un commissaire investi des pouvoirs nécessaires pour nous donner ce que nous voulons. Mais il nous faut être prudents car nous ne connaissons pas ses pouvoirs; et nous ne devons pas nous jeter aveuglément dans les bras de tous les commissaires. Soyons prudents, c'est tout ce que je recommande; ainsi, nous serons en sécurité.»

Riel était en compagnie de Lépine et O'Donoghue lorsqu'il reçut la visite de Mgr Taché le 11 mars 1870. Riel et Lépine furent heureux d'apprendre que l'amnistie serait accordée. Dans ses conversations à Ottawa, Mgr Taché avait évoqué la possibilité d'un bain de sang et il était fermement convaincu d'avoir reçu la promesse d'une amnistie totale pour toutes les personnes impliquées dans les événements passés et à venir.

Le gouvernement provisoire ne considéra jamais sérieusement la condition fixée par Macdonald, à savoir que «le gouvernement de la Compagnie soit rétabli». La question de l'amnistie avait été l'un des sujets des négociations qui avaient abouti à la Loi du Manitoba. Cependant, comme nous l'avons vu, elle ne fit pas partie de l'entente officielle.

Avant de quitter Ottawa, le père Ritchot s'efforça d'amener Cartier à confirmer par écrit que l'amnistie générale serait accordée à tous les participants des événements de Rivière-Rouge. Le pasteur de Saint-Norbert savait que Macdonald en avait fait la promesse à Mgr Taché.

Mais Macdonald était maintenant malade et il n'existait aucun document confirmant cette promesse. Cartier organisa alors une entrevue avec le gouverneur général John Young et il accompagna Ritchot à Rideau Hall. Tout en rappelant sa proclamation du 6 décembre, Young déclara à Ritchot qu'il n'y avait rien à craindre. Mais comme Ritchot exprimait des doutes,

Young l'assura qu'un document en provenance d'Angleterre arriverait bientôt à Rivière-Rouge, et ce, avant le nouveau lieutenant-gouverneur.

Ritchot persévéra encore deux semaines. Cartier lui rappela ce que Young avait affirmé concernant «la politique libérale que le gouvernement se proposait d'appliquer en rapport avec les personnes qui vous intéressent...». Il demanda à Ritchot, «pour la forme», de signer la pétition adressée à la reine «afin de faire aboutir les négociations au sujet de l'amnistie», ajoutant que «si le gouvernement n'avait pas voulu l'appuyer [la pétition*] il ne l'aurait pas rédigée».

Mais Ritchot ne réussit pas à amener Cartier à s'engager clairement par écrit. Cartier, qui cherchait sans doute à gagner du temps, prépara un long mémorandum recommandant que la reine accorde l'amnistie à tous sans exception, et il le fit parvenir à Young. Celui-ci, apparemment sans l'accord de Cartier, l'envoya à Lord Granville en ajoutant que s'il «méritait toute la considération due à la longue expérience et au haut rang politique de son auteur... il ne fallait pas le considérer comme un document du Conseil ni comme l'expression de l'opinion unifiée du Cabinet». En d'autres mots, il ne s'agissait pas d'une requête officielle du gouvernement du Canada.

On peut juger des sentiments de Young par le fait qu'il n'ajouta *aucun* commentaire à la pétition haineuse envoyée par le mouvement *Canada First* et signée par un certain docteur Lynch, qui demandait que l'amnistie soit refusée et que le fort Garry soit occupé par les forces canadiennes.

La population de Rivière-Rouge attendait Ritchot avec impatience et elle l'acclama, massée le long des rives, lorsqu'il passa à bord de l'*International*.

Alexander Begg écrit, le 17 juin 1870: «Le vapeur *International* est arrivé vers trois heures cet après-midi, ramenant le père Ritchot et deux messieurs de Montréal. La rumeur veut que tout ait été réglé de façon satisfaisante, y compris une amnistie générale pour tous. Le père Ritchot fut accueilli par une salve de vingt et un coups de canon et il s'avéra que sa mission avait été un succès.»

Le lendemain, il ajoute: «Le succès de la mission du père

---

* N.D.A.

Ritchot a engendré un sentiment général de satisfaction – et la crainte d'autres troubles s'est évanouie[16].»

Ritchot rapporta à Riel les principaux points de la Loi du Manitoba et confirma que la reine accorderait une amnistie générale, et que la mission des troupes déjà en route était de nature pacifique. Riel était satisfait.

Le lendemain, Ritchot écrivit à Cartier que Riel s'était déclaré satisfait de la Loi du Manitoba. Il suggéra que le lieutenant-gouverneur prenne le train jusqu'à Saint-Paul pour hâter son arrivée au fort Garry où il serait accueilli «avec chaleur et sympathie». Cependant,

> l'envoi de troupes avant que le règlement ne soit complété déplaît aux gens; toutefois, les explications que j'ai fournies à ce sujet et l'assurance qu'elles viennent dans un but pacifique et utile les ont satisfaits. Il est question d'envoyer un groupe de Métis à leur rencontre pour les accueillir dans la région. Je suis convaincu que tout ira bien, pourvu que le document attestant de l'amnistie nous parvienne en temps opportun[17].

John A. Macdonald savait qu'il aurait besoin de soldats à Rivière-Rouge pour intimider à la fois les Métis mécontents et agités et les annexionnistes américains. Comme le Canada n'avait pas d'armée régulière, il devait compter sur les soldats et officiers britanniques.

Il obtint l'accord de l'Angleterre le 5 mars 1870, à condition qu'il négocie la Loi du Manitoba. Le 1er avril, James Lindsay fut nommé commandant des troupes britanniques au Canada et il choisit un colonel anglais, Garnet Wolseley, pour diriger l'expédition de Rivière-Rouge. Vers le 1er mai, les troupes se rassemblèrent et, le 21 mai, les premiers soldats quittèrent Toronto. Au moment où Ritchot faisait son rapport à Riel, les soldats débarquaient à Prince Arthur's Landing et s'engageaient sur la route de Dawson.

Une semaine après son retour, Ritchot s'adressa à l'assemblée législative d'Assiniboia. Il y déclara que les délégués, en dépit de quelques «affronts», avaient été bien traités à Ottawa et que le gouvernement canadien les avait officiellement reconnus. Il expliqua aussi les principaux articles de la Loi du Manitoba. Quant à l'amnistie, il déclara catégoriquement qu'il en avait fait une condition essentielle à l'entente. Au moment de prendre une décision, cependant, le gouvernement canadien avait dû reconnaître qu'il n'avait aucun pouvoir avant la proclamation du transfert du territoire à la Couronne, prévue pour le 15 juillet 1870. L'amnistie était donc une décision relevant des autorités britanniques et non canadiennes.

Le prêtre parla ensuite de ses rencontres avec le gouverneur général et avec d'autres dirigeants britanniques et canadiens. Il termina par quelques impressions personnelles sur ces gens qui lui avaient paru bons, généreux et honnêtes. «Ils considéraient les événements de l'hiver dernier sous un angle approprié; et, s'ils critiquaient ce qu'ils désapprouvaient, ils ne condamnaient pas la population (de Rivière-Rouge) qui vivait, selon eux, dans des conditions particulières. Quant au gouvernement (provisoire), on jugeait qu'il avait été attaqué et qu'il avait dû se défendre, ce qu'aurait sans doute fait tout autre groupe d'hommes dans les mêmes circonstances.»

Le *New Nation* rapporta tous ces faits, y compris les applaudissements qui suivirent l'adoption de la proposition de Louis Schmidt, appuyée par Pierre Poitras, stipulant «que l'assemblée législative de cette région accepte maintenant, au nom du peuple, la Loi du Manitoba».

À la fin de la rencontre, Riel exprima sa joie. Le *New Nation* reproduisit son discours:

Si nous avons bientôt le bonheur de rencontrer le nouveau lieutenant-gouverneur, nous aurons le temps et l'occasion d'exprimer nos sentiments. Pour le moment, permettez-moi de dire une chose: je félicite le peuple du Nord-Ouest pour le succès de son entreprise. Je le félicite d'avoir eu suffisamment confiance en la Couronne d'Angleterre pour croire qu'il finirait par obtenir la reconnaissance de ses droits. Je dois aussi féliciter la région pour son passage d'une administration provisoire à une autre plus permanente et satisfaisante. En outre, d'après ce que nous en savons, il est permis de se réjouir sur le choix du lieutenant-gouverneur.

Quant à moi, j'aurai le devoir et le plaisir, plus que quiconque, de souhaiter la bienvenue au nouveau gouverneur. J'aimerais être le premier à lui présenter les hommages qui lui sont dus en tant que représentant de la Couronne. Il reste encore beaucoup à faire, cependant. Bien des gens sont encore inquiets et indécis. Poursuivons donc le travail que nous avons récemment entrepris: cultiver la paix et l'amitié et faire de notre mieux pour convaincre ces gens que nous ne leur avons jamais voulu de mal et que nous avons agi dans leur intérêt autant que dans le nôtre.

Begg note dans son *Journal*: «Ce 24 juin est donc une journée décisive dans les affaires de la colonie... En cet honneur, certains membres de l'assemblée législative se sont enivrés cette nuit, chez George Emmerling[18].»

Riel avait raison de se réjouir: il avait rempli avec succès la tâche qu'il s'était fixée. Grâce à ses efforts et à ceux de l'inébranlable Ritchot à Ottawa, la province du Manitoba était fondée.

Mais Mgr Taché était inquiet: Ritchot n'avait ramené que des assurances verbales concernant l'amnistie. Il décida donc de retourner à Ottawa. Il avait promis à la population que l'amnistie serait accordée et il devait faire l'impossible pour s'assurer que la promesse serait tenue.

À Ottawa, Cartier lui confirma tout ce qu'avait dit Ritchot et lui affirma que la proclamation était attendue d'une journée à l'autre.

Le gouverneur général Young le reçut plutôt froidement. Il lui exhiba la proclamation du 6 décembre, affirmant qu'elle englobait toute la question, puis renvoya l'évêque à Cartier. Taché retourna donc chez ce dernier pour lui souligner les faiblesses de la proclamation de décembre et la nécessité d'une déclaration plus précise. Cartier répondit qu'il ne pouvait faire plus et qu'il était confiant que la reine accorderait l'amnistie.

Après l'adoption de la Loi du Manitoba et devant les difficultés et les coûts considérables du voyage des troupes qui progressaient par voie de terre à partir du lac Supérieur, Macdonald songea à annuler l'expédition de Wolseley. Cartier et le lieutenant-gouverneur Archibald pouvaient rejoindre Taché à Niagara Falls et de là, peut-être avec Young, continuer en train à travers les États-Unis. Au fort Garry, Taché saurait apaiser tous les troubles. Young pourrait assumer le pouvoir gouvernemental au nom de l'Angleterre, qui constituait encore l'autorité nominale dans la région, et passer les rênes du pouvoir à Archibald, représentant le Canada. Ce dernier lèverait ensuite une milice locale pour faire respecter ses décrets.

Mis au courant, le *Canada First Party* orchestra sa plus vaste et plus percutante campagne jamais entreprise. Les assemblées et la propagande s'appuyaient sur la pétition du docteur James Lynch affirmant que la milice du fort Garry ne protégerait pas les adversaires de Riel et que les dirigeants de l'insurrection ne seraient pas châtiés pour leur trahison. On créa un tel tapage dans les environs de Toronto que Macdonald abandonna son projet et laissa Wolseley continuer avec sa troupe.

Cartier invita tout de même l'évêque à l'accompagner dans l'Ouest avec Archibald qui devait être assermenté comme lieutenant-gouverneur du Manitoba à Niagara. Rendus à Kingston, cependant, Cartier apprit que le mouvement *Canada First* projetait, entre autres, de brûler son effigie quand le groupe arriverait à Toronto. Il n'aurait pas lui-même suggéré de changer de trajet, mais il fut heureux que Taché décide de se rendre à Niagara en passant plutôt par Buffalo. C'est cet incident qui amena plus tard Denison à se vanter d'avoir «menacé de faire une révolution».

C'est alors que Taché apprit que l'expédition militaire ne serait pas contremandée. De plus, pour des raisons politiques, Archibald n'emprunterait pas la route la plus rapide vers le fort Garry. Il voyagerait en territoire canadien. L'évêque put tout au plus obtenir d'Archibald la promesse qu'il se rendrait au nord-ouest du lac des Bois, pour y rencontrer une délégation de Métis qui l'escorterait jusqu'au fort Garry.

Taché écrivit à Riel de ne pas s'inquiéter, que le temps et la foi combleraient tous ses désirs.

Mais Riel était inquiet. En mars 1870, Taché ne doutait pas de l'amnistie. Maintenant, en juillet, l'évêque n'avait toujours pas de garantie. Les journaux d'Ontario clamaient qu'il n'y aurait pas d'amnistie. Tenaient-ils leurs informations de Londres? On recrutait aussi des volontaires décidés à tuer des Métis, et surtout Riel, pour venger la mort de Scott.

W.B. O'Donoghue, cherchant toujours à convaincre Riel que les États-Unis étaient préférables au Canada, alimentait son inquiétude. Les origines irlandaises d'O'Donoghue le faisaient se méfier instinctivement des Britanniques qu'il mettait, avec raison, dans le même sac que les politiciens canadiens.

L'occupation de Rivière-Rouge

En juillet 1870, au fort Garry, un incident se produisit qui ébranla la confiance naissante de Riel envers le gouvernement canadien.

Comme il le faisait trois ou quatre fois par année, l'*International* arriva en provenance des États-Unis. Peu après, le capitaine se présenta au bureau de Louis Riel pour lui montrer un document trouvé dans une cabine. Celle-ci avait été occupée par un homme qui avait pris un billet pour le fort Garry et s'était évanoui dans la ville dès son arrivée. Riel constata qu'il s'agissait d'une proclamation signée par le colonel Wolseley, commandant de l'expédition de Rivière-Rouge. Alertées, les forces métisses se mirent à la recherche de l'homme qui, apparemment, était porteur d'une importante proclamation officielle mais refusait de se présenter au gouvernement provisoire.

C'est seulement le lendemain après-midi que l'adjudant de Riel, Ambroise Lépine, revint avec une copie identique de la proclamation et son porteur, un étranger d'une trentaine d'années. C'était de toute évidence un militaire vêtu en civil. On l'avait découvert, fomentant des troubles dans la partie anglaise de la colonie. Il s'agissait, en fait, du capitaine William Francis Butler, espion et agent provocateur, membre de l'état-major de Wolseley qui l'avait envoyé via les États-Unis pour organiser une cinquième colonne au fort Garry.

La proclamation annonçait que les troupes qui s'approchaient étaient en mission de paix: «Les soldats que j'ai l'honneur de commander ne représentent point de parti, ni de religion ni de politique, et ils sont venus exprès pour protéger la vie et les biens de tous sans distinction de race ou de culte... L'ordre et la discipline la plus rigide seront maintenus dans leurs rangs, et la propriété privée de tous sera strictement préservée[19].»

En dépit de cet incident, Riel décida de faire confiance à Wolseley et fit imprimer et distribuer plus de cent exemplaires de la proclamation. Plus tard, les annexionnistes américains le critiqueront vertement pour avoir appuyé de la sorte la Couronne britannique.

C'est l'honorable James Lindsay, commandant des troupes britanniques au Canada, qui avait choisi le chef de l'expédition de Rivière-Rouge. Ce dernier, le colonel Garnet Wolseley, avait servi l'Angleterre en Birmanie, en Inde, en Crimée et en Chine.

Wolseley était un homme mince et de taille moyenne. Ses amis et collègues officiers le considéraient comme un érudit prétentieux alors que la reine Victoria le trouvait brillant mais vaniteux. En fait, Wolseley était un des premiers officiers instruits de l'armée moderne. Il ne pouvait supporter ceux qui devaient leur grade à l'argent ou aux faveurs politiques. Au cours de ses campagnes, il voyait toujours à la construction de routes, ainsi qu'au transport et à la santé de ses troupes avant de les lancer au combat.

Mais son attitude envers les Métis n'avait rien de l'indifférence d'un technicien ou d'un militaire de carrière. «J'espère que Riel aura filé, écrivit-il à sa femme, car même si j'aimerais bien le pendre à la plus haute branche de l'endroit, j'ai une telle horreur des rebelles et de la racaille de cette espèce que les civils pourraient bien désapprouver le traitement que je lui ferais subir[20].»

Au début de mai, Lindsay accompagna Wolseley à Toronto pour amorcer la formation du contingent.

On rassembla les hommes au *Crystal Palace* de Toronto où on les équipa et où on les entraîna. Leur voyage jusqu'au fort Garry devait comprendre plusieurs étapes en vapeurs, canots* construits pour l'occasion, et à pied à travers les marécages et les forêts les plus hostiles du Canada.

Le 21 mai 1870, le colonel Wolseley, son état-major et son avant-garde quittèrent Toronto en train pour le port de Collingwood en Ontario. De là, quatre vapeurs transportèrent les troupes, l'équipement et les provisions de l'autre côté du lac Huron, à Sault-Sainte-Marie. Le premier navire y accosta le 23 mai 1870.

Ils devaient obligatoirement passer par les écluses qui contournaient les rapides de la rivière Sainte-Marie, longs d'un kilomètre et demi. Or, les écluses se trouvaient en territoire américain et le gouvernement des États-Unis interdit le passage de matériel militaire devant servir dans le Nord-Ouest canadien. Le 1er juin, le canal fut donc fermé au trafic militaire et on refusa même de vendre du pain aux soldats canadiens.

---

* Les fameux *York Boats*. (N.D.T.)

Heureusement pour Wolseley, le vapeur *Algoma* avait déjà franchi les écluses. Les autres bateaux étant bloqués sur le lac Huron, l'*Algoma* sauva la situation en traversant troupes et matériel de Sault-Sainte-Marie à Prince Arthur's Landing.

Les troupes et le matériel furent donc débarqués à l'est de Sault-Sainte-Marie et transportés par voie de terre le long de la rive ouest avant d'être chargés à bord de l'*Algoma*. Ce contretemps retarda Wolseley de deux mois.

Prince Arthur's Landing devint plus tard Port-Arthur, point de départ de la route de Dawson qui conduisait au lac Shebandowan et plus tard au fort Garry. Ce fut la porte d'entrée de milliers d'immigrants vers l'Ouest.

Le 27 mai 1870, l'armée de Wolseley, composée de soldats britanniques et de volontaires canadiens, commença à transformer la piste de Dawson en route carrossable qui permettait le passage de charrettes chargées de matériel et d'embarcations. La route vers le fort Garry, l'ancienne route des voyageurs et des soldats, devint donc sur toute sa longueur une voie difficile mais convenable.

Chaque fois que c'était possible, Wolseley lançait ses embarcations chargées de matériel sur les rivières pendant que les soldats suivaient à pied. Le portage aux chutes Kakabeka fut particulièrement pénible.

À la rivière à la Pluie*, ils rencontrèrent le capitaine Butler, venu faire son rapport à Wolseley.

Cinq kilomètres plus loin, ils arrivèrent au fort Frances, un poste de la Compagnie de la Baie d'Hudson, descendirent la rivière à la Pluie sur 130 kilomètres jusqu'au lac des Bois, bifurquèrent au nord et descendirent la rivière Winnipeg sur 260 kilomètres jusqu'au lac Winnipeg.

Cinq kilomètres avant le lac Winnipeg, Donald Smith attendait l'arrivée de Wolseley au fort Alexander, un autre poste de la Compagnie de la Baie d'Hudson.

Le lendemain, 21 août, Wolseley et Smith prirent place dans une grosse embarcation de la Compagnie pour se diriger vers le fort Garry. Les troupes suivaient à bord d'embarcations plus petites. Au début de l'après-midi du 22 août, les embarcations lourdement chargées atteignirent la rivière Rouge. Wolseley fit

---

* Rainy River.

tout ce qu'il put pour garder son arrivée secrète – étrange comportement pour un envoyé de paix.

Le lendemain matin, ils arrivèrent au fort Stone où Smith,
à nouveau, accueillit les officiers avec un copieux petit déjeuner.
Dans la nuit du 23 août, les troupes campèrent à dix kilomètres
du fort Garry, d'où on apercevait leurs feux de camp.

Monseigneur Taché était arrivé d'Ottawa le même jour. Plusieurs hommes dont Riel, O'Donoghue, Dauphinois, Poitras et
Schmidt s'empressèrent de prendre de ses nouvelles. Taché les
assura à nouveau que tout irait bien; ses visiteurs n'avaient rien
à craindre. Lindsay lui-même l'avait assuré que ce n'était qu'un
mouvement de troupes d'un endroit à un autre et les dirigeants
du gouvernement avaient promis qu'Archibald et la proclamation d'amnistie arriveraient avant les soldats.

Puis on apprit que les militaires remontaient la rivière
Rouge. Taché était visiblement bouleversé. «C'est impossible,
s'exclama-t-il, les soldats n'arriveront pas avant une quinzaine.
Ils me l'ont promis à Ottawa.»

«Monseigneur, dit Riel, vous avez été trompé du début à la
fin. Les soldats sont tout près; ils ont fermé toutes les routes pour
nous surprendre et ils ont arrêté nos éclaireurs.»

F.X. Dauphinois, F.X. Pagée et Pierre Poitras, tous trois
favorables à l'entrée dans la Confédération, avaient été arrêtés
sur la route par Wolseley. Pierre Poitras, un vieillard, fut mal-
traité et gravement blessé par les soldats.

O'Lone et Scott voulaient envoyer des messagers pour
interdire aux soldats d'avancer à moins qu'ils n'aient avec eux
la proclamation d'amnistie.

Cette nuit-là, Riel alla se rendre compte par lui-même de la
situation avec Baptiste Nault, François Saint-Luc et Charles
Champagne; O'Donoghue et deux compagnons longeaient l'autre rive. Ils montèrent vers le nord sous une pluie battante, pouvant à peine se distinguer les uns des autres tant la nuit était
noire. Et comme ils craignaient que leurs chevaux n'éveillent les
sentinelles, ils avancèrent avec précaution.

Près du fort Stone, ils aperçurent les feux de camp de
Wolseley: c'était donc vrai! Riel et son groupe rentrèrent au fort
Garry.

Qu'allait décider Riel? Comme il faisait confiance à Taché,
il avait renvoyé ses miliciens à leurs champs. Allait-il continuer

à croire aux promesses d'amnistie ou s'enfuir? Riel fit évacuer le fort, ne gardant que Lépine et O'Donoghue avec lui.

Tôt le lendemain matin, comme Riel prenait son petit déjeuner, un colon anglophone du nom de James G. Stewart arriva à toute allure. «Pour l'amour de Dieu, sauvez-vous. Les soldats ne sont qu'à deux milles et ils ne parlent que de vous massacrer avec vos compagnons.» Riel et ses compagnons quittèrent donc le fort. Ils s'arrêtèrent chez Taché, juste le temps de lui répéter qu'on l'avait trompé.

– Croyez-vous maintenant que les soldats sont arrivés?

– Qu'avez-vous l'intention de faire?

– Je vais monter à cheval et partir à la grâce de Dieu. Peu importe ce qui arrive maintenant. Les droits religieux et linguistiques des Métis sont garantis par la Loi du Manitoba. C'est ce que j'espérais. Ma mission est terminée.

Riel avait raison. Grâce au gouvernement provisoire, les Manitobains entraient dans la Confédération en citoyens à part entière. La Loi du Manitoba protégeait* la minorité francophone et l'existence des deux cultures.

Mais Louis Riel, le fondateur du Manitoba, était maintenant un fugitif.

Rien dans l'attitude de Wolseley ne porte à croire qu'il venait – selon l'expression du gouverneur général Young – «en mission de paix». Il n'envoya aucun messager au fort Garry pour préparer les cérémonies de bienvenue ou pour discuter avec les gens de Rivière-Rouge du cantonnement de ses troupes. Il envoya plutôt des hommes en reconnaissance – pour débusquer les ennemis possibles et préparer le déploiement de ses troupes – et il emprisonna quelques Métis.

Son espion, Butler, qui avait quitté l'Angleterre à la hâte pour rejoindre l'expédition et qui avait proposé le voyage clandestin au fort Garry, avait sûrement prévenu Wolseley à la rivière à la Pluie que tout était calme au fort Garry. Il devait savoir que les soldats de Riel étaient retournés à leurs occupations et à leurs fermes. Le *New Nation* avait publié le rapport remis le 24 juin par le père Ritchot et le discours de bienvenue de Riel aux dirigeants canadiens. Il n'existe aucune preuve que Wolseley agissait sur les instructions d'Ottawa, bien qu'il ne reçut par la

---

* Théoriquement (N.D.T.)

suite que des éloges. On comprend pourquoi les partisans du *Canada First Party* furent si heureux de sa nomination!

Les pluies abondantes tombées cette nuit-là et au matin du 24 août transformèrent les routes menant au fort Garry en véritables bourbiers. Les troupes durent donc arriver en embarcations, au grand déplaisir de Wolseley. Plus tard, il écrivit qu'il «avait espéré avancer vers le fort fièrement, en grand apparat militaire». Il raconte que malgré la pluie et la boue, «les hommes marchaient d'un très bon pas et le moral des troupes était au plus haut à l'idée de la bataille[21]».

Le capitaine G.L. Huyshe décrit l'arrivée de Wolseley au fort Garry:

> Après avoir contourné le flanc du village, nous aperçûmes le fort à environ 700 mètres à travers champs. Les rares habitants du village nous affirmèrent que Riel et ses partisans tenaient toujours le fort et qu'ils avaient l'intention de le défendre. La porte était fermée, aucun drapeau ne flottait au mât (il avait plu abondamment), et on pouvait voir des canons dans les bastions et au-dessus de la porte qui commandait le chemin menant au village et à la prairie que traversèrent les soldats.
>
> Il semblait bien que nos efforts, après tout, n'auraient pas été vains. «Riel va se battre!» La nouvelle se répandit parmi les hommes qui redoublèrent d'entrain malgré la boue et la pluie. Monsieur Riel monta considérablement dans leur estime.
>
> À tout moment, on s'attendait à ce que le canon placé au-dessus de la porte (la porte principale) crache le feu, mais nous approchions toujours et il ne se passait rien; finalement, nous vîmes qu'il n'y avait personne derrière les canons et qu'à moins d'un piège il n'y aurait sûrement pas de combat. «Bon Dieu! Il s'est enfui!» cria-t-on.
>
> Le colonel Wolseley envoya une partie de son état-major pour voir si la porte sud (la porte de la rivière) était elle aussi fermée; ils contournèrent le fort et revinrent avec la nouvelle que la porte donnant sur le pont de la rivière Assiniboine était grande ouverte et que des hommes s'enfuyaient sur le pont. Les troupes entrèrent alors par cette porte et prirent possession du fort Garry sans effusion de sang[22].

«Ce fait, écrivit le colonel, causa une grande déception dans la troupe qui, après avoir tant peiné pour écraser l'insurrection, avait hâte de se venger sur les rebelles. Notre victoire, conclue sans effusion de sang, fut complète[23].»

On diffusa largement le discours que Wolseley adressa à ses hommes, le 28 août.

Les chefs des bandits qui opprimaient, il y a peu, les loyaux sujets de Sa Majesté dans la colonie de Rivière-Rouge ont fui à notre arrivée. Ils ont abandonné leurs canons et une grande quantité d'armes et de munitions. Le but principal de notre expédition a été atteint pacifiquement.

Bien que vous n'ayez pas eu la chance de conquérir la gloire, vous pouvez emporter avec vous, dans la routine de la vie de garnison, la conviction d'avoir rendu un grand service à l'État et d'avoir prouvé qu'aucune région sauvage, si difficile soit-elle à franchir par voie de terre ou d'eau, ne saurait servir de refuge à ceux qui ont commis un meurtre ou qui se sont révoltés contre l'autorité de Sa Majesté[24].

Et Wolseley poursuit: «Quant à moi, j'étais heureux que Riel ne se soit pas rendu, comme il avait déjà dit qu'il le ferait; car alors je n'aurais pas pu le pendre comme je l'aurais fait si je l'avais pris les armes à la main[25].»

L'arrivée de Wolseley et de sa troupe ne laissa à Riel d'autre solution que la fuite. Son armée avait été dispersée; la colonie n'avait plus aucun gouvernement. Le gouvernement provisoire avait été l'expression de la majorité des colons; Wolseley, lui, décida seul de nommer un gouverneur temporaire, Donald Smith.

Pendant son règne désastreux, le seul geste de Smith fut d'émettre un mandat d'arrêt contre Riel. Les colons étaient impuissants devant une vague de désordres et de violence sans précédent. Les soldats de métier britanniques étant partis immédiatement pour Ottawa, ils laissèrent sur place les volontaires ontariens indisciplinés.

Ces hommes chargés du «maintien de la paix», chahuteurs, mal entraînés et inexpérimentés, envahirent les saloons et épuisèrent en trois jours toutes les réserves d'alcool de Winnipeg. Lorsque les approvisionnements arrivèrent des États-Unis, les soldats avaient déjà découvert les saloons de Pembina.

Le pasteur méthodiste George Young nota qu'ils étaient
«rendus si fous par l'infecte potion qu'ils achetaient à prix fort
dans ces abominables tripots, qu'ils allaient jusqu'à se battre et
à se rouler dans les bourbiers fangeux de Winnipeg[26].»

> Dans la ville de Winnipeg, écrit Huyshe, chaque maison
> semblait être un débit de boisson et, au cours des deux ou
> trois premiers jours après notre arrivée, l'endroit n'était
> plus qu'un immense pandémonium – Indiens, Métis et
> Blancs, à tous les stades de l'ivresse, se querellant et se bat-
> tant à coup de couteaux dans les rues, ou étendus face
> contre terre un peu partout dans les champs comme autant
> de morts et de blessés après une violente escarmouche[27].

C'est au milieu de ce charivari qu'arriva finalement Archibald, le 2 septembre, pour occuper son poste. Le même jour, il
adressa une lettre de félicitations à Wolseley.

> Je saisis la première occasion qui s'offre à moi pour vous fé-
> liciter du magnifique succès de votre expédition. Je peux
> d'autant mieux juger du travail que vous avez accompli que
> j'ai moi-même vu les obstacles physiques qu'il fallait sur-
> monter; des obstacles qui, je vous l'assure, dépassent tout
> ce que j'avais pu imaginer.
>
> Il est impossible de ne pas sentir que les hommes qui ont
> surmonté de telles difficultés n'ont pas seulement bien tra-
> vaillé, mais qu'ils ont aussi été fort bien dirigés. Je m'en vou-
> drais si, à l'occasion de mon arrivée, je n'exprimais pas à
> nouveau l'admiration que j'éprouve devant la victoire
> triomphale que vous avez remportée.

Faut-il s'en surprendre, Archibald ne parvint pas plus que
Smith et Wolseley à ramener la paix à Rivière-Rouge. John
Schultz était de retour et rassemblait ses partisans. Le 13 septembre, on apprit que le Métis Elzéar Goulet, membre de la cour
martiale qui avait jugé Thomas Scott, était à Winnipeg. Deux soldats et un civil le poursuivirent jusqu'à la rivière Rouge. Terrifié, il se jeta à l'eau pour tenter de gagner l'autre rive. Mais les
soldats des Ontario Rifles et leurs compagnons le lapidèrent
dans l'eau. On retrouva son corps le lendemain.

Lorsqu'on lui amena le corps de son mari assassiné, la femme de Goulet s'agenouilla près de lui avec ses enfants. À la façon des Métis, ils prièrent pour lui et pour ses assassins.

Comme le crime avait été commis au grand jour, les meurtriers furent identifiés. Mais Archibald ne fit rien. Il n'était pas «opportun» de les arrêter.

Il n'y eut pas d'assemblée, pas de harcèlement des membres de la loge, pas de pression sur les politiciens, pas d'article sur cinq colonnes réclamant justice et châtiment pour les meurtriers d'Elzéar Goulet. Ce n'était qu'un Métis. Et il ne parlait que français.

François Guillemette, membre du peloton qui avait exécuté Scott, fut assassiné près de Pembina.

H.F. O'Lone, un ami d'O'Donoghue, fut tué aussi.

On tenta d'assassiner le père Kavanaugh.

James Tanner fit une chute mortelle quand on effraya délibérément son cheval dans l'obscurité.

Thomas Spence, rédacteur en chef au *New Nation*, fut cravaché par les amis de John Schultz.

André Nault fut sauvagement battu.

Un groupe d'Ontariens s'empara d'un terrain que les Métis avaient déjà défriché et occupé près de la rivière aux Islets-de-Bois. Dans l'ivresse de leur victoire, ils rebaptisèrent la rivière la «Boyne».

Le beau-père de John Schultz offrit une rançon de vingt livres pour la capture de Riel.

Les dirigeants et les partisans du gouvernement provisoire qui avaient constitué le gouvernement *de facto*, qui avaient négocié la Loi du Manitoba avec le gouvernement du Canada et dispersé leur armée en prévision de la remise pacifique du pouvoir au gouvernement canadien, ceux-là même furent traités en conquis.

Le 3 septembre 1870, Wolseley et le bataillon des Royal Rifles et des Royal Engineers étaient repartis dans l'Est du Canada pour s'embarquer vers l'Angleterre. À Toronto, George Denison organisa une soirée en l'honneur de Wolseley.

NOTES

1. Denison, Col. George T., *The Struggle for Imperial Unity*, Toronto, Macmillan, 1909, p. 21.

2. *Ibid.*, p. 15.

3. *Ibid.*, p. 22.

4. *Ibid.*, p. 24.

5. *Ibid.*, p. 26.

6. *Ibid.*, p. 28.

7. *Ibid.*, p. 35.

8. *Ibid.*, p. 37.

9. Pope, *Correspondence of Sir John A. Macdonald*, p. 118.

10. *Ibid.*, p. 126.

11. *Ibid.*, p. 132.

12. Creighton, *John A. Macdonald*, vol. II, p. 48.

13. «Proclamation au peuple du Nord-Ouest», 7 avril 1870, A.P.C.

14. Collection Ritchot, 25 mai 1870, Société historique de Saint-Boniface.

15. Report of the Select Committee, 1874.

16. Begg, *Red River Journal*, p. 382.

17. Report of Select Committee, 1874.

18. Begg, *Red River Journal*, p. 384.

19. *Ibid.*, p. 392.

20. Arthur, Sir George, *The Letters of Lord and Lady Wolseley*, Londres, Doubleday, 1922, p. 5.

21. Wolseley, Col. Garnet, *The Story of a Soldier's Life*, New York, Scribner, 1903.

22. Huyshe, Capt. C.G., *The Red River Expedition*, London, Macmillan, 1871, p. 196.

23. *Ibid.*

24. *La Gazette* de Montréal, 26 mars 1885.

25. Wolseley, *The Story of a Soldier's Life*, p. 427.

26. Young, *Manitoba Memories*, p. 190.

27. Huyshe, *The Red River Expedition*, p. 221.

V

Les débuts de la nouvelle province

Le mouvement annexionniste

En fuyant le fort Garry, Riel, Lépine et O'Donoghue cherchèrent la sécurité de l'autre côté de la frontière, à Pembina. La première nuit, pendant qu'ils dormaient dans les taillis, leurs chevaux disparurent et ils furent forcés de continuer leur route à pied. Ils fabriquèrent un radeau en assemblant des billots avec des cravates, des bretelles et divers vêtements. Après avoir traversé la rivière Rouge, ils descendirent jusqu'à Pembina. Riel emprunta alors une paire de souliers et ils continuèrent vers l'ouest le long de la rivière Pembina jusqu'au village de Saint-Joseph où ils trouvèrent refuge chez le curé.

Mais Riel avait encore peur: parmi les hommes de Wolseley, certains étaient tout à fait décidés à le tuer...

La population de Rivière-Rouge était furieuse mais impuissante devant les crimes commis par les soldats. O'Donoghue chercha à canaliser leur ressentiment en faveur de son vieux rêve, l'annexion aux États-Unis. Il persuada Riel et Lépine de convoquer, à Saint-Norbert, une réunion secrète des principaux membres de l'ancien gouvernement provisoire. Lors de cette rencontre à laquelle participèrent les trois fugitifs le 17 septembre 1870, on décida d'adresser une pétition au président américain Grant, lui demandant d'intervenir auprès de la reine Victoria en faveur de ses sujets métis.

Lorsque O'Donoghue proposa que la pétition aille plus loin et demande l'annexion, Riel s'emporta et rejeta l'idée. Il était toujours resté insensible aux pressions constantes d'O'Donoghue. Il était clair pour lui que les Métis n'étaient pas plus assurés d'obtenir justice aux États-Unis qu'au Canada. Riel considérait les Prairies comme l'héritage sacré de ses ancêtres, les Métis. Et ceux-ci devaient se consacrer à la défense de leurs droits.

O'Donoghue chercha des appuis ailleurs. Il rencontra les Américains Enos Stutsman et Joseph Rolette à Pembina. Il leur fut facile de transformer la pétition en un appel à l'annexion du Manitoba par les États-Unis. (O'Donoghue garda la signature de Riel!) La pétition se terminait par: «Nous demandons instamment à Votre Excellence... de nous permettre de jouir des bienfaits de la vie, de la liberté, de la propriété et de la recherche du bonheur sous le gouvernement de notre choix, ou *en union avec un peuple avec lequel nous croyons pouvoir profiter de ces bienfaits*.»

O'Donoghue, stimulé par l'ardeur des annexionnistes de Saint-Paul, rencontra quelques autres politiciens puis obtint une audience avec le président Grant, le 28 décembre 1870. Grant le reçut avec courtoisie, écouta ses arguments, mais n'offrit rien en retour. Il savait, grâce à James Wickes Taylor, que ni Riel ni les Métis ne voulaient se joindre aux États-Unis.

O'Donoghue s'adressa donc aux Fenians de New York, grâce à John O'Neill. Mais comme les Fenians, épuisés et découragés, ne pouvaient fournir aucune aide, O'Neill, J.J. Donnelly et un certain colonel Curley tentèrent d'amasser des fonds et de recruter des combattants par eux-mêmes. Ils n'obtinrent guère de succès. O'Donoghue et ses partisans réussirent tout de même à obtenir une importante quantité de fusils. Ils partirent vers l'Ouest, confiants qu'ils trouveraient au Minnesota des hommes prêts à envahir le Manitoba. O'Donoghue était persuadé que les Métis, après avoir été témoins du meurtre de Goulet et des autres, après avoir enduré les injustices du nouveau régime, s'empresseraient de se joindre à lui.

En septembre, de Pembina, il invita les Métis les plus mécontents à se joindre à lui et les assura qu'il avait déjà des milliers de combattants. Ces lettres convainquirent le lieutenant-gouverneur Archibald qu'une importante invasion des Fenians menaçait le Manitoba.

Après la réunion secrète de Saint-Norbert, Riel était retour-

---

* Souligné par l'auteur.

né en sécurité à Saint-Joseph, aux États-Unis. Un an plus tard, de retour au Manitoba, il écrivit à monseigneur Taché qu'il n'avait aucun lien avec les Fenians, ni avec les annexionnistes d'O'Donoghue. Le 28 septembre, il convoqua, selon la coutume, une réunion des chefs métis pour discuter de la situation. Ils résolurent qu'aucun d'entre eux n'entreprendrait d'action sans l'approbation de l'ensemble du groupe, sauf pour continuer à demander au gouvernement canadien de tenir ses promesses.

Le 2 octobre, O'Donoghue écrivit de nouveau à Riel, à Lépine et aux autres chefs métis pour les enjoindre de se rallier à sa troupe rassemblée à Pembina.

Le lendemain, le lieutenant-gouverneur Archibald, qui n'avait plus d'armée, appela les Manitobains à s'unir contre les envahisseurs. Le père Ritchot lui confia que le seul homme capable d'unir les Métis était Riel. Peut-être Ritchot espérait-il ainsi paver la voie à l'amnistie et à une reconnaissance tardive des services rendus par Riel à son pays. Archibald assura Ritchot que Riel n'avait pas à craindre pour sa liberté et que sa collaboration serait utile aux Métis.

Riel crut qu'Archibald faisait référence à l'amnistie promise et il le prit au mot.

Lors d'une réunion le 5 octobre, O'Donoghue et O'Neill, sans nouvelles de Riel mais prenant son appui pour acquis, décidèrent de pénétrer au Manitoba avec à peine 35 hommes. Ils s'emparèrent du même fort abandonné par la Compagnie de la Baie d'Hudson que Dennis avait jadis occupé.

Mais le capitaine Wheaton de l'armée américaine arriva à l'improviste de Pembina, à la tête de sa troupe. O'Donoghue put s'enfuir, mais la plupart de ses hommes furent capturés. Il fut cependant rattrapé par un groupe de Métis qui l'escortèrent jusqu'à la prison de l'armée américaine à Pembina.

Une troupe de 200 Métis, partie de Winnipeg ce soir-là, descendit au sud jusqu'à Sainte-Agathe et rebroussa chemin sans avoir rencontré d'envahisseur.

Les autorités civiles américaines, favorables à O'Donoghue, le libérèrent rapidement ainsi que la plupart de ses partisans. Aux États-Unis, envahir le Canada n'était pas un crime! De son côté, Archibald ne croyait pas la menace écartée. Tôt le matin du 8 octobre, il reçut une missive d'un certain commandait Irvine qui, inquiet lui aussi, réclamait des renforts immédiats d'au moins 150 hommes.

Plus tard ce jour-là, Archibald se rendit à Saint-Boniface pour passer la cavalerie métisse en revue. Il remercia les hommes et serra la main de leur chef, Louis Riel. Cette poignée de main attira à Archibald la colère de Mair et de sa bande. Archibald répliqua vivement que le peuple du Manitoba devait pouvoir gérer lui-même ses affaires et que s'il devait dépendre de l'Ontario, c'est là-bas que devrait être élue son assemblée législative. Le 13 octobre 1871, Archibald publia une «Proclamation de remerciement au peuple de la province du Manitoba».

Il avait raison d'être reconnaissant. Car c'est seulement une semaine après que la menace eût été écartée qu'Ottawa envoya 200 hommes au Manitoba. Leur voyage dura près d'un mois.

O'Donoghue, O'Neill, Donnelly et Curley abandonnèrent leur projet d'invasion du Manitoba. O'Donoghue, seul et sans argent, erra sur les routes de campagne du Nord-Ouest américain, vivotant de menus travaux. Finalement, on l'engagea comme professeur dans une école de campagne au Dakota. Il tomba amoureux de Mary Callan, la fille d'un fermier de la région, et ils commencèrent à faire des économies en vue de leur mariage. Mais le 26 mars 1878, à l'âge de 35 ans, O'Donoghue fut emporté par la tuberculose. Et le 3 mai de la même année, on enterrait sa fiancée à ses côtés.

1872: Riel doit prendre la fuite

En novembre 1870, un groupe de Métis avait adressé une requête à Riel pour qu'il se présente aux élections provinciales. Mais Riel avait refusé. Il savait que la haine mortelle que Schultz et sa bande lui vouaient ne s'était pas encore apaisée. En plus d'encourir les dépenses de l'élection, ses amis et ses partisans auraient eu à subir les méfaits de cette haine qui le poursuivait.

À Saint-Joseph, en février 1871, Riel contracta une maladie grave et persistante, qui était probablement le résultat de ses lourdes responsabilités et de la fatigue qu'il avait supportée pendant des mois, en plus de ses craintes pour sa famille et sa propre sécurité.

En mars, encore affaibli, il se rendit à Saint-Vital pour assister au mariage de sa sœur. Les voisins affluèrent pour l'accueillir. Mais il resta à la maison, car il se montrait rarement en public.

Le gouvernement fédéral avait nommé le juge Francis Johnson en charge de l'évaluation des dommages subis durant l'acquisition du Nord-Ouest par le Canada. La plus importante réclamation, et de loin, fut celle de John Schultz: 65 000 $. Des colons composèrent ces quelques vers:

> Pour John Schultz,
> Honneur et argent garantis;
> Pour ses amis, les sots,
> Échafauds et poches dégarnies.

Le docteur John B. O'Donnell, ami de Schultz à l'époque, écrivit plus tard que le dédommagement que Schultz avait finalement reçu dépassait largement ses pertes. Schultz avait dû fermer son magasin sous le gouvernement provisoire. Mais il avait rapidement récupéré les sommes perdues grâce aux prix exorbitants qu'il exigeait des soldats fraîchement arrivés.

Louis Riel, lui, ne présenta aucune réclamation pour perte de biens ou de services.

Au printemps 1871, l'archevêque Taché avait écrit à Cartier: «Je vous assure que je suis profondément désolé. Je n'ai épargné ni les douleurs, ni les fatigues, ni les dépenses, ni les humiliations pour rétablir la paix et l'ordre; avec le résultat que mon peuple me reproche cruellement de l'avoir honteusement trompé.»

Cet été-là, il effectua un autre voyage à Ottawa. Macdonald ne nia pas avoir promis amnistie et justice. Il parla plutôt de nécessité politique et insista sur le fait que sa première préoccupation était le succès de la Confédération.

Vers la fin de 1871, Macdonald chercha à savoir s'il était possible de convaincre Riel de quitter le pays pendant un certain temps. Quitter son pays natal comme un criminel fuyant la justice, c'était beaucoup demander à Riel. Taché savait que Riel était sans le sou; il en discuta avec Cartier. C'est apparemment sur les conseils de ce dernier que, le 27 décembre 1871, Macdonald envoya 1 000 $ à Taché à l'intention de Riel, un montant dont il suggérait d'étaler le paiement sur douze mois.

Le lieutenant-gouverneur Archibald croyait également que le départ de Riel était souhaitable. Schultz se trouvait toujours à

Winnipeg; et quelques individus tentaient encore de capturer Riel. Le 8 décembre, plusieurs hommes armés de revolvers pénétrèrent de force chez sa mère. Heureusement, il était absent. Les brutes menacèrent Mme Riel et sa fille et mirent la maison sens dessus dessous. Mais les Métis étaient bien décidés à protéger leur chef.

En 1871, Edward Blake, chef du Parti libéral de l'Ontario et chef de l'opposition, avait tenté de forcer l'assemblée législative de sa province à offrir une récompense de 5 000 $ pour l'arrestation et le châtiment des «assassins de Thomas Scott».

Dans une lettre datée du 24 février 1872, Archibald écrit à Cartier qu'il avait appris grâce à la police que, la rumeur de cette récompense de 5 000 $ s'étant répandue au Manitoba, des réunions s'étaient tenues dans toutes les paroisses francophones. Chaque fois, la conclusion était la même.

«Ils ont décidé, écrit Archibald, que ceux qui sont visés par la récompense devaient rester dans la région et que la population devait les protéger avec les armes contre toute tentative d'arrestation. Je crains fort qu'une tentative d'arrestation aurait entraîné un bain de sang.»

Au moment où l'on craignait l'incursion des annexionnistes, Archibald garantissait la liberté de Riel. Mais par opportunisme politique, il considérait maintenant que Riel devait quitter le pays. Riel le patriote devait défendre le Manitoba et Riel, toujours aussi patriote, devait maintenant, pour l'amour de la paix, quitter le Manitoba.

En 1879, Taché déclara devant la commission parlementaire que le lieutenant-gouverneur l'avait aidé à obtenir de Donald Smith 600 livres supplémentaires qu'il avait alors remis à Riel et à Lépine en leur disant:

Partez, disparaissez pour un certain temps. Ne laissez pas même un prétexte à ceux qui vous harcèlent. Leurs buts sont néfastes; ils veulent bouleverser la région, la ruiner si possible et pour ce faire, ils se servent du prétexte de votre présence. Privez-les de ce prétexte... Montrez une fois de plus que votre patriotisme ne se limite pas à vos intérêts personnels, mais qu'au contraire vous êtes capables de vous oublier pour une bonne cause.

Le 16 février 1872, Taché remit l'argent à Riel et Lépine.

Taché était un dirigeant sagace et il avait beaucoup voyagé. Mais le fait qu'il approuvait les projets d'Ottawa l'avait considérablement discrédité aux yeux de son peuple. Et on ne pouvait oublier qu'il s'était fait jouer à maintes reprises par Macdonald au sujet de l'amnistie.

Pourtant une fois de plus, Taché acquiesçait aux désirs de Macdonald. En utilisant son autorité religieuse, il persuada Riel d'accepter l'argent de Macdonald et d'abandonner ce peuple qui voulait le garder avec lui et avait juré de le protéger.

Riel était déchiré. S'il restait, il serait harcelé et accusé de provoquer des troubles. S'il acceptait l'argent, une somme bien inférieure au dédommagement que lui devait le gouvernement canadien, et s'en allait, il serait accusé d'avoir empoché un pot-de-vin.

Si Taché se trompait en lui conseillant de partir, Riel se trompait encore plus en suivant ses conseils.

Ainsi, Macdonald réussit à priver les Métis de leur chef au moment où ils en avaient le plus besoin – au moment où les promesses du gouvernement fédéral étaient encore fraîches dans toutes les mémoires.

Le 9 mars 1872, Edward Blake, à la tête du nouveau gouvernement libéral de l'Ontario, fut à l'origine d'une nouvelle offre de récompense de 5 000 $.

En prétendant que Macdonald et les conservateurs préféraient laisser Riel impuni, Blake tentait de diviser le courant anti-catholique, anti-francophone et anti-Riel qui, autrement, appuierait Macdonald aux prochaines élections fédérales. Le dilemme de Macdonald était qu'en arrêtant Riel, il s'aliénait le Québec, et qu'en l'amnistiant, il perdait l'Ontario.

Il ne songea pas à résoudre le problème en expliquant aux électeurs ontariens les faits qui avaient entouré l'exécution de Scott. L'exécution était survenue avant que le Canada n'ait juridiction sur la région de Rivière-Rouge; elle avait eu lieu sous un gouvernement de fait; la cour martiale et le jugement étaient en accord avec les lois et les coutumes métisses; et la sentence avait été prononcée par un juge et un jury dûment constitué.

Parfaitement conscient que le mouvement *Canada First* répandait le sectarisme et la haine, Macdonald ne fit rien pour les arrêter ou les démasquer. Et de plus, il dissimula sa propre duplicité dans sa façon d'agir envers Riel et les Métis.

Selon lui, la Confédération était encore en formation, et

pour atteindre ses buts, il était prêt à accepter le sectarisme, la malhonnêteté, le racisme et l'oppression des minorités.

Le Canada était en voie de devenir une nation mais il aurait encore bien des problèmes à résoudre car les Britanniques maintenaient fermement leur emprise politique et économique. Les Pères de la Confédération, quant à eux, justifièrent trop souvent les moyens par la fin.

❏

Riel partit et cette fois, avec son compagnon Lépine, ils voyagèrent en tout confort. Le 23 février 1872, escortés par la police de Winnipeg, ils se rendirent en charrette jusqu'à Saint-Joseph puis jusqu'à Saint-Paul au Minnesota où, au début, Riel se sentit en sécurité. Il habita avec Lépine au *Montreal House* sur la rue Minnesota, un endroit bien connu des charretiers de Rivière-Rouge. Il utilisait le nom de Louis Bissonnette et il était prudent lorsqu'il circulait en ville. C'est là qu'il écrivit ses *Mémoires sur le déroulement et les objectifs de la résistance à Rivière-Rouge*.

Le premier signe de danger survint lorsqu'il aperçut, à Saint-Paul, Schultz et Bown, le dentiste qui avait déjà été propriétaire du *Nor'Wester*. Puis il reçut la visite inquiétante de W. Devlin et John Mager qui lui présentèrent une déclaration assermentée datée du 20 mars 1872. Ils y déclaraient que Walter R. Bown et John C. Schultz leur avaient offert 1 000 $ provenant des autorités de l'Ontario, et 50 $ de Schultz pour lui voler des documents relatifs au soulèvement de 1870; ces documents étaient rangés dans la malle de Riel, dans sa chambre au *Montreal House*. Devlin et Mager avaient décidé de ne pas remplir leur mission. Riel et Lépine informèrent alors l'archevêque Taché du danger qui les menaçait.

Lorsque Joseph Royal, rédacteur en chef du journal *Le Métis* et député à l'assemblée législative du Manitoba, rendit visite à Riel, ce dernier lui sembla craintif. Selon lui, Riel se sentait plus en danger à Saint-Paul parmi des étrangers qu'à Rivière-Rouge parmi les Métis.

Avec la visite de Devlin et Mager, Riel et Lépine comprirent qu'on savait où les trouver. Ils quittèrent le *Montreal House* et habitèrent pendant un certain temps chez Louis Demeules. Ensuite, ayant surpris une conversation entre deux hommes qui discutaient de la récompense de 5 000 $ et des moyens de capturer Riel, ils partirent pour Breckenridge. Mais la peur d'être retrouvés et assassinés ne les quitta plus.

Lépine était plus affecté que Riel qui avait pu se consacrer à l'écriture. Comme il ne pouvait plus supporter la situation, il rentra à Rivière-Rouge. Riel, lui, retourna à Saint-Paul où la solitude s'ajouta à son inquiétude.

Il correspondait avec Joseph Dubuc qui lui fit la suggestion, intéressante, de se présenter aux prochaines élections fédérales dans le comté de Provencher.

Monseigneur Taché n'appréciait guère cette idée. L'entente qu'il avait conclue avec Macdonald et Cartier prévoyait que Riel quitterait le Manitoba pour un certain temps, et dans l'esprit de Macdonald, cela voulait sûrement dire jusqu'après les élections fédérales. De plus, à cause de ses principes religieux, il se préoccupait plus de l'«harmonie» à Rivière-Rouge que de cet objectif à long terme qu'était l'équité pour le peuple métis.

L'homme qui briguait ce siège s'appelait Henry J. Clarke. Il était procureur général du Manitoba, avait aidé les Métis à l'occasion et croyait mériter leur appui.

En juin, Riel quitta Saint-Paul pour Saint-Joseph, près de la frontière. Il commença bientôt à faire campagne, allant de paroisse en paroisse. Clarke tenait à se présenter même si Riel était choisi candidat et il refusa de se présenter dans un autre comté. Selon lui, Riel mettrait dans l'embarras tous les amis des Métis à Ottawa et il pourrait même se faire tuer s'il allait là-bas.

Lors d'une réunion de candidats à Saint-Norbert, en août, Clarke se mit en colère et se comporta de manière détestable; il provoqua même Riel en duel. *Le Métis* critiqua Clarke: le procureur général tentant de régler un différend d'une manière aussi stupide, à coups de revolver!... «La population verra que monsieur Riel a d'autres arguments...»

En 1872, sir Georges-Étienne Cartier était un homme malade. Il perdit son siège aux élections de septembre, dans Montréal-Est. Plusieurs raisons peuvent expliquer cette défaite, y compris son différend avec l'évêque Bourget et le «scandale du Pacifique». Mais la principale raison était que lui, le

Québécois le plus en vue du gouvernement Macdonald, était en partie responsable du piètre sort fait à Riel.

Macdonald offrit à Cartier un siège vacant au Manitoba. Cartier accepta et Macdonald écrivit en code à Archibald; il lui demandait de faire élire Cartier mais d'empêcher que Riel se désiste à son profit, probablement pour que Cartier ne soit pas en dette envers lui. (Ce fait fut dévoilé dans le rapport de la commission parlementaire de 1874.)

Archibald croyait cependant qu'il serait préférable de convaincre Riel de céder sa place à Cartier. Taché approuva, comptant sur le fait que, par gratitude, Cartier s'efforcerait d'obtenir l'amnistie royale tant attendue.

Riel, quant à lui, posa comme seule condition que Cartier s'engage à défendre les droits fonciers des Métis. Pour lui-même, il ne demandait rien. Et pour l'amnistie, il était prêt à faire confiance à Cartier.

Macdonald émit l'opinion que «les électeurs devraient élire sir Georges rapidement et sans condition... et pouvaient se fier sans crainte à des promesses qui ne gagnaient rien à être répétées». Cartier, plus élégant, promit qu'il ferait l'impossible pour réaliser les vœux des citoyens.

La mise en candidature eut lieu le 14 septembre 1872. Pierre Delorme, Joseph Royal et Joseph Lemay proposèrent Louis Riel. George Klyne et Roger Hamelin proposèrent Henry Clarke.

Riel et Clarke refusèrent.

Puis, Pierre Delorme et André Beauchemin proposèrent Georges-Étienne Cartier. Faute d'opposant, Cartier fut élu.

Riel et Ambroise Lépine lui adressèrent un télégramme de félicitations. Peu après, il prit le bateau pour l'Angleterre où il mourut le 20 mai 1873 d'une affection rénale chronique.

La persécution d'Ambroise Lépine

Les mois passèrent et Ritchot effectua un autre voyage infructueux à Ottawa. Cependant, la mort de Cartier avait laissé le comté de Provencher vacant. Riel annonça alors son intention de briguer les suffrages. Craignant pour sa vie, des amis tentèrent d'abord de l'en dissuader, puis, voyant qu'il était bien décidé, l'appuyèrent sans condition.

La clique de Schultz ne tarda pas à réagir. Le 14 septembre 1873, dans l'étude légale de ce fauteur de troubles qu'était Francis E. Cornish, William Farmer porta une accusation de meurtre contre Louis Riel et Ambroise Lépine. Farmer avait été fait prisonnier avec Boulton au fort Garry. Et c'est le juge John Harrison O'Donnell, un de ceux qui avaient été arrêtés au «fort Schultz», qui émit le mandat d'arrêt. Le lendemain, les policiers John Ingram et John Kerr, accompagnés de l'interprète Léon Dupont, s'en furent livrer le mandat aux intéressés.

Ils ne trouvèrent pas Riel mais Lépine était chez lui, en train de jouer avec son enfant, lorsque les agents arrivèrent à sa ferme. John Kerr observa qu'«un coup de poing de sa part équivaudrait à une ruade de mulet».

En apprenant qu'ils étaient venus l'arrêter, Lépine hésita puis accepta de les accompagner. Il s'excusa pour aller s'habiller dans la chambre, pendant que les policiers attendaient dans la cuisine. À ce moment-là, il aurait pu facilement s'emparer de son revolver et désarmer les policiers; mais il n'avait rien à se reprocher, et il avait confiance que le tribunal l'acquitterait.

On l'emprisonna au fort Garry. Un mois plus tard, on fixa la date de son procès aux assises de novembre. Le 22 décembre, des Métis et des francophones de la région déposèrent une caution de 8 000 $ et Lépine fut relâché.

La date du procès fut reportée plusieurs fois. Les juges Louis Betournay et J.C. McKeagney n'arrivaient pas à décider s'ils pouvaient juger des crimes commis avant l'acquisition du Manitoba par le Canada. Finalement, Edmund Burke Wood, nouveau juge en chef du Manitoba, décida que le procès aurait lieu. Wood s'occupait de politique et était un ami personnel de John A. Macdonald.

Riel, plus chanceux que son ami, était parvenu à éviter l'arrestation. Protégé par ses partisans, caché, recherché par la police, il maintint malgré tout sa candidature dans l'élection partielle de Provencher. Le 20 septembre 1873, *Le Métis* publia ses protestations; il s'élevait énergiquement contre l'arrestation de Lépine et contre la mauvaise foi du gouvernement. Au cours d'une assemblée à Saint-Boniface, il fut question d'une action concertée de tous les Métis. Anglophones, francophones et Métis, même ceux qui n'avaient pas appuyé Riel et Lépine, étaient présents. On adopta, à l'intention du nouveau lieutenant-gouverneur Alexander Morris, des résolutions réclamant en termes énergiques l'abandon des poursuites contre Riel et Lépine. Le père Ritchot, Marc Girard, Joseph Dubuc et Robert Cunningham furent chargés de les présenter.

Après avoir écouté la délégation pendant deux heures, Morris se déclara impuissant et ne fit aucune promesse. Il écrivit cependant à Macdonald le 22 septembre, pour lui dire qu'il sympathisait avec les Métis. Il l'informa qu'il n'avait pas approuvé l'action de Cornish contre Riel et Lépine, action qu'il expliquait par la méchanceté ou par les manœuvres des libéraux ontariens «avec qui il (Cornish) s'est lié étroitement pour vous embarrasser[1]».

En cette année 1873, les gens fredonnaient la populaire chanson *Silver Threads Among the Gold* et dansaient sur l'air de la plus récente valse de Strauss, *Weiner Blut*. Mais pour John A. Macdonald, qui se trouvait pris à son propre jeu d'intrigues et de manigances, ce ne fut guère une année faste.

Le 19 octobre, son ami le comte de Dufferin lui écrivit: «Il est indéniable que, par votre intermédiaire et celui de certains de vos collègues, des sommes prodigieuses – provenant d'une personne avec qui vous avez négocié au nom du dominion – ont été distribuées dans les circonscriptions de l'Ontario et du Québec à des fins contraires à la loi.»

Quelle façon distinguée de dire que sir John A. Macdonald était un escroc!

Au début de novembre 1873, Alexander Mackenzie, nouveau Premier ministre libéral du Canada, hérita, avec son poste, des problèmes suscités par la maladresse de Macdonald dans ses relations avec Rivière-Rouge. Les journaux québécois exigeaient que les ministres francophones du gouvernement Mackenzie démissionnent si l'amnistie n'était pas accordée à Lépine et Riel. Et l'assemblée législative du Québec demanda au gouverneur général Dufferin d'accorder cette amnistie.

Au cours des années 1872-1873, Toronto se trouva au cœur d'une campagne de propagande complètement hystérique. En ces temps troublés par toutes sortes d'agitations politiques, les honorables partisans du mouvement *Canada First* crachaient leur venin raciste et fanatique sur Louis Riel et sur le peuple métis. Dénués de tout scrupule mais instruits, à l'aise et largement pourvus de temps libre et de relations politiques, Mair,

Schultz et le reste de la bande organisèrent des tournées de conférences dans les villes et les villages du sud de l'Ontario, à Belleville, Kingston, Windsor, Oshawa et London.

Mackenzie avait hérité du problème de Macdonald et il tenta d'utiliser les mêmes moyens que lui: les faux-fuyants. Cependant, il n'était pas de son ressort d'accorder l'amnistie; cela relevait du gouvernement britannique.

Le 14 février 1874, plus d'un an après son arrestation, Ambroise Lépine comparut pour meurtre devant le juge en chef Wood.

Les avocats de la Couronne étaient Francis E. Cornish et Stewart Macdonald. Leurs principaux témoins étaient des Métis: John Bruce, Joseph Nolin et François Charette. Bruce déclara qu'avant l'exécution de Scott, Lépine avait affirmé que les prisonniers du fort Garry seraient relâchés sauf deux ou trois qui seraient exécutés. Nolin, cousin de Riel, se contenta d'identifier Lépine comme président de la cour martiale. Charette affirma que Lépine avait donné à Guillemette le revolver qui avait servi à donner le coup de grâce. Il y avait d'autres témoins, mais la défense établit rapidement qu'ils n'avaient pas assisté à l'exécution.

La défense était assurée par Adolphe Chapleau, éminent politicien conservateur et l'un des meilleurs criminalistes de son époque ainsi que par Joseph Royal. À Montréal, au moment de son départ, Chapleau avait été acclamé par une foule enthousiaste. Une collecte populaire avait servi à recueillir au Québec les fonds nécessaires à la défense.

Chapleau avança énergiquement que le gouvernement provisoire, à l'époque de l'exécution, était un gouvernement *de fait* et que la cour martiale présidée par Lépine tenait son autorité de ce gouvernement. Il soutint également que le tribunal en cours n'avait pas le pouvoir de juger des crimes commis alors que le Manitoba appartenait encore à la Compagnie de la Baie d'Hudson.

Wood jugea que ces arguments n'étaient pas dans les règles. Et il refusa que Chapleau produise des lettres de Macdonald et de Cartier à l'appui de son argumentation.

C'était un peu comme si Champlain avait jugé, en vertu du droit français, un Algonquin ou un Huron pour un délit commis un an avant son arrivée au pays.

De l'avis unanime, Chapleau fut brillant et éloquent; Royal

s'en tira assez bien quoiqu'il fut un peu gêné par sa connaissance imparfaite de l'anglais.

Le jury déclara Lépine coupable, mais réclama la clémence du tribunal. Le juge en chef Wood le condamna à mort!

Lord Dufferin comprenait bien le problème de Macdonald et Mackenzie: accorder l'amnistie, c'était s'aliéner l'Ontario orangiste; la refuser, c'était concéder le Québec aux Bleus. Cependant, la décision était attendue depuis fort longtemps.

Dufferin décida, en vertu de ses pouvoirs de gouverneur général, de commuer la sentence de mort de Lépine. Il fit remarquer, le 11 décembre 1874, dans un rapport adressé au ministre britannique des Colonies, que «grâce à l'imbécillité de la plupart de ceux qui ont été mêlés jusqu'ici à cette affaire», il n'avait jamais eu à régler de problèmes plus épineux.

Il n'accorda aucune importance au fait que Riel avait dirigé un gouvernement *de fait* au Manitoba et que ses délégués avaient été reconnus par Macdonald, Cartier et Howe durant les négociations. Il ne tint pas compte de la condition qui, pourtant, avait été clairement acceptée par le gouvernement canadien, à l'effet que l'amnistie serait accordée à tous ceux qui avaient servi ou appuyé le gouvernement provisoire. Et il choisit d'ignorer les appels répétés d'éminents citoyens en faveur de l'amnistie.

Dufferin décida d'accorder l'amnistie totale à tous – sauf à Riel, Lépine et O'Donoghue – non parce qu'ils n'avaient pas commis de crime ou que leurs actions se justifiaient du fait de leur appartenance au gouvernement provisoire, mais pour services rendus par les Métis pendant la menace annexionniste. Le fait que Riel était le chef des Métis et qu'il avait refusé d'appuyer O'Donoghue ne signifiait rien pour Dufferin. Toutes les raisons, sauf la véritable, étaient bonnes pour accorder l'amnistie.

Pour Riel et Lépine, cette amnistie était assortie d'un exil de cinq ans hors des dominions de Sa Majesté. O'Donoghue, à cause de son équipée annexionniste, n'obtenait rien du tout.

Dufferin devait être fier de lui en refermant le dossier de l'amnistie. Sa décision arbitraire, quoique incontestablement habile, était méprisante et arrogante; mais elle était bien assez bonne pour des coloniaux, surtout pour des Métis.

Elle satisfaisait aux conditions posées par ce vieux renard qu'était Macdonald:

Je pense qu'une amnistie devrait être accordée pour tous les événements survenus durant les troubles de 1869 et 1870, sauf aux personnes impliquées dans le meurtre de Thomas Scott.

Cela ne satisfera pas complètement les sang-mêlé qui ont pris les armes à l'époque, puisqu'ils considèrent Riel comme leur chef. Cependant, cela aura pour effet, je crois, de les rassurer en tant que groupe et d'isoler Riel.

Cela, je l'espère, l'éloignera de la région, ce qui serait éminemment souhaitable. S'il est jugé au Manitoba, le jury l'acquittera ou ne pourra se mettre d'accord, et il continuera à fomenter des troubles tant qu'il sera sur place[2]...

Le 6 janvier 1875, Alexander Mackenzie autorisa Morris à surseoir à l'exécution de Lépine. Neuf jours plus tard, Dufferin écrit: «Je vous écris deux mots dans le but d'éviter tout malentendu ou accident, pour vous dire que même si le sort définitif de Lépine n'est toujours pas connu, la peine de mort ne sera sûrement pas appliquée...»

Le 11 février, le Premier ministre proposa que «l'amnistie totale soit accordée à toutes les personnes impliquées dans les troubles du Nord-Ouest pour tous les gestes posés durant cette période, sauf pour L. Riel, A.D. Lépine et W.B. O'Donoghue et que de l'avis de cette Chambre, il conviendrait... que semblable amnistie soit accordée à L. Riel et A.D. Lépine sous condition d'un exil de cinq ans hors des dominions de Sa Majesté[3].»

En 1870, Mackenzie, alors dans l'opposition, avait demandé que cinq, dix ou vingt mille hommes si nécessaire soient affectés à la recherche de Riel. À la même époque, Blake, son plus éminent ministre, avait offert, à même l'argent des contribuables, 5 000 $ de récompense pour l'arrestation de Riel.

Wilfrid Laurier et les Rouges (libéraux) du Québec, défenseurs acharnés de Riel pendant la campagne électorale et qui accusaient Cartier et le Parti conservateur en général d'opprimer les Métis et les Franco-Manitobains, prétendirent être insatisfaits de la proposition d'Alexander Mackenzie. Ils savaient que la sympathie des Québécois pour Riel leur avait attiré le vote de bien des conservateurs. Mais ni Laurier ni les autres libéraux ne savaient que cette sympathie envers Riel et les Métis, assortie aux hurlements belliqueux des Orangistes, transformerait le

Québec conservateur en bastion libéral et ce, pour tout un siècle.

Rodrigue Masson, ami de Riel à l'époque de Terrebonne, soumit un amendement à la proposition de Mackenzie, afin d'annuler toute condition à l'amnistie. J.A. Mousseau, qui avait aussi connu Riel étudiant, appuya l'amendement, mais il fut rejeté. La proposition fut adoptée par 126 contre 50.

Politiquement, l'exil était préférable à la pendaison. Mackenzie pouvait dire aux Québécois que son gouvernement avait accordé l'amnistie à deux exceptions près, alors que les conservateurs qui l'avaient promise n'en avaient rien fait. Et il pouvait affirmer aux Ontariens que le gouvernement libéral avait chassé les rebelles du pays.

À sa sortie de prison, on autorisa Ambroise Lépine à s'installer près de Batoche en Saskatchewan, puis près de Forget. C'est seulement quelques années avant sa mort en 1923 qu'il récupéra ses droits civiques.

Trois fois élu, deux fois expulsé

En fait, Riel fut élu trois fois au Parlement canadien. La première, c'était le 13 octobre 1873, jour de nomination des candidats; quelques centaines de Métis s'étaient rassemblés à Saint-Norbert, près de chez Baptiste Tourond. Riel était absent mais ses partisans, eux, y étaient afin d'éviter que les amis de Schultz, armés et à la recherche de Riel, ne provoquent des troubles. Riel fut élu par acclamation député de Provencher.

Plus tard, un groupe de ses amis se retrouva au presbytère du père Ritchot pour une petite célébration. Les policiers s'y rendirent mais ils eurent beau fouiller l'église, le presbytère et le couvent, Riel resta introuvable. Il fêta sa victoire, caché dans une meule de foin de l'autre côté de la rivière.

Tout avait été soigneusement préparé. Des amis, Bannatyne, Mactavish, Dubuc et Taché fournirent des fonds. Riel devait rester dans la clandestinité et taire son nom. Pendant un certain temps, il se fit appeler «Louis David». Un journaliste du nom de Joseph Tassé devait l'accompagner à Montréal. Et le 2

Bordereau date de retour/Date due slip

Bibliothèque de Beaconsfield Library
514 428-4470
07/06/08 12:24PM

Usager / Patron : 23872000023148

Date de retour / Date due: 07/06/29
La vie de Louis Riel /

Total : 1

octobre, il fut accueilli à la frontière par Riel, Maxime Lépine et Quintal Pagé.

À Montréal, Riel rencontra Honoré Mercier et Alphonse Desjardins. Le député Desjardins, partisan de Bourget, était propriétaire du *Nouveau Monde*, journal qui avait accordé beaucoup d'importance aux problèmes des Métis et aux événements de Rivière-Rouge. Riel, cependant, était malheureux et inquiet. Lépine était toujours emprisonné au fort Garry. Et même à Montréal, plusieurs individus n'auraient pas hésité à s'emparer de lui pour toucher la prime de 5 000 $.

Il commença à douter de pouvoir faire comprendre au Parlement les craintes des Métis et son désir de protéger leurs droits.

Ses deux amis l'emmenèrent à Hull, impatients de le voir occuper son siège au Parlement. Ils traversèrent la rivière en direction d'Ottawa. C'est alors que Riel recula. Ottawa, c'était l'Ontario, la patrie de Schultz, le centre de l'orangisme et du mouvement *Canada First*, là où les délégués du gouvernement provisoire avaient été arrêtés et où sa tête était mise à prix.

Et il s'en trouvait à la Chambre des communes qui, au nom du patriotisme, n'auraient pas hésité à livrer Riel au bourreau.

Riel vivait dans la crainte continuelle d'être agressé ou arrêté. Des pressions psychologiques énormes affectaient ses facultés émotives et mentales. Il se déplaçait constamment, cherchant sans cesse la paix du corps et de l'esprit, et il ne restait jamais assez longtemps au même endroit pour s'y faire des racines.

Il ne put se décider à signer le registre. Pour pouvoir occuper son siège à la Chambre des communes, le nouveau député devait signer un registre, ou un serment d'allégeance, avant une certaine échéance. Mercier et Desjardins le ramenèrent donc à Montréal. En vertu de la loi, son siège fut déclaré vacant.

Des amis lui préparèrent un refuge chez les oblats à Plattsburgh, dans l'État de New York. Le Premier de l'an 1874, il écrivit à Taché qu'il se sentait seul mais désirait continuer à s'occuper de politique.

Il se fit bientôt des amis et il eut même une idylle à Keeseville, dans l'État de New York. C'est manifestement avec joie que le révérend Fabien Barnabé l'accueillit dans sa demeure. La mère du père Barnabé et sa sœur Évelina étaient, elles aussi, heureuses de rendre la vie plus agréable à cet élégant et dynamique jeune Manitobain.

Riel se tenait au courant des événements d'Ottawa. En janvier, il retourna à Montréal pour préparer sa candidature dans le comté de Provencher aux élections fédérales prévues pour le 13 février 1874. Il séjourna pendant un certain temps chez son oncle et sa tante Lee, au Mile-End, là où il avait habité en sortant du séminaire. Puis il s'installa chez les Desjardins, rue Dorchester dans le centre de Montréal, où il put s'imprégner de l'atmosphère politique ambiante et suivre l'évolution de la campagne électorale.

Antoine-Aimé Dorion, chef des libéraux québécois à Ottawa et partisan de Rodolphe Laflamme, tenta d'empêcher Riel de se présenter à nouveau dans Provencher. Il savait qu'Alexander Mackenzie avait voulu se rallier le vote des Orangistes anti-Riel en Ontario en se servant des promesses d'amnistie faites par les conservateurs. Or les libéraux québécois appuyaient Riel aussi fermement que les libéraux ontariens s'y opposaient. Ces divergences d'opinions autour du chef métis pouvaient entraîner une scission au sein du parti. Dorion demanda donc à Alexander Morris, lieutenant-gouverneur du Manitoba, de dire à monseigneur Taché que «pour éviter toute agitation, Riel ne devrait pas être candidat».

Dorion n'avait pas mentionné l'amnistie. Pour l'amnistie, l'archevêque aurait fait beaucoup. Par ailleurs, il était mécontent que le gouvernement lui demande une fois de plus d'accomplir les tâches ingrates. Il répondit sur un ton amer:

> Qu'offrira-t-on à monsieur Riel pour les sacrifices qu'on lui demande d'accomplir? La misère, l'exil, ou la prison s'il retourne dans sa région natale... Depuis quatre ans on s'est servi de moi, officiellement pour le bien de la population que j'aime; en vérité, j'ai été l'instrument qui a servi à la tromper...

> Permettez-moi de vous dire que, maintenant plus que jamais, l'intervention qu'on me demande (à moins qu'il y ait une compensation assurée) n'entraînerait, selon moi, que souffrances et problèmes. Je ne peux agir à moins, je le répète, que j'aie quelque chose de sûr à offrir. Si vous connaissiez tous les affronts qu'on a fait subir à mon pauvre peuple, vous comprendriez les sentiments douloureux que j'éprouve[4].

À l'élection du 13 février, le candidat libéral dans Provencher était Joseph Hamelin. Riel le battit facilement. Il était donc élu pour la deuxième fois. Les trois autres députés manitobains furent: Robert Cunningham dans Marquette, Donald A. Smith dans Selkirk et John Schultz dans Lisgar.

En même temps que les résultats des élections au Manitoba, on apprit que quatre anciens membres de la cour martiale, Elzéar Lagimodière, Joseph Delorme, André Nault et Janvier Ritchot avaient été arrêtés et accusés du «meurtre de Thomas Scott».

Riel se rendit à Hull où il tenta d'obtenir un rendez-vous avec Dorion pour discuter de l'amnistie. Dorion refusa de le recevoir. Qu'aurait-il pu lui dire? Mackenzie s'était opposé à Riel tout au long de sa campagne.

À Montréal, Riel discuta de la question avec ses amis puis retourna à Hull. Le docteur E.P. Lachapelle écrivit à Alphonse Desjardins pour lui conseiller prudence et patience, peut-être parce qu'il prévoyait la dépression nerveuse de Riel. Si Riel constatait qu'il ne pouvait rester à Ottawa, il était invité à habiter chez Lachapelle ou chez le docteur Durocher. Dans la maison d'un médecin, toujours très fréquentée, un étranger pouvait passer inaperçu.

Le temps s'écoulait rapidement.

Le 30 mars 1874, Fiset, député de Rimouski, et A. Joseph Mousseau traversèrent la rivière Outaouais avec le député de Provencher, Louis Riel. Quelques autres personnes les accompagnaient. Il faisait froid pour une fin de mars; tous étaient bien emmitouflés.

Fiset et Riel pénétrèrent dans l'édifice du parlement et se rendirent rapidement au bureau du greffier de la Chambre. Fiset demanda alors au greffier, Alfred Patrick, d'assermenter un nouveau député. Le regardant à peine, Patrick l'écouta prononcer son serment d'allégeance: «Je jure que je serai fidèle et porterai vraie allégeance à Sa Majesté la reine Victoria.» Et il fit signer le registre par les deux députés.

Dans son livre *Louis Riel*, George Stanley cite le greffier Patrick: «Je n'ai pas fait attention et n'ai pas regardé le registre jusqu'à ce qu'ils soient sur le point de sortir. À mon grand étonnement, je lus: 'Louis Riel'. Je relevai brusquement la tête et les vis qui sortaient. Riel me faisait un salut bien bas.»

Riel et Fiset sortirent rapidement du bureau par la porte de côté, puis du bâtiment. Patrick s'empressa de prévenir Dorion, ministre de la Justice, que Louis Riel, député de Provencher et fugitif, avait prêté serment d'allégeance et dûment signé le registre. Dorion ne fit rien pour arrêter Riel.

La nouvelle se répandit rapidement et l'agitation était à son comble ce soir-là, le 30 mars, lorsque les députés arrivèrent au parlement. Mais ceux qui espéraient que Riel occupe son siège et demande à être entendu furent déçus.

Rodrigue Masson, ami de Riel depuis leurs études au séminaire, et Joseph Alfred Mousseau prirent à nouveau sa défense. Mousseau expliqua la situation à Rivière-Rouge en 1869-1870 et justifia l'action de Riel. Il proposa l'amnistie générale pour le chef des Métis et ses compagnons. Masson l'appuya. Tous deux étaient des conservateurs québécois. Mais leur proposition fut battue.

Mackenzie Bowell, de Bellevue en Ontario, Grand Maître de la loge d'Orange et ami de Schultz, insista pour que la Chambre s'assure du statut de Riel.

L'acte d'accusation pour meurtre lancé contre Riel, ainsi qu'une déclaration attestant qu'il fuyait la justice, furent déposés en Chambre le lendemain. Henry J. Clarke, qui était favorable aux Métis seulement quand il voulait leurs votes, présenta les documents. Bowell proposa alors que Riel soit tenu d'être présent en Chambre le lendemain; sa proposition fut adoptée.

Comme il n'avait pas du tout l'intention de risquer l'arrestation, Riel ne se présenta pas. La foule se rassembla autour du parlement qui grouillait de policiers. Lady Dufferin vint de Rideau Hall pour prendre part à l'agitation. Les travaux de la Chambre furent ajournés pour une semaine.

On nomma une commission parlementaire «pour enquêter sur la cause des troubles qui ont existé dans le Nord-Ouest en 1869 et 1870, et sur les raisons qui ont retardé l'octroi de l'amnistie promise dans la proclamation de l'ancien gouverneur général du Canada, sir John Young[5].»

Félix Geoffrion fut nommé président de la commission qui comprenait, entre autres, Mackenzie Dowell, Edward Blake et l'ami de Riel, Louis Masson.

Les audiences devaient débuter le 10 avril. Mais le 9, Bowell proposa que «Louis Riel, ayant fui la justice et refusé d'obtempérer à un ordre de la Chambre qui lui enjoignait d'occuper son siège jeudi le 9 avril 1874, soit expulsé de cette Chambre». John Schultz appuya sa proposition.

Le débat fut houleux. Mousseau proposa un amendement qui impliquait l'amnistie. Il fut battu.

Une proposition libérale qui visait à reporter la décision jusqu'à ce que la commission parlementaire remette son rapport donna à Wilfrid Laurier l'occasion de prononcer son premier discours en anglais à la Chambre des communes: comment pouvait-on prononcer un jugement, affirmait celui-ci, avant la présentation de la preuve et alors même que l'ancien gouvernement de John A. Macdonald refusait de confirmer si l'amnistie avait bel et bien été promise?

Le discours de Laurier fut considéré comme le meilleur de tout le débat, le mieux étoffé et le plus logique, mais il n'eut guère d'effet. Riel fut expulsé de la Chambre par 123 voix contre 68.

Le 10 avril, la commission parlementaire commença ses travaux. George Stanley écrit, dans son livre *Louis Riel*:

> Et chaque jour jusqu'au 21 mai, document après document, déclaration assermentée après déclaration assermentée, semblait se constituer une preuve fort impressionnante que l'amnistie avait bel et bien été promise – sans jamais être accordée.

> Taché, Ritchot, Archibald, Girard, Royal et d'autres prirent la parole et témoignèrent jusqu'à ce que les oreilles des commissaires en bourdonnent.

> Sir John A. Macdonald tenta de s'excuser en insistant sur le fait qu'il n'avait jamais reconnu les délégués de Rivière-Rouge. Il déclara n'avoir jamais tenté de se servir du gouvernement pour obtenir l'amnistie des autorités impériales. Il était certain que son collègue, feu Georges-Étienne Cartier, ne l'avait jamais fait non plus.

> Quoi qu'il en soit, le secrétaire de Cartier, le commandant Futvoye, et les lettres et notes de Cartier lui-même confirmaient les témoignages de Taché et de Ritchot. Après avoir écouté Macdonald, Taché ne put se retenir. Il écrivit à son vieil ami, monseigneur Laflèche, qui avait déjà été membre du Conseil d'Assiniboia avant de devenir évêque de Trois-Rivières: «Le très Honorable John A. Macdonald a menti (passez-moi l'expression) comme un arracheur de dents[6].»

NOTES

1. Collection Morris, A.P.M.

2. Pope, *Correspondence of Sir John A. Macdonald*, p. 214.

3. Débats de la Chambre des communes, 1875, 50, 11 février 1875.

4. Report of the Select Committee, 1874, Taché à Dorion, 3 janvier 1874.

5. Rapport présenté à la Chambre des communes, journaux, 22 mai 1874.

6. Stanley, *Louis Riel*, p. 206.

VI

Une mission à accomplir

L'exil et la maladie

Wilfrid Laurier était de ceux qui savaient que Louis Riel n'avait pas quitté le pays immédiatement après son bannissement par le gouvernement d'Alexander Mackenzie. Durant l'été 1874, tout à fait par hasard, Laurier rencontra le hors-la-loi qui avait déjà été expulsé du Parlement. Lorsqu'il parlait des Métis de Rivière-Rouge, Riel le faisait avec éloquence et émotion. Laurier fut surpris par l'étendue de ses connaissances, particulièrement en politique, non seulement canadienne, mais aussi américaine et européenne. Somme toute, c'était un homme intéressant, intelligent et éloquent.

Toutefois, lorsqu'ils abordèrent le sujet de la religion, Laurier trouva Riel «irrationnel». Il est possible que les opinions religieuses d'un ancien séminariste originaire des Prairies aient paru étranges aux yeux de cet avocat de la grande ville.

Riel ne resta pas longtemps à Montréal car ses hôtes avaient rapidement été inquiétés par les voisins. Il rendit cependant visite à l'évêque Ignace Bourget qui, une fois de plus, l'impressionna vivement.

Le chef métis ne devait jamais oublier ce que l'évêque lui avait affirmé: qu'il avait une mission à remplir, une tâche importante à mener à bien.

Il se rendit à Keeseville chez le père Barnabé et Évelina, puis à Washington où il habita chez Edmond Mallet, commandant dans l'armée américaine et ami des Québécois. Mallet tenta en vain de trouver à Riel un emploi comme agent des Affaires indiennes. Toutefois, le 8 juillet 1874, il put lui obtenir une entrevue avec le président Grant. Riel se montra timide, réservé et même plutôt renfermé. Quelle différence avec le politicien dynamique, sûr de lui et plutôt exubérant qu'il avait été.

À part quelques travaux de rédaction, il lui était impossible d'obtenir un emploi régulier où il aurait pu mettre à profit son énergie et son talent. Le sentiment de son inutilité, sa dépendance envers ses amis et sa solitude commencèrent à affecter sérieusement ses facultés émotives et mentales. Il quitta Washington pour retourner chez ses amis de Keeseville.

Le 3 septembre 1874, Riel fut à nouveau élu *in absentia* dans le comté de Provencher. C'était sa troisième élection. Il demeura quand même avec ses amis dans les environs de Keeseville et de Plattsburgh et il prononça plusieurs conférences aux États-Unis.

Les membres de la famille Barnabé étaient tuberculeux et plutôt frêles; sans doute n'en étaient-ils que plus impressionnés par la grande taille et les larges épaules de ce jeune homme de l'Ouest. Riel trouva chez eux de l'affection, le partage des pratiques religieuses, un foyer agréable au sein d'une communauté paisible et une jeune femme prévenante et jolie.

Le 1er décembre 1874, il fit une nouvelle tentative pour obtenir un emploi de fonctionnaire auprès du gouvernement américain, mais en vain.

Sa santé mentale se dégrada encore plus. Il mentionnait souvent à ses amis la mission dont Bourget lui avait parlé. À cette époque, Riel était sans le sou et lors d'un bref séjour à Montréal, l'évêque Bourget lui remit 1 000 $. Quelques jours plus tard, à New York, il donna cet argent à un mendiant devant la cathédrale Saint-Patrick.

Riel était à Keeseville lorsqu'il apprit son bannissement pour cinq ans et la sentence de deux ans de prison infligée à Lépine. Il en fut bouleversé. Le 12 février 1875, il fut expulsé une deuxième fois du Parlement.

La santé mentale de Riel a fait l'objet de bien des controverses au fil des ans. Ses détracteurs, souvent peu soucieux des faits historiques ou médicaux, ont utilisé sa maladie pour discréditer ses réalisations et celles de son peuple.

Un trouble de l'esprit peut avoir une cause émotive, ou physiologique, ou les deux. Cela se manifestera le plus souvent par une accentuation de certaines facettes de la personnalité de l'individu. Ces distorsions entraîneront ce que la société considère généralement comme des troubles du comportement ou de la parole. Par exemple, une personne qui a des tendances dépressives peut devenir encore plus déprimée: son comportement qui normalement ne paraît pas insolite à sa famille, devient alors étrange et inquiétant.

Riel avait été élevé et vivait dans un milieu où l'on discutait librement des anges et de l'inspiration divine. En fait, le XIXe siècle a vu la formation de centaines de petites sectes religieuses au Canada et aux États-Unis, souvent sous la direction d'une seule personne ou d'un petit groupe de personnes.

Riel lui-même avait de profondes croyances religieuses. Il n'est dès lors pas étonnant, quand ses facultés mentales furent affaiblies, que cet aspect de son esprit apparut sous un jour insolite ou déformé. Pas étonnant non plus que ses amis au sein de la hiérarchie catholique n'aient éprouvé aucune sympathie pour ce qu'ils considéraient comme des hérésies.

On a fait grand état des tendances dépressives de Riel lors de périodes de grande tension. Pourtant, durant les deux soulèvements, alors qu'il se trouvait soumis à une tension très forte et prolongée, il conserva l'entière maîtrise de ses facultés mentales. On peut trouver un autre exemple de cette maîtrise dans la période que Riel passa en prison: il conserva toujours l'espoir d'être gracié, même au moment où le bourreau préparait la corde. Jamais il ne montra de défaillance mentale et il passa son temps à prier et à mettre par écrit ses espoirs et ses projets pour l'avenir de l'Ouest canadien. Il conserva un parfait contrôle sur ses émotions, bien plus encore que ses amis qui le suivirent au cours des dernières semaines et des derniers jours.

Nous connaissons en détail plusieurs des maladies de Riel. En février 1864, pendant sa dernière année au séminaire, Riel apprit que son père était mort à Rivière-Rouge, à l'autre bout du continent. Il en fut très affecté. Jusque-là il avait été un bon étudiant, mais il se mit à négliger ses études puis il décida qu'il n'avait pas la vocation et il quitta le séminaire pour aller vivre chez son oncle John Lee. Une déception amoureuse et l'incertitude quant à son avenir vinrent aggraver sa dépression. Cependant il se rétablit sans qu'aucun incident particulier ne survienne; les problèmes qui l'assaillaient à cette époque étaient pourtant bien lourds pour un jeune homme de vingt ans.

Sa deuxième maladie, qu'on peut attribuer à une cause phy-sique plutôt qu'émotive, est fort révélatrice. Le 24 février 1870, à Winnipeg, Riel fut atteint de ce qu'on appela une «fièvre cer-vicale», si grave qu'on appela sa mère à son chevet. Dès le len-demain, cependant, il se portait mieux. Le terme «fièvre cervicale» est l'ancienne appellation de l'*encéphalite* ou inflam-mation du cerveau, contre laquelle on ne possédait alors ni pé-nicilline ni aucun autre antibiotique. C'est la seule maladie qu'on connaît de Riel au cours de cette période où il avait la lourde tâche de former le gouvernement provisoire. La tension dura près d'un an; il prit sur ses épaules toutes les responsabilités du gouvernement provisoire; il affronta les dissensions politiques et repoussa les attaques armées.

Certes, Riel connut une période de comportement irration-nel. On pourrait en situer l'origine après sa fuite de Rivière-Rouge (et de l'Ontario), alors qu'il craignait pour sa vie en dépit de son élection comme député de Provencher à Ottawa. Il voya-geait sans relâche à travers le Nord-Est des États-Unis et les régions voisines du Québec.

Les témoignages indiquent qu'à cette époque, pour des rai-sons bien justifiées d'ailleurs, il n'osait rester longtemps au même endroit et se déplaçait constamment, ne s'arrêtant que brièvement chez des amis pour repartir aussitôt. Le gouverne-ment ontarien avait mis sa tête à prix. Il était sans emploi et, puis-que le gouvernement refusait d'accorder l'amnistie maintes fois promise, il ne pouvait occuper son siège au Parlement comme il en avait le droit. Cette période, tout comme celle qui suivit son départ du séminaire, fut remplie d'incertitude et de désarroi.

Inquiétudes et déceptions persistèrent pendant des mois. À mesure que ses facultés mentales se dégradaient, Riel s'aban-donnait à ses fantasmes religieux qui avaient été stimulés par les incitations de monseigneur Bourget.

Le père Barnabé et Évelina étaient si inquiets pour la santé de Riel qu'ils demandèrent finalement de l'aide. Un ami vint le chercher à Keeseville et le ramena chez son oncle John Lee à Montréal. Comme son état était toujours aussi inquiétant, avec son consentement et grâce à la collaboration d'amis médecins et de fonctionnaires du gouvernement québécois, il fut admis à l'hôpital Saint-Jean-de-Dieu. Il ne fait aucun doute qu'il se com-porta parfois assez bizarrement durant son séjour à l'hôpital;

mais il est tout aussi vrai que ses craintes n'étaient pas que le fruit de la confusion mentale.

À cette époque, sa vie était continuellement en danger et c'est en partie pour le mettre à l'abri des assassins qu'on l'hospitalisa. C'est du moins l'opinion, corroborée par deux incidents, qu'émit un des médecins dans son rapport.

Au début, le 6 mars 1876, Riel fut admis pour examen à Saint-Jean-de-Dieu par son ami, le docteur E. P. Lachapelle. Pour masquer son identité, on l'inscrivit sous le nom de «Louis David[1]». Le docteur Henry Howard, qui soigna Riel à cette époque, décrit Riel comme «un homme élégant, âgé d'environ 30 ans... honnête et honorable». Il écrivit dans un article:

> J'ai fait tout en mon pouvoir pour que les religieuses, les surveillants et les étrangers ignorent son identité et le croient aliéné! Le malheureux ne fuyait pas la justice, mais des fanatiques... prêts à répandre son sang. Louis D. Riel fut admis à l'asile de Saint-Jean-de-Dieu bien sûr parce que sa santé mentale était incertaine et exigeait une surveillance mais surtout, par la même occasion, pour le protéger de ses ennemis[2].

Plus tard au cours d'une entrevue, la religieuse qui dirigeait l'hôpital et qui ne tenait pas tellement à avoir Riel comme patient, lui déchira son missel. Cela provoqua toute une scène. «Lorsqu'il se fut calmé, le pauvre garçon se mit à pleurer et me confia: 'C'était un cadeau d'anniversaire de ma chère sœur et, dans tous mes voyages, je l'ai toujours gardé près de mon cœur. Si on m'avait demandé s'il pouvait distinguer le bien du mal, je me serais vu obligée de répondre oui.»

Les registres de Saint-Jean-de-Dieu indiquent que Riel fut transféré dans un autre hôpital, à Beauport, le 15 janvier 1877. Cependant, selon le docteur Howard, ces registres furent falsifiés dans le but de protéger Riel et c'est en réalité le 19 mai 1876, encore une fois sous un faux nom, qu'on l'amena à Beauport.

Il y fut admis sous le nom de «Louis La Rochelle» et obtint finalement son congé le 23 janvier 1878[3]. À compter de cette date et pour le reste de sa vie pleine de tensions physiques et psychologiques, il ne montra aucun signe de trouble psychiatrique sérieux.

Des périodes de comportement irrationnel peuvent avoir

une cause physiologique autant que psychologique. Ce fut très probablement le cas pour Riel. De nombreuses personnes de son entourage étaient atteintes de tuberculose, particulièrement son très cher ami de Keeseville, le père Fabien Barnabé, que la maladie emporta quelques années plus tard. En 1885, l'épouse de Louis Riel crachait le sang et elle mourut l'année suivante, apparemment de tuberculose.

Plusieurs des symptômes de la maladie de Riel peuvent être attribués à une combinaison d'infection encéphalique, probablement d'origine tuberculeuse, avec l'exaltation de sa forte personnalité imprégnée de mysticisme.

Une idylle

Avant de renvoyer Riel de l'hôpital, les médecins de Beauport lui recommandèrent de mener une vie calme, au grand air autant que possible, et d'éviter de s'occuper de questions qui le troublaient ou l'énervaient.

Sa tête était toujours mise à prix en Ontario. Il accepta les conseils des médecins et décida de considérer ses souffrances comme une humiliation nécessaire pour son esprit orgueilleux. Il écrivit à l'archevêque Taché et au père Ritchot que la vie dans une ferme lui ferait le plus grand bien.

Il se rendit une fois de plus à Keeseville visiter le père Barnabé, son épouse et Évelina. Comme d'habitude, le bon pasteur était prêt à accueillir Riel dans sa demeure et à l'aider dans la mesure de ses moyens. Riel se rendit ensuite à New York dans l'espoir d'y trouver du travail. Il ne s'agissait pas d'un voyage de plaisir, particulièrement pour un homme dont le caractère s'accordait mal aux dures réalités de la vie urbaine. Il ne pouvait y monnayer aucun de ses talents. Dans cette grande ville prospère, si pleine de gens de toutes origines, il semblait n'y avoir aucune place pour un homme de son espèce.

Le seul encouragement et la seule manifestation d'intérêt à son égard provenait des lettres qu'il recevait de Keeseville; mais elles ne lui ouvraient aucun débouché. La solitude, peut-être la malnutrition et un logement qu'il n'aimait pas ébranlèrent sa santé à nouveau. Il rêvait maintenant de rentrer chez lui, dans son pays, au Manitoba.

Il partit pour Saint-Paul, au Minnesota, réconforté cette fois par la promesse de mariage d'Évelina. La sympathie et la bonté de la jeune femme s'étaient muées en un sentiment plus tendre; la gratitude et l'estime de Riel avaient évolué de la même façon.

Les amoureux gardèrent leur engagement secret. Ils savaient que madame Barnabé avait de l'affection pour Riel mais qu'elle souhaitait un meilleur parti pour sa fille. Évelina n'était pas robuste et certainement pas en mesure d'affronter la vie des pionniers; sa mère aurait insisté pour qu'un certain confort et la possibilité des soins médicaux lui soient assurés avant d'approuver le mariage.

Il semble que le père Barnabé ne fut pas consulté et qu'il ignorait tout de l'attirance de sa sœur pour Riel. Les lettres d'Évelina étaient dignes d'une jeune femme bien élevée de cette époque.

Le 4 octobre 1878, elle écrit: «Mon bon et cher ami, toutes mes pensées vont à vous et à Dieu. Il sera bientôt dix heures et je ne veux pas m'endormir sans vous dire bonne nuit, mon Louis!!!»

Dans une autre lettre, Évelina donne des nouvelles de sa famille et de gens que Riel connaissait; elle termine ainsi, après avoir ajouté que son frère lui écrit également le soir même:

«Je vais au lit en espérant rêver à vous.

«Je vous aime et je vous embrasse[4].»

Dans une lettre datée du 21 octobre 1878, elle se rappelle avec plaisir que, deux jours plus tard, ce sera l'anniversaire de Riel:

Mon très cher ami,

Je n'ai pas oublié que le 23 est le jour de votre anniversaire. Pourrais-je, moi, votre petite sœur, laisser passer ce jour sans vous exprimer mes vœux? Si je ne puis vous les transmettre de vive voix, je peux au moins les confier au papier.

Mon très cher Louis, je prie le Souverain Maître de toutes choses, si c'est sa volonté, de vous permettre de réaliser vos projets durant votre trente-cinquième année; je le prie de vous accorder des heureuses années où vous pourrez enfin réaliser le grand espoir que vous caressez.

Priez aussi pour moi, qui devrai vous accompagner sur le chemin de la vie; priez pour que je sois une digne compagne et que je sache faire le bien...

Veuillez accepter ces fleurs en souvenir de votre anniversaire. Vous trouverez parmi elles un laurier-rose que vous reconnaîtrez sans doute; c'est un symbole de mon amour profond et sincère. J'espère que le bouquet sera encore frais quand vous le recevrez.

J'espérais vous envoyer mon portrait mais il n'était pas encore prêt, j'en ai été très déçue. Je vous l'enverrai avec ma prochaine lettre[5].

Le 9 janvier 1879, Évelina écrit qu'elle s'est empressée, comme il l'avait demandé, de répondre à sa lettre reçue le matin même, où il lui annonçait qu'il était arrivé sans ennui à Pembina.

Nous avons prié pour que vous fassiez un voyage sans incident. Surtout moi, votre petite... sœur qui vous aime tant et qui désire votre bonheur...

Du plus profond de mon cœur je bénis Dieu de vous avoir inspiré une si bonne idée. Oui, c'est bien là-bas que vous retrouverez la santé car déjà vous semblez aller beaucoup mieux. Il est vrai que la séparation d'un ami tel que vous rend mon cœur triste et que votre départ a laissé un vide parmi nous. Vous savez en quelle amitié nous vous tenons tous, tout particulièrement votre amie... [Elle termine ainsi:] «Votre petite sœur et amie la plus intime, Évelina[6].»

En mai, Évelina écrit qu'elle a eu le plaisir de recevoir trois lettres et qu'il est plus que temps d'y répondre.

J'attendais que nous soyons mieux, maman et moi. Mère se rétablit lentement; et il est difficile d'imaginer comment il pourrait en être autrement car en plus de me prodiguer des soins, il faut, vous le savez, qu'elle soit sans cesse occupée... Je sens que ma santé s'améliore. L'air du printemps embaume, son souffle ranime la nature resplendissante, cela me réjouit et me redonne vie. Souvent je vais m'asseoir sous les lilas qui se préparent déjà à fleurir. J'ai hâte d'en cueillir une branche afin de vous l'offrir. Je me souviens du temps où nous étions si heureux tous les deux, assis sur ce banc[7].

Souvent, en effet, ils s'assoyaient sur un banc parmi les lilas du jardin derrière la maison. Après son départ pour l'Ouest, Évelina envoya à Louis des bourgeons qu'elle avait cueillis parmi ces lilas. La légende veut qu'il les conserva dans une poche de sa veste jusqu'au moment de sa pendaison.

Il semble que ce fut avant cette lettre de mai, peut-être durant sa maladie, qu'Évelina écrivit les phrases qui persuadèrent Riel qu'il ne pourrait jamais subvenir convenablement aux besoins de la frêle jeune femme, habituée à la sécurité et au confort de Keeseville:

Mon Louis, vous dites dans une de vos lettres que vous faites des préparatifs pour venir bientôt me chercher, mais je suppose que ce ne sera pas avant d'avoir réalisé votre projet... Si Dieu le veut et si mes prières peuvent vous être utiles, je le prie avec ferveur de vous accorder le succès.

Je vous le dis franchement, si vous venez me chercher je ne serai qu'un embarras pour vous; en outre, il est inutile de le mentionner, j'en suis sûre, mais vous ne viendrez me chercher que lorsque nous aurons une maison. C'est ce que je veux dire par là.

Je crains que vous ne regrettiez votre décision, car il me semble que je ne possède pas les qualités que vous attendez d'une épouse. Je suis une femme humble et peu courageuse et par conséquent, je ne serais pas à la hauteur si vous deviez réussir[8]...

Évelina écrivit-elle ces mots alors qu'elle était malade et déprimée? Nous ne le saurons jamais. Tous les témoignages indiquent que les Barnabé souffraient de tuberculose.

Riel cessa d'écrire. Évelina, pourtant, continua d'espérer. Trois ans plus tard, le 14 mai 1882, elle écrivit à Henriette, la sœur de Riel:

J'ai lu récemment dans un journal américain que monsieur Louis Riel s'était marié au Montana avec mademoiselle Monet, une Métisse canadienne, et qu'ils allaient bientôt s'installer au Manitoba.

Cette nouvelle m'a grandement surprise puisqu'il nous avait dit qu'il ne rentrerait jamais chez lui à moins d'avoir réalisé ses désirs.

Quant à son mariage, je ne le crois pas impossible mais j'aimerais savoir, pas seulement pour moi mais aussi pour le pasteur et ma mère, si la nouvelle est exacte.

Excusez-moi si je vous ennuie encore au sujet de Louis, un ami que nous connaissions si bien et que nous aimions comme un frère. Nous pensons souvent à lui même si, de son côté, il semble nous avoir complètement oubliés. Mon frère, le pasteur, se rétablit progressivement maintenant qu'il peut se reposer. Il envoie ses amitiés, ma mère et moi également, à votre mère et à toute votre famille.

J'espère que vous me répondrez le plus tôt possible; vous feriez bien plaisir à votre humble amie en me communiquant l'adresse demandée[9].

Évelina, blessée et passablement indignée, écrivit à Riel le 15 octobre 1882, ayant sans doute obtenu son adresse par Henriette. Le ton était raide:

Monsieur, cela fera bientôt cinq ans que vous avez quitté vos amis de Keeseville, en nous disant au revoir.

Puis, vous avez brusquement cessé d'écrire, mais je n'ai jamais cessé d'espérer, même s'il était évident que vous aviez perdu tout souvenir de ceux que vous disiez aimer.

J'ai lu récemment dans les journaux que vous aviez épousé au Montana mademoiselle Monet, une Métisse canadienne. Je n'en croyais pas mes yeux. Mais ici, tous croient que vous êtes marié. Ils peuvent bien le croire, pour moi c'est incroyable. Vous seriez-vous déshonoré à ce point?

Je prends une chance en vous écrivant sans savoir si cette lettre vous parviendra. Mais si vous la recevez, j'aimerais que vous y répondiez – c'est un devoir que votre conscience devrait vous forcer à accomplir.

J'aimerais savoir comment vous avez pu épouser cette personne. Si vous ne le faites pas, vous vous attirerez le châtiment de Dieu pour avoir ruiné l'avenir de celle qui n'aura qu'un regret, celui de vous avoir connu et aimé[10].

Après plusieurs atermoiements, Louis Riel posta finalement sa réponse:

> Mademoiselle, votre lettre du 16 octobre m'est parvenue le 19 février. J'habite à 75 milles du bassin de la Judotte. Je prie Dieu d'avoir soin de ma réponse et de la présenter lui-même à votre esprit lorsque vous tiendrez ma pauvre lettre entre vos mains.
>
> Vous m'avez écrit, au printemps 79, deux lettres qui m'ont causé de la peine. Dans la première, vous me disiez de ne plus parler de notre union et d'attendre que j'aie les moyens de la rendre possible.
>
> Dans l'autre lettre, sur le même sujet, vous me disiez qu'il vous serait difficile de vous marier à moins que j'aie une maison, et que, puisque je n'avais pas les moyens d'assurer votre confort, vous étiez heureuse au presbytère et que le pasteur ne vous laissait manquer de rien. Je suis arrivé au Montana là où vivait la personne que j'ai épousée, celle que vous avez nommée. Dieu sait et m'a conseillé[11]...

On comprend Évelina. Il est probable qu'à Keeseville, tous connaissaient sa santé fragile. En outre, pour elle, les perspectives de mariage étaient encore réduites du fait qu'elle habitait le presbytère de son frère, un endroit peu susceptible d'encourager les jeunes hommes du village à la courtiser.

Il semble, cependant, qu'elle finit par se marier. Le document numéro 12465 de la Cour supérieure de Montréal indique qu'Évelina Barnabé épousa Jean-Baptiste Goyette, de Troy dans l'État de New York, le 25 janvier 1892.

1883: Riel devient citoyen américain

Louis Riel retourna à Rivière-Rouge en 1878. Donald Smith, qui était arrivé dans l'Ouest vers la fin de 1869 comme représentant de John A. Macdonald, s'était associé à James J. Hill, le magnat des chemins de fer. Smith avait recruté un autre financier américain, George Stephen, afin d'acquérir la moribonde compagnie Saint-Paul and Pacific Railroad; Hill et Smith avaient aussi recruté Norman W. Kittson. John S. Kennedy était celui qui devait s'occuper des intérêts des Écossais propriétaires des lignes non encore reliées au reste du réseau. Leur but était de constituer aux États-Unis un réseau de voies ferrées conduisant à la région de Rivière-Rouge.

Les longs convois de charrettes de Rivière-Rouge grinçant depuis le fort Garry jusqu'à Saint-Paul avaient disparu. Les charretiers métis avaient dû chercher d'autres occupations. «Il faudra une main de fer pour maîtriser... ces sang-mêlé impulsifs jusqu'à ce qu'ils soient submergés par un flot de colons», avait écrit John A. Macdonald à sir John Rose en 1870. Le processus était en marche.

Heureusement, tous les colons n'étaient pas des Orangistes ontariens. Il y avait des Québécois, des Allemands et des Irlandais. D'autres allaient venir d'un peu partout, non seulement au Manitoba, mais aussi dans le sud de la Saskatchewan et en Alberta. La vie n'y était pas facile. Chaque détenteur de concession devait déposer 10 $ qui étaient confisqués s'il ne cultivait pas pendant au moins trois ans le lot de 160 acres (environ un quart de section) qu'on lui avait octroyé.

Les nouveaux venus apportaient avec eux de nouvelles techniques et de nouvelles machines, non seulement dans les fermes, mais aussi dans les villes en expansion. Les Métis ne savaient que penser; ils refusaient de croire que des modifications essentielles allaient bientôt mettre un terme à leur mode de vie. Les missionnaires tentèrent de les convaincre de cultiver plus consciencieusement leurs terres, de constituer des troupeaux de vaches laitières et de se lancer dans l'élevage.

Mais qui pouvait croire que les grands troupeaux de bisons seraient si rapidement exterminés? Comment ceux qui utilisaient encore des charrettes à bœufs et franchissaient de si grandes distances en canot et à cheval pouvaient-ils prévoir que les voies ferrées amèneraient de plus en plus de colons, que les bisons seraient de trop dans les champs de blé et que des fusils plus puissants et plus précis décimeraient les grands troupeaux?

Année après année, les Métis s'enfonçaient toujours plus loin vers l'Ouest dans les Prairies, à la poursuite des bisons. Les fiers chasseurs n'étaient ni enclins à mettre abruptement un terme à leurs activités afin de cultiver la terre, ni aptes à le faire. L'hiver, ils partaient trapper, comme ils l'avaient toujours fait. Plusieurs ne revinrent pas; la vie à Rivière-Rouge ne les intéressait plus! Ils recommenceraient à neuf sur les bords de la Saskat-chewan. Bientôt, certains quittèrent Rivière-Rouge pour rejoin-dre leurs frères plus loin à l'ouest, loin des nouveaux venus. D'autres choisirent de s'installer au sud de la frontière pour per-pétuer leurs façons de vivre sur les rives du Missouri.

Certains partirent, honteux d'avoir découvert, une fois dégrisés, qu'ils avaient vendu leur terre pour une poignée de dollars et quelques bouteilles d'un mauvais alcool.

Au cours des négociations de 1870 avec John A. Macdonald et Georges-Étienne Cartier, Ritchot avait arraché 560 000 hec-tares en faveur des Métis.

Le gouvernement du dominion décréta d'abord que seuls les enfants avaient droit aux octrois de terres. Chaque enfant devait recevoir 190 000 acres (environ 77 hectares). Ceci visait à empêcher les parents de vendre la terre. Puis les chefs de famille devaient recevoir 160 acres ou un bon-titre de 160 $. En 1876, la loi fut modifiée: les chefs de famille n'avaient plus droit qu'à un bon-titre leur permettant d'acheter une terre s'ils le désiraient.

Ces bons-titres étaient négociables et les spéculateurs s'empressèrent d'offrir des sommes dérisoires pour ces bouts de papier qui possédaient peu de valeur aux yeux des Métis, car ils ne comprenaient pas qu'ils leur donnaient droit à des lopins de terre. Les Métis n'avaient pas oublié les insultes et les sévices qu'ils avaient endurés après l'arrivée de l'armée de Wolseley; plusieurs furent donc heureux de vendre leur bon-titre pour pouvoir ensuite partir pour la Saskatchewan.

La fuite de Riel de Rivière-Rouge avait privé les Métis d'un chef qui aurait pu leur donner la cohésion nécessaire à la défense de leurs droits.

À Pembina, Riel rencontra plusieurs de ses vieux amis. Il rendit visite à Joseph Dubuc, le nouveau député de Provencher. Ambroise et Maxime Lépine ainsi que d'autres Métis se joigni-rent à eux. Ils lui parlèrent des octrois de terres et des injustices qui avaient forcé de nombreux Métis à partir. Riel fut heureux d'apprendre que, bien que les Métis fussent au courant de son séjour dans des hôpitaux psychiatriques, ils étaient convaincus qu'il avait feint la folie pour éviter d'être arrêté ou assassiné.

Il séjourna chez Norman Gingras, à Saint-Joseph, jusqu'au printemps 1879. Il eut alors le plaisir de recevoir la visite de sa mère et de sa sœur Octavie venue avec son enfant. Pour la mère et le fils, ce fut sans doute un moment très heureux.

Au cours de l'hiver très froid de 1880, Riel parcourut les prairies américaines avec une bande de Métis. La neige était abondante et le gibier rare. Hommes et chevaux étaient affamés mais la discipline de chasse fut maintenue; chaque homme connaissait son rôle et respectait son capitaine. Lorsque nécessaire, les membres du conseil se réunissaient et prenaient les décisions qui étaient entérinées par toute la bande.

Dans la bande, tous n'étaient pas des Métis du Manitoba; il y avait des Cris des Prairies canadiennes, des Sioux et des Nez Percés habitant habituellement le Dakota du Nord et le Montana. Selon les circonstances, Riel faisait office de marchand, d'interprète, de porte-parole, de bûcheron ou d'acheteur de provisions. Lorsque des Canadiens traversèrent la frontière et rencontrèrent Riel, les agents de la *North West Mounted Police* notèrent l'incident dans leur rapport. Que préparait donc Riel?

Par la force des choses, il remplissait, au moins dans une modeste mesure, la mission dont monseigneur Bourget avait parlé. Il faisait ce qu'il pouvait pour les Métis, leur évitant des conflits avec les Indiens et développant de bonnes relations chaque fois que c'était possible.

Durant les années 1880-1881, Riel travailla avec les Métis américains aux environs de Carroll, au Montana. Au cours d'une expédition de chasse, il rencontra Jean Monet Bellehumeur et sa fille Marguerite. Bellehumeur était Québécois et il avait épousé une Crie originaire de la région du fort Ellis.

Riel tomba amoureux de Marguerite et la demanda en mariage. Le 28 avril 1881, avec la permission de son père, ils se marièrent à la mode des Prairies, car aucun prêtre ne se trouvait dans les environs. Puis le 6 mars 1882, le père Damiani, jésuite de la mission de Saint-Pierre au Montana, bénit leur union.

Marguerite avait 20 ans. Leur vie commune ne devait durer que cinq ans et se terminer par la pendaison de Louis. Comme la plupart de leurs enfants, elle devait mourir de tuberculose.

Leur premier enfant, Jean, naquit le 4 mai 1882 à Carroll. Marie-Angélique naquit le 17 septembre 1883.

Marguerite Riel était une femme tranquille, à la peau très foncée et au visage ovale et attrayant. Comme elle n'était jamais allée à l'école, elle ne savait ni lire ni écrire mais elle parlait trois langues: le cri, le français et l'anglais.

Elle aimait profondément Riel et devint sa fidèle épouse et sa tendre compagne.

Sa vie fut difficile et si elle ne l'avait pas aimé profondément, elle serait retournée au campement de son père. Riel ne menait pas la même vie que les autres Métis. Trop occupé à combattre pour les droits de son peuple, il négligeait sans cesse les travaux quotidiens.

Souvent, donc, Marguerite devait couper le bois, s'occuper seule des enfants tout en se gardant des ennemis de Riel. La nourriture manquait parfois et l'argent encore plus souvent.

C'est probablement la malnutrition qui lui fit perdre l'enfant qu'elle portait au cours de l'emprisonnement de Riel à Régina, en 1885.

Tout au long de leur brève vie commune, Riel traita toujours Marguerite avec beaucoup d'affection et de respect. Les poèmes qu'il lui dédiait avaient une connotation religieuse:

> Marguerite, sois droite et bonne
> Devant le bois sacré
> Où Jésus dans sa perfection
> Est mort sciemment pour nous sauver.

Cependant, il conserva les lettres d'Évelina Barnabé.

Dans une lettre au *Helen Independent,* Riel exprime son vif désir d'aider les autochtones tout autant que les Métis. Malgré son manque de pratique de l'anglais écrit, il s'exprime de façon directe et compréhensible. Sa lettre est datée du 29 mai 1882, «sur le Missouri, entre Rocky Point et Carroll»:

> Monsieur le rédacteur en chef, pourquoi méprise-t-on en général ceux qui dénoncent le commerce illégal de l'alcool aux Indiens? N'est-ce pas parce que plusieurs d'entre nous ont déjà pratiqué ce commerce plus ou moins légal, et qu'ils sont susceptibles de courir encore, tôt ou tard, ce genre de risques?

> Plusieurs de nos gros commerçants ont pris ces risques. Plusieurs de ceux qui s'efforcent, en ce moment, de se constituer un petit capital, le font de la même manière. Le pauvre citoyen qui tente de se lancer en affaires, étant la plupart du temps sous la coupe de ces marchands, est obligé, pour obtenir leur collaboration, d'agir lui aussi de cette façon. Et le travailleur ordinaire est dominé par un mélange de toutes ces influences[12].

Dans cette lettre, Riel mentionne son intention de devenir citoyen américain. C'était peut-être à cause de la naissance de son fils aux États-Unis ou encore parce qu'il avait été injustement traité au Canada et qu'il ne s'y sentait pas le bienvenu.

Il n'eut aucun mal à établir qu'il vivait aux États-Unis depuis cinq ans. Le 16 mars 1883, au fort Benton, il comparut devant le juge D.S. Wade de la Cour du troisième district judiciaire du territoire du Montana.

Il y affirma s'être comporté «en homme de bonne moralité, attaché aux principes et à la constitution des États-Unis et favorable au bon ordre et au bien-être du pays». En conséquence, Louis Riel fut admis et «déclaré citoyen des États-Unis d'Amérique».

Riel constata bientôt que les Métis qui cherchaient à améliorer leur sort sur les bords du Missouri se trouvaient dans une situation pire qu'au Manitoba. Les Blancs méprisaient les sang-mêlé américains, et par-dessus tout les Métis francophones qui ne payaient généralement pas de taxes aux États-Unis.

On accusait les Métis de fournir des munitions aux tribus indiennes hostiles, de les corrompre avec du whisky et de provoquer meurtres et querelles. «Ils constituent la plus misérable race de vauriens et de brutes du genre humain», lisait-on dans le *Record* du fort Benton en 1879, «sans la moindre qualité pouvant leur mériter la sympathie ou la protection de quelque gouvernement». En fait, les Métis étaient les victimes d'une société puissante qui leur imposait ses caractéristiques et ses pratiques les plus dégradantes. Le *Weekly Herald* d'Helena au Montana publia, le 12 avril 1883, une lettre de Riel au sujet d'un colporteur qui avait vendu 2 000 gallons de whisky dans le campement d'hiver d'une quinzaine de familles. Les femmes métisses étaient admises dans le saloon:

Une fois, on vit dix ou douze de ces misérables femelles offrir des tournées au comptoir, frappant le bar de leur poing. Elles se vantaient d'avoir de l'argent pour payer.

Et les précieuses pièces d'argent, nécessaires à l'achat de nourriture et de vêtements pour leurs pauvres enfants, roulaient bruyamment sur la table. En sortant, pouvant à peine marcher, elles criaient et tombaient sur le chemin. Oh, j'aimerais que l'opinion publique s'empare de cette question et aide les shérifs à prendre des mesures en pareil cas.

Riel sentait qu'il devait trouver une façon d'empêcher la vente d'alcool aux Métis. L'alcool qu'ils achetaient était le plus souvent pur, coloré et parfumé avec tout ce qui tombait sous la main des fabricants. Loin de la vie stable de Rivière-Rouge, en plein désarroi, privés de nourriture et de travail, le découragement gagnait rapidement les Métis.

Riel tenta d'arrêter la vente d'alcool en portant plainte auprès du shérif adjoint John Biedler contre un Métis du nom de Simon Pépin, employé de A. Broadwater and Company. Mais ce fut sans résultat. Pépin affirma à Riel que le colonel Broadwater avait l'appui de Biedler; les démocrates lui devaient bien quelques services... Déterminé à tout faire pour remédier à la situation, Riel s'adressa alors au shérif Alexander C. Botkin. Plus tard, Botkin écrivit: «Je l'ai encouragé à obtenir la preuve nécessaire et lui ai promis ma collaboration[13].»

Pour protéger les Métis des marchands de whisky, Riel devint donc adjoint spécial du shérif. Il commença à recueillir des preuves et porta des accusations contre Pépin. Mais le tribunal statua que les Métis n'étaient pas des Indiens; comme la loi interdisait de vendre de l'alcool aux Indiens, elle ne s'appliquait donc pas à eux. L'organisation du Parti démocrate était puissante dans le territoire du Montana, dont le seul représentant au Congrès avait toujours été Martin Maginnis. Botkin, un républicain, avait bien essayé d'aider Riel dans son combat contre les marchands d'alcool; mais il dut se rallier à la ligne du parti.

Bien qu'il n'ait obtenu que des résultats modestes, il est clair que Riel, une fois de plus, faisait de son mieux pour améliorer le sort des Métis.

En 1882, lorsque les partisans de Martin Maginnis approchèrent Riel dans l'espoir qu'il oriente le vote des Métis vers le Parti démocrate, il mit cartes sur table et alla même jusqu'à écrire à Maginnis une lettre ouverte qui fut publiée le 21 décembre 1883 dans le *Weekly Herald* de Helena. Il y affirmait que les démocrates n'avaient jamais fait quoi que ce soit pour les Métis.

L'élection fut une véritable course aux votes, mais ce ne fut peut-être pas pire que dans certaines régions plus peuplées du pays. Dans ce village nouvellement fondé du Montana, il n'y avait pas encore assez de morts dans le cimetière pour remporter une élection, mais un bon cavalier, monté sur un rapide coursier, pouvait cependant voter une douzaine de fois. Maginnis conserva son siège. Mais il y eut toutes sortes d'accusations et de contre-accusations.

Grâce à Riel, Botkin obtint la majorité des voix dans les comtés de Clarke et de Lewis. Les démocrates accusèrent Riel d'avoir vendu son vote et les votes des Métis et d'avoir fait voter des personnes non autorisées à le faire; on le traita de «renégat» et de «rebelle».

Riel prit ces accusations au sérieux. Il avait tenté d'amener les Métis à exercer leur droit de vote. Les votes, surtout les blocs considérables de votes, pouvaient devenir un moyen pour obtenir des concessions et améliorer les conditions de vie. Et on peut être assuré que l'affront fait à son honneur, à son intégrité, n'était pas sans importance pour lui.

Le 12 décembre 1883, le *Weekly Herald* publia sa réplique. Il affirma avec force qu'il n'était pas un renégat et qu'il avait choisi son nouveau pays. «Mon vote n'est pas à vendre. D'ailleurs, le Parti républicain ne m'a jamais offert d'argent. Il a agi correctement envers moi et j'ai voté honnêtement pour lui.»

Le 19 mai 1883, le *Weekly Record* du fort Benton s'en prit violemment aux démocrates et défendit Riel. Les directeurs des journaux voyaient d'un bon œil cette virulente polémique.

À cette même époque, soit six mois après les élections, Riel fut arrêté.

Sa cause fut entendue en septembre. Il était accusé d'avoir amené Urbain Delorme et Jérôme Saint-Matt à voter, tout en sachant qu'ils n'avaient pas l'intention de devenir citoyens américains.

Riel, écrivit le *Weekly Herald*, est un «homme cultivé et raffiné, qui mérite notre amitié... un citoyen américain jouissant de tous les droits et un personnage infiniment plus intéressant que ceux qui le persécutent». Le *Weekly Record* du fort Benton fit une tout autre description de Riel: «Un vulgaire gredin qui ne doit qu'à ses ruses d'être resté en liberté toutes ces années... aussi raffiné que Sitting Bull et aussi cultivé que les célèbres enfants sauvages d'Australie.»

L'affaire fut reportée à une date ultérieure et ce n'est que le 16 avril 1884 que le juge D.S. Wade entendit la cause. Il décréta un non-lieu, ajoutant qu'il n'y avait «pas l'ombre d'une preuve contre Riel[14]».

C'est à l'époque où Riel demanda la citoyenneté américaine que les jésuites responsables de la mission de Saint-Pierre l'engagèrent comme enseignant. À l'école, il y avait le père Damiani qui travaillait parmi les Métis et les Indiens installés principalement entre le Missouri et la rivière Milk.

La mission de Saint-Pierre avait grandi lentement depuis une vingtaine d'années. Riel comprenait qu'il était sage d'amener les jeunes Métis à l'école, pour les préparer à faire face aux nouvelles conditions de vie qui allaient rendre impossible la vie de chasseur nomade.

Peu après avoir installé sa famille dans la petite maison fournie par la mission, il partit pour Winnipeg.

Il eut plaisir à revoir sa mère, ses frères et sœurs et leurs enfants. Tant de vieux amis manquaient à Riel: Lépine, Schmidt, Tourond, Parenteau. Plusieurs avaient quitté Rivière-Rouge pour la Saskatchewan. Le 12 juillet, la sœur de Riel, Henriette, épousa Jean-Marie Poitras. Tout en participant à la fête, Riel put s'entretenir avec des visiteurs arrivant de la vallée de la Saskatchewan. Le gouvernement ignorait leurs pétitions; ils s'inquiétaient grandement pour leurs terres et pour leurs droits civiques.

Dans une lettre à Marguerite, Riel écrit que «l'argent est si rare que je ne peux rien vendre. Il y a une crise économique au Manitoba et les terres se vendent à des prix ridiculement bas, ou plutôt elles ne se vendent pas du tout[15]...»

Les journaux de Winnipeg envoyèrent leurs reporters l'interviewer.

Ces entrevues traitaient de l'avenir du français au Manitoba et des problèmes des Métis, mais surtout des débuts de la province. Riel maintenait qu'il avait eu raison. «Je ne veux pas dire que j'ai toujours eu la bonne attitude, déclara-t-il au *Winnipeg Daily Sun*, le 29 juin 1883, car tout homme peut commettre des erreurs, mais si c'était à recommencer je ferais exactement la même chose... Je suis convaincu d'avoir toujours agi honnêtement, et un jour viendra où le peuple canadien le reconnaîtra.»

Il retourna à la mission de Saint-Pierre. Le travail à l'école (de six heures du matin à huit heures du soir) était très astreignant. À cause du manque d'argent, la surveillance des enfants en classe comme à l'extérieur incombait apparemment au professeur.

Les élèves venaient des ranchs des environs. Une mère, Mme M. Murphy, écrivit à Riel: «Remerciements sincères d'une mère dévouée pour toute la bonté que vous avez manifestée à mes petits enfants. Mes amitiés à vous et à votre famille[16].»

Riel était bon professeur et il appréciait les moments où il pouvait converser avec les missionnaires de sujets autres que les menus problèmes de la mission. Le vie y était terne, mais du moins sa femme et ses enfants étaient en sécurité dans un environnement qui leur était bénéfique.

Si Riel retourna dans le Nord-Ouest, ce ne fut pas en fauteur de troubles, comme on l'a prétendu. Il y fut invité. Il était à Saint-Pierre depuis un peu plus d'un an lorsque arriva, le 4 juin 1884, une délégation officielle de quatre hommes qui représentaient la grande majorité de la population de la région de Batoche. Il s'agissait de Gabriel Dumont, Moïse Ouellette, Michel Dumas et James Isbister.

Depuis janvier 1884, dans les villages de la vallée de la Saskatchewan, la tension montait sans cesse.

Le 28 mars, le gouvernement canadien nomma un comité pour enquêter sur les problèmes du Nord-Ouest. Mais c'était une mesure inefficace qui venait trop tard et de trop loin. En Saskatchewan, la bombe était déjà amorcée.

Plus tard au printemps, les Métis francophones tinrent des réunions où les plus modérés proposèrent de faire venir Riel pour aider la population de la Saskatchewan à obtenir justice.

Le 6 mai 1884, les Métis francophones et anglophones se rallièrent à cette proposition. La délégation qu'ils nommèrent quitta Batoche pour le Montana le 18 mai.

Riel leur répondit qu'il voulait réfléchir et il s'en fut prier à l'église de Saint-Pierre. Le lendemain, 5 juin, il leur remit une réponse écrite.

Le gouvernement du Canada lui devait une terre qu'il pouvait réclamer en vertu de la Loi du Manitoba. Il les accompagnerait donc en Saskatchewan où il revendiquerait la terre qui lui était due. En faisant valoir ses droits de Métis, il défendrait les droits de tous les autres. Une fois cette tâche accomplie, il retournerait au Montana pour unir les Métis américains et orienter leurs votes dans leurs intérêts et ceux de leurs alliés. Il espérait rentrer à Saint-Pierre en septembre. Les délégués rédigèrent alors un rapport qu'un cavalier solitaire porta à Batoche avec la réponse de Riel.

Le 5 juin, Riel, Marguerite, Jean et Marie-Angélique quittèrent le premier endroit sûr qu'ils aient connu et entreprirent leur long voyage vers la Saskatchewan. Le petit Jean était âgé de deux ans et un mois et Marie-Angélique avait à peine vingt mois. La jeune famille chargea ses maigres trésors dans une charrette que Riel conduisit sur les 1 100 kilomètres de route poussiéreuse qui les séparaient de l'anse aux Poissons.

Le journal *The Sun*, de Sun River au Montana, nous éclaire sur les intentions de Riel. Le 12 juin 1884, on y lit une entrevue de Riel avec le rédacteur en chef, qui avait fait partie de la troupe de Wolseley en 1870. Riel lui déclara qu'il allait au Canada pour aider son peuple «du mieux qu'il le pouvait» et qu'ensuite, il «rentrerait au Montana...». Le journaliste écrivit qu'«il était étrange de s'asseoir et de parler avec cet homme, et de me rappeler qu'en tant que jeune tambour de quinze ans, j'avais déjà voulu répandre son sang».

Mais c'est le révérend Davis McAstocker, un jésuite, qui rapporte ce qui fut peut-être la dernière conversation de Riel avant de franchir la frontière. Près du fort Benton, Riel rencontra le jésuite Frederick Eberschweiler. Celui-ci tenta de le convaincre de retourner à la mission de Saint-Pierre et lui affirma que son entreprise serait désastreuse. «Père Eberschweiler, répondit Riel, vous êtes un homme bon. Mais vous n'avez pas eu à subir toutes ces injustices... J'ai bien l'intention de mener la révolte à terme[17].»

NOTES

1. Formule d'admission n° 3697, Louis David Riel, Hôpital Saint-Jean-de-Dieu, P.Q.

2. Howard, Dr., *Canadian Medical and Surgical Journal*, juin 1886, Toronto, Academy of Medicine.

3. Certificat de l'asile de Beauport attestant que la province de Québec se chargera des coûts, 19 mai 1871, Collection de l'auteur.

4. Document 350-368, A.P.M., Société historique, Archives de Saint-Boniface, p. 268.

5. Collection Riel, É. Barnabé à Riel, 21 octobre 1878, A.P.M.

6. Collection Riel II, É. Barnabé à Riel, A.P.C.

7. *Ibid.*

8. É. Barnabé à Riel, 13 mai 1879, A.P.M.

9. É. Barnabé à Henriette Riel, 14 mai 1882, Société historique de Saint-Boniface.

10. Collection Riel II, É. Barnabé à Riel, 15 octobre 1882, A.P.C.

11. Documents du ministère de la Justice, R.G 13, B2, vol. 1, A.P.C.

12. Riel à l'éditeur, 29 mai 1882, A.P.M.

13. Botkin, Alexander, «The John Brown of the Half-Breeds» *Rocky Mountain Magazine*, Septembre, 1900.

14. *Fort Benton Record,* 19 mai 1883.

15. Collection Riel II, Riel à Marguerite Riel, 14 juillet 1883, A.P.C.

16. Collection Riel II, Murphy à Riel, 3 mars 1884, A.P.C.

17. Stanley, *Louis Riel,* p. 251.

VII

L'appel de la Saskatchewan

1884: Une délégation demande à Riel de revenir au Canada

Bien avant que Gabriel Dumont et son groupe ne rencontrent Riel à la mission de Saint-Pierre au Montana, les Métis avaient adressé des pétitions au gouverneur général, au Premier ministre, au ministre de l'Intérieur, au lieutenant-gouverneur, au gouverneur local et aux agents des terres.

En mai 1880, une pétition signée par 104 Métis demanda que la Loi du Manitoba de 1870 s'applique aux Métis qui avaient quitté le Manitoba et à ceux qui habitaient depuis longtemps la région d'Edmonton, au même titre qu'à «nos amis et parents du Manitoba, et que l'on nous accorde des bons-titres dès que possible...».

En juin 1881, 35 Métis établis depuis 1860 sur les bords de la rivière Qu'Appelle adressèrent une pétition au lieutenant-gouverneur Edgar Dewdney. Ils avaient «érigé de confortables demeures et des dépendances, labouré et cultivé la terre et, y ayant habité en permanence, avaient satisfait aux exigences du gouvernement». Ils avaient construit une église et une école ainsi que des routes et des ponts.

Lors de sa création en 1870, la province du Manitoba ne comprenait qu'un petit territoire, borné au nord par la rive sud du lac Rouge, à l'ouest par Gimli, à l'est par les actuelles réserves forestières et au sud par la frontière américaine.

À cette époque, la région qui allait former en 1905 les provinces de la Saskatchewan et de l'Alberta était connue sous le nom de *Territoires du Nord-Ouest*. Elle était divisée en districts ayant chacun un représentant au conseil des Territoires. Ce Conseil était dirigé par un lieutenant-gouverneur nommé par le gouvernement fédéral; les représentants élus n'y jouaient qu'un rôle consultatif.

Le soulèvement de la nation métisse sous la direction de Louis Riel en 1885 ne fut pas un incident isolé, mais la tentative ultime et désespérée de divers groupes du Nord-Ouest pour obtenir un gouvernement représentatif.

En même temps que l'insurrection armée, il y eut une révolte pacifique des membres du Conseil territorial qui s'opposaient à la domination du Conseil par le lieutenant-gouverneur Dewdney. Au cours des événements qui s'ensuivirent, une délégation de trois représentants élus fut choisie pour présenter une «charte des droits» au gouvernement fédéral. Leurs revendications étaient presque les mêmes que celles des Métis dirigés par Riel; ils demandaient:

1. Le règlement des revendications foncières des anciens colons;

2. Des représentants au Sénat et aux Communes;

3. Une commission chargée de régler les revendications métisses en suspens;

4. Que des gens de la région soient nommés au gouvernement local;

5. Que l'on distribue aux Indiens du bœuf produit sur place plutôt que du porc provenant des États-Unis.

Heureusement, ces questions furent réglées à l'amiable par le gouvernement de John A. Macdonald qui en avait plein les bras des problèmes métis.

Certains colons apprirent, après l'arpentage, qu'ils occupaient des terres devenues propriété de la Société foncière de l'Ontario et de Qu'Appelle, et on les avisa qu'ils devaient acheter leur terre ou la quitter. Certaines terres «actuellement occupées par des colons de bonne foi» avaient déjà été vendues.

Les Métis refusèrent de se plier aux exigences de la société foncière. Ils demandèrent à la Couronne «un titre de propriété pour nos lopins de terre respectifs» et demandèrent à Dewdney de présenter leurs revendications au ministre de l'Intérieur.

Gabriel Dumont faisait partie des 47 Métis de Saint-

Antoine-de-Padoue, sur la rivière Saskatchewan-Sud, qui adressèrent, le 4 septembre 1882, une pétition à John A. Macdonald:

> Forcés, pour la plupart, d'abandonner la prairie qui ne peut plus assurer notre subsistance, nous sommes arrivés en grand nombre à Saint-Antoine au cours de l'été et nous nous sommes installés le long de la rivière Saskatchewan-Sud...

> Comme les terres arpentées étaient déjà occupées ou vendues, nous avons été forcés de nous installer sur des terres non encore arpentées, ignorant, pour la plupart, les règlements du gouvernement au sujet des terres du dominion. Quels ne furent pas, alors, notre étonnement et notre embarras lorsqu'on nous avisa que, lorsque les terres seraient arpentées, si elles étaient comprises dans les sections impaires, il nous faudrait payer deux dollars de l'acre au gouvernement.

> Nous désirons, en outre, rester groupés afin d'obtenir plus facilement une école et une église. Nous sommes pauvres et ne pouvons payer pour notre terre sans nous ruiner complètement[1]...

Les Métis demandèrent à Macdonald d'ordonner qu'on ne touche pas à leurs terres, que celles-ci soient considérées comme faisait partie des sections paires et que l'arpentage se fasse le long de la rivière, chaque lot devant mesurer dix longueurs de chaîne par deux milles de profondeur, «ce mode de division étant en usage depuis longtemps dans la région[2]».

Gabriel Dumont, quatrième fils d'Isidore, était né à Assiniboia en 1830. Sa famille avait vécu aux environs du fort Pitt jusqu'à ce que Gabriel eut 12 ans, puis elle déménagea au fort Garry. À cette époque, il y avait encore des guerres tribales entre les Indiens, pas entre tribus voisines mais contre des bandes en maraude rejetées par plusieurs tribus. Lorsqu'il eut 16 ans, Gabriel combattit contre une de ces bandes de Sioux en provenance des États-Unis. À l'âge de 20 ans, il était reconnu dans toutes les Prairies comme un meneur d'hommes, bon cavalier, tireur d'élite, médiateur impartial et combattant invincible au corps à corps.

En 1858, la mère de Gabriel mourut de la petite vérole. La

même année, il épousa une Métisse écossaise du nom de Madeleine Welkey.

En 1869, lorsqu'il apprit que Louis Riel s'était emparé du fort Garry, Dumont sella son cheval et partit lui offrir ses services. Mais il ne fit pas parler de lui au cours de ces événements.

Durant les cinq années suivantes, il travailla pour la Compagnie de la Baie d'Hudson, trappant, pêchant et, à l'occasion, servant de guide aux missionnaires. Il comprenait, cependant, que le temps où un homme pouvait convenablement nourrir et loger sa famille seulement en chassant et en pêchant était révolu.

Dumont choisit donc un lot à une quinzaine de kilomètres au sud de Batoche, là où la piste de Carlton allant de Humbolt au fort Carlton traversait la Saskatchewan-Sud. Et alors Gabriel Dumont, chasseur, trappeur et combattant, se fit agriculteur. Il travailla d'arrache-pied et prospéra si bien que sa ferme fut reconnue comme la plus productive de la région. Il mit un bac en service sur la rivière Saskatchewan-Sud et l'endroit devint connu sous le nom de la traverse de Gabriel. Sa maison était réputée non seulement pour son hospitalité, mais aussi parce qu'on y trouvait la seule table de billard et la seule machine à laver à pédale de la région.

Le 20 septembre 1881, 113 Métis du village de Qu'Appelle écrivirent au gouverneur général, le marquis de Lorne. Ils demandèrent les mêmes avantages qui avaient été accordés aux Métis du Manitoba, soit des bons-titres aux chefs de famille et des terres aux enfants ainsi que l'arpentage en bordure des lacs et des rivières. Comme ils étaient sans ressources ou presque, ils demandèrent aussi de l'aide pour acheter de l'outillage agricole et des semences.

De Grondines, le père Alexis André écrivit à Macdonald, le 1er janvier 1883. Il expliqua l'embarras dans lequel les arpenteurs avaient plongé les Métis sur la rive sud de la rivière Saskatchewan. Les Métis y avaient divisé les terres selon leur méthode traditionnelle. Les arpenteurs, eux, avaient découpé des sections carrées ayant 40 longueurs de chaîne de côté. Le père André expliqua les craintes des Métis de perdre leurs terres, leurs bâtiments et tout ce qu'ils avaient aménagé. Il indiqua que la méthode métisse d'arpentage avait été approuvée à Prince Albert et qu'en toute justice, elle devrait l'être aussi à Grandin. Une plainte antérieure n'avait pas reçu de réponse satisfaisante.

Le 11 mars 1882, à la demande de plusieurs colons, George Duck, agent des terres du dominion à Prince Albert, écrivit à la Régie des terres à Ottawa «pour s'informer de la possibilité de rediviser ces sections en lots riverains comme cela avait été fait dans le village de Prince Albert[3]».

Lawrence Clarke, représentant de Lorne au conseil du Nord-Ouest, fit cette déclaration le 7 juin 1881 :

> Les sang-mêlé croient avoir été lésés dans leurs droits et nombreux sont ceux qui, par leur importance au sein de la communauté, donnent crédibilité à cette thèse, ce qui nuit, dans une certaine mesure, aux relations du gouvernement du dominion avec les Indiens. Par rapport à ces derniers et aux Blancs, les sang-mêlé forment une classe distincte qui a, règle générale, un grand ascendant sur les Indiens.
>
> Il a toujours été admis que les sang-mêlé possédaient des droits de propriété sur ce sol, et c'est à ce titre que le dominion a accepté le transfert des Territoires. Mais bien que, en vertu de la loi, on ait pris toutes les dispositions nécessaires pour ceux qui habitaient au Manitoba le 15 juillet 1870, rien, jusqu'ici, n'a été fait pour abolir les droits territoriaux des Indiens dans les territoires situés hors de la province du Manitoba.
>
> Le soussigné attire donc votre attention sur le fait que la loi refuse aux sang-mêlé les avantages accordés aux Indiens.
>
> Le soussigné a été informé que plusieurs pétitions, en provenance de divers milieux, ont été présentées au gouvernement du dominion afin de remédier à la question mais qu'on n'en a pas tenu compte[4]...

Le 17 décembre 1883, George Duck, agent de la Régie des terres du dominion à Prince Albert, envoya au secrétaire du département de l'Intérieur une lettre en provenance de la paroisse de Saint-Louis-de-Langevin. Maxime Lépine et Louis Schmidt se trouvaient parmi les 34 signataires métis de cette lettre.

Ils évoquaient les nombreuses pétitions faites au nom des colons qui étaient installés sur des fermes depuis trois à dix ans. Ils rappelaient que le père Leduc s'était rendu à Ottawa et avait obtenu la promesse écrite que l'arpentage respecterait les vœux des Métis. Mais rien n'avait encore été fait et un individu, Michael Canny, avait enregistré un lot de forme carrée, au grand déplaisir de ses voisins. Duck rappelait que, selon lui, l'arpentage devait être refait selon la méthode des Métis.

Le père Végreville, curé de cette même paroisse, écrivit au capitaine Deville, inspecteur en chef de l'arpentage, à Ottawa. Il insista sur l'urgence de refaire l'arpentage: «Les colons ont établi des communautés et ne cessent d'en établir d'autres, sans savoir où se situeront les limites de leurs futures propriétés. Ces lignes inflexibles, ces parallèles et ces angles droits, traverseront des champs et des maisons, et sépareront les habitations des champs auxquels elles sont rattachées[5]...»

Le 9 décembre 1883, Louis Schmidt et Baptiste Boucher écrivirent à Duck pour protester contre un certain Thomas Salter qui avait enregistré un lot de forme carrée à un peu plus d'un kilomètre de la rivière, empiétant ainsi sur un lot riverain. Ils se disaient déçus que Duck, l'agent des terres, n'ait pas été avisé de l'intention du gouvernement d'accorder des lots riverains.

Le père Alexis André, missionnaire au lac aux Canard, écrivit en juin 1884 au lieutenant-gouverneur David Laird pour se plaindre du fait qu'un individu nommé J. Kelly, en dépit des protestations, ait accepté une terre appartenant à la mission et qu'il y ait entrepris des travaux de construction, «me dépossédant ainsi de la moitié de ma propriété». Il demandait à Laird et au conseil du Nord-Ouest de presser Ottawa d'agir sans délai «parce que, si on n'agissait pas rapidement, les choses pourraient devenir graves[6]».

Le père André savait sans doute que Dumont et les autres délégués étaient déjà en route pour aller consulter Riel au Montana. Ce qu'il craignait, c'était les conséquences des frustrations des Métis, et non que Riel puisse les inciter à la violence.

L'acquisition du Nord-Ouest par le Canada avait mis fin au monopole de la Compagnie de la Baie d'Hudson sur le commerce des fourrures. De Rivière-Rouge mais surtout du Montana arrivèrent des commerçants beaucoup moins scrupuleux que la Compagnie. La façon la plus facile d'obtenir des Indiens des peaux à très bas prix était de leur fournir du whisky et du rhum de la plus mauvaise qualité. Ce qui entraîna querelles, bagarres, meurtres et appauvrissement général. Cependant la *North West Mounted Police* avait été formée en 1873, et les pires abus furent évités.

En 1885, la *North West Mounted Police* était l'une des forces de l'ordre parmi les plus rudes et les plus intègres de l'Amérique du Nord. Elle regroupait, en général, d'anciens policiers et militaires de carrière, tous habitués à la discipline et aux difficultés de la vie militaire. La loi du pays interdisait la violence excessive et les tueries d'Indiens comme il s'en produisait aux États-Unis.

Les membres de la *North West Mounted Police* n'étaient que très rarement des habitants de la région; ils n'avaient donc pas de préjugés locaux ni d'intérêts financiers susceptibles d'influencer l'accomplissement de leur tâche qui fut, somme toute, impartial. L'arrestation des marchands de whisky, la destruction de leurs provisions d'alcool et la confiscation des fourrures étaient menées rondement.

S'il y avait un moins grand nombre de conflits avec les autochtones qu'aux États-Unis, c'était aussi à cause des politiques de la Compagnie de la Baie d'Hudson qui, en général, traitait les Indiens plus équitablement que ne le faisaient les marchands américains.

En outre, les mariages entre employés de la Compagnie, y compris les dirigeants, et les Indiens, renforçaient les liens entre communautés.

L'entente réalisée par Lord Granville en 1869, selon laquelle le Nord-Ouest devenait territoire canadien, comprenait des concessions aux peuples autochtones afin qu'ils cèdent leurs droits territoriaux au Canada. Des traités furent conclus avec les Cris, les Ojibways, les Chippewas, les Piégans, les Sarscis et les Pieds-Noirs, leur accordant des territoires réservés et des sommes d'argent en échange de la cession de leurs revendications sur les territoires acquis par le Canada.

Au cours des années 1870 et au début des années 1880, peu de colons blancs arrivèrent dans les régions qui allaient devenir la Saskatchewan et l'Alberta. Il y avait bien quelques villages métis mais les bandes d'Indiens parcouraient encore les Prairies comme avant, se déplaçant toujours plus loin à mesure que disparaissaient les bisons et le gibier en général.

À cette époque, la politique du gouvernement canadien n'était pas d'exterminer mais de contenir les populations. Pour empêcher les Indiens d'errer parmi les fermes nouvellement arpentées, les nombreux traités précisèrent les frontières imposées à chaque bande.

Les peuples autochtones tentaient de s'accrocher à l'existence nomade qu'ils avaient toujours menée; ils envisageaient encore l'avenir en termes de chasse et de pêche. Dans les traités, ils préférèrent se voir concéder des terres boisées et accidentées à des terres plates et sans arbres. Mais l'ère de l'agriculture était bel et bien amorcée et les colons européens installés en terrain plat étaient grandement avantagés.

À mesure que les colons envahissaient la région, les peuples autochtones se trouvaient restreints dans leurs mouvements et plus encore dans leur approvisionnement en nourriture. Empêchées de vivre à la manière qui, bien que marginale, leur convenait, les tribus sombraient une à une dans le désespoir. Petit à petit, elles furent acculées à la famine.

Au cours de l'hiver 1882, l'inspecteur Norman de la *North West Mounted Police* décrivit leurs souffrances et rapporta qu'il pouvait distribuer de la farine et de la viande pour deux jours mais que les Indiens devraient faire durer ces provisions une semaine.

Le respect des promesses faites aux Indiens était soumis aux caprices du budget fédéral et aux fantaisies des politiciens et des fonctionnaires d'Ottawa. Pire encore, les autochtones durent subir l'intolérance de certains agents des Affaires indiennes qui devaient leur poste à leurs relations politiques plutôt qu'à leur compétence professionnelle.

Selon la plupart des traités, Ottawa devait subvenir aux besoins des Indiens en nourriture, en thé et en tabac. Ils étaient habitués à se nourrir de gibier, de viande de bison et de bœuf, mais une grande partie de la viande qu'ils recevaient était du porc mariné produit aux États-Unis. De plus, des agents sans scrupule vendaient à leur propre profit les rations de bonne qualité, puis distribuaient la viande de moindre qualité, qui était souvent avariée.

Gros Ours, le grand chef cri, était à la tête d'une des bandes qui refusèrent d'être enfermées dans des réserves parce qu'il comprenait qu'en acceptant cette clause, les restrictions seraient telles que l'existence même de son peuple en serait menacée. Il savait pertinemment que si les autochtones enfreignaient les règlements des traités, la police interviendrait par la force des armes; mais que si le gouvernement ne respectait pas ses engagements, les peuples autochtones n'auraient aucun recours.

Gros Ours continua à tergiverser, tout en restant campé près de Battleford. Et lorsque le directeur adjoint des Affaires indiennes lui ordonna de gagner sa réserve sous peine de perdre ses rations, il s'entêta à rester sur place.

Il y avait d'autres chefs indiens mécontents, dont Faiseur d'Enclos que la vie de réserve avait déçu. En juin 1884, on projeta de réunir un Conseil indien. On y attendait le chef Piapot, du sud, de même que Crowfoot, le chef pied-noir de l'Alberta. Hayter Reed, commissaire adjoint aux Affaires indiennes, fit part au lieutenant-gouverneur Dewdney de ses craintes que Gros Ours ne veuille réunir un grand nombre d'Indiens. Pendant ce temps, le détachement de la *North West Mounted Police* de Battleford constata une grande agitation parmi les Métis.

C'est justement à ce moment-là que les Métis décidèrent d'envoyer une délégation chez Riel. Mais Indiens et Métis n'étaient pas les seuls mécontents. Depuis 1881, les hivers rigoureux et les étés trop secs avaient été très éprouvants. C'est à cette époque que naquirent les mouvements de protestation agraires qui renaissent périodiquement depuis ce temps.

Lorsqu'il compare le prix d'un boisseau de blé à celui de la farine qui se retrouve sur les tablettes de l'épicier, le cultivateur se sent trompé. Il accuse les compagnies ferroviaires, les banques, les meuniers, les intermédiaires et, tout comme autrefois, particulièrement le gouvernement. L'Union de défense des agriculteurs du Manitoba et du Nord-Ouest est née des déceptions et du mécontentement des colons blancs.

Dans le Nord-Ouest, contrairement à la situation qui avait voulu que l'organisation des chasseurs de Rivière-Rouge suscitât la formation du gouvernement provisoire, ce furent les colons anglophones, dont quelques Métis, qui approchèrent les Métis francophones. L'homme chargé de gagner leur appui était William Henry Jackson.

La famille Jackson était arrivée à Prince Albert en 1881. Le père, T. Getting Jackson, avait été commerçant à Wingham, en Ontario. Will Jackson avait étudié à l'université de Toronto. Son frère Thomas, pharmacien, s'était installé avec son père à Prince Albert. Will se fit octroyer une terre et s'attela bientôt à la tâche d'organiser les agriculteurs afin de les impliquer davantage en politique. Lorsque Alexander Sproat le traita de «jeune agitateur écervelé», Jackson répliqua qu'«il était ridicule de prétendre que la 'seule preuve d'honneur réside dans un crâne chauve' ou que la capacité mentale se cache derrière une barbe[7]». L'Union des agriculteurs lui retourna sa cotisation d'un dollar.

Un comité de colons avait été mis sur pied à Qu'Appelle. Son but était d'exiger «une réforme agraire et l'adoption de lois qui soient favorables à la population du Nord-Ouest plutôt qu'aux riches entreprises ou aux politiciens voraces[8]».

Quelques mois plus tard, à Prince Albert, une grande assemblée des colons décida de former une semblable association «pour leur protection mutuelle et la défense de leurs droits et libertés qu'en tant qu'hommes libres ils partagent avec leurs frères de régions plus favorisées du dominion[9]». À la fin de janvier 1884, une assemblée publique eut lieu à Halcro, au cours de laquelle les colons résolurent de s'assurer la collaboration des Métis francophones.

Le jeune Jackson y parvint facilement, ce qui n'était guère surprenant puisque les Métis francophones avaient déjà envoyé en vain de nombreuses pétitions au sujet de l'arpentage. Jackson avait déjà discuté de la question avec Charles Nolin, Maxime Lépine et Michel Dumas.

Lors d'une réunion générale des Métis de Saint-Laurent à Batoche, le 24 mars, Gabriel Dumont intervint en faveur d'une collaboration avec leurs concitoyens anglophones. Il suggéra de rédiger une charte des droits et de l'envoyer à Ottawa avec les revendications de l'Union des colons. C'est lors de cette assemblée qu'on suggéra d'appeler Riel à la rescousse.

Ce n'est que le 6 mai, cependant, lors d'une réunion à l'école Lindsay présidée par un Métis anglophone, Andrew Spence, que fut rédigée la décision suivante:

> Nous, autochtones francophones et anglophones du Nord-Ouest, sachant que Louis Riel a conclu une entente avec le gouvernement du Canada en 1870, ladite entente étant en grande partie comprise dans ce qu'on appelle la «Loi du Manitoba», avons jugé opportun d'envoyer une délégation audit Louis Riel, et de lui demander son aide pour que toutes les questions mentionnées dans les résolutions ci-dessus soient présentées en bonne et due forme au gouvernement du Canada, et que nos justes demandes soient exaucées[10].

Le *Prince Albert Times* écrivit qu'un des «Canadiens de l'Ontario» prit «les devants et ouvrit sa bourse lorsqu'on demanda des souscriptions» pour payer les dépenses de la délégation envoyée au Montana.

Dans une lettre pastorale, monseigneur Vital Grandin écrivit, à Saint-Laurent le 10 juin 1884:

> Nos pauvres Métis, poussés par un certain Charles Nolin, ont commis une terrible bévue. Ils ont envoyé une délégation pour convaincre Louis Riel de redevenir leur chef et de s'opposer au gouvernement. Ni le père André, ni le gouverneur, ni personne n'auraient pu leur faire entendre raison. Ils vont mettre tout le monde en péril, se faire un mauvais renom et, par conséquent, à l'avenir, ils seront incapables d'obtenir quoi que ce soit du gouvernement[11].

L'évêque mettait les prêtres de son diocèse en garde contre tout enthousiasme prématuré. Mais il semblait avoir oublié que le gouvernement n'avait encore rien accordé aux colons.

Agitation et organisation

Le long voyage sur les difficiles chemins qui menaient de la mission de Saint-Pierre jusqu'en Saskatchewan dut être pénible pour Marguerite Riel, qui devait prendre soin de ses deux enfants en bas âge, Jean et Marie-Angélique. Ils voyagèrent pendant trois longues semaines avant de passer leur première nuit à l'abri sous un toit, chez les Tourond à l'anse aux Poissons; ils y furent accueillis par 50 charrettes bondées de Métis. Certains étaient de vieux amis; quelques-uns d'anciens ennemis mais qui acclamaient maintenant Riel comme un frère. D'autres ne connaissaient de lui que sa réputation de héros des Métis.

Le lendemain, le groupe se rendit à Batoche. Riel et sa famille s'installèrent chez Charles Nolin qui y possédait une des rares maisons spacieuses de l'endroit; ils y restèrent jusqu'au début de novembre.

Dewdney ne tarda pas à s'enquérir des intentions de Riel. Le 7 juillet 1884, à peine une semaine après son arrivée, le père Alexis André lui écrivit de Prince Albert: «Votre télégramme me donne l'occasion de vous entretenir d'un événement dont vous recevrez sûrement plusieurs comptes rendus fort variés, selon les opinions et les intérêts de vos correspondants... Riel et les délégués sont revenus de l'autre côté de la frontière...

«Vous savez que je ne passe pas pour être un ami de M. Riel et que j'appréhendais son arrivée comme une menace pour la paix de notre communauté; mais je n'entretiens plus aucune crainte que Riel ne cause des troubles. Il agit avec pondération et il parle avec sagesse[12]...»

Le père André joignit à sa lettre des copies, fournies par Louis Schmidt, du rapport des délégués et de la réponse de Riel. «Vous verrez que la réponse est convenable et n'annonce pas de trahison... Je crois qu'il est important que vous preniez connaissance de ces documents qui vous montreront que Riel n'est pas malintentionné...»

Il poursuivait en conseillant à Dewdney de ne pas donner suite aux rapports alarmistes qui «vous presseront d'envoyer 200 ou 300 policiers. Leurs auteurs seront heureux de voir le gouvernement se lancer dans pareilles dépenses, car ce sera autant d'argent dans leurs poches[13]».

Le père André avait fondé des missions au lac aux Canards, au fort Carlton et à Batoche et il avait voyagé avec les chasseurs de bisons. Comme il avait vécu dans la région de nombreuses années, il jouissait d'une aussi grande considération tant auprès des responsables gouvernementaux que chez les Métis.

En 1873, il avait aidé les Métis, alors dirigés par Gabriel Dumont, à former un gouvernement à Batoche. L'autorité de la Compagnie de la Baie d'Hudson dans le Nord-Ouest s'était effritée au cours des années. Finalement, le 10 décembre 1873, poussés par le père André, les Métis se réunirent dans le village de Saint-Laurent pour élire leur propre gouvernement. Gabriel Dumont fut élu président pour un mandat d'un an par le Conseil métis auquel appartenait son père Isidore et son oncle Jean. Ces conseillers devaient gouverner leur peuple selon des lois adaptées des anciennes règles de la chasse du bison. Après une année, le Conseil métis, pleinement satisfait de son président, réélit Gabriel Dumont pour un deuxième mandat. Il fut le premier président de la nation métisse, et il établit son siège dans le village de Saint-Laurent.

Vers la fin de la deuxième année, un groupe de chasseurs blancs pénétra dans la région de Batoche sans tenir compte des lois en vigueur. Gabriel Dumont les fit arrêter puis relâcher peu après. À la suite de leur récit, fort exagéré, l'inspecteur Crozier

2.

1. Louis Riel en 1858.
Archives nationales du Canada.
2. Louis Riel, *circa* 1868.
Archives nationales du Canada.
3. Louis Riel, *circa* 1868.
Archives nationales du Canada.

3.

4. Riel et son conseil, 1869-70. En avant: Bob O'Lone et Paul Prue; assis: Pierre Poitras, John Bruce, Louis Riel, W. B. O'Donoghue, François Dauphinais et Thomas Spence; debout: Le Rc Pierre De Lorme, Thomas Bunn, Xavier Page, André Beauchemin et Baptiste Tereaux.
Archives nationales du Canada.

5. Sir John Christian Schultz, en 1870 à l'époque du renversement de la première insurrection de la nation métisse présidée par Louis Riel.
Archives du Manitoba.

6. Louis Riel, *circa* 1870.
Duffin & Co. Winniped, Manitoba, collection Louis Tardinel, Archives nationales du Canada.

7. Louis Riel, *circa* 1875.
The Ryerson Press, Toronto.

8. Louis Riel, *circa* 1878.
Baldwin, Keesville, N.Y., collection Louis Tardinel,
Archives nationales du Canada.

9. Louis Riel, 1880.
Collection Jean Riel, Archives nationales du Canada

10. Marguerite Monet-Riel, née Belhumeur,
épouse de Louis Riel.
Archives nationales du Canada.

8.

7.

9.

10.

11.

12.

13.

11. Fort Pitt en 1884. De gauche à droite:
Thomas Quinn, l'inspecteur Francis
Dickens, James K. Simpson, Stanley
Simpson et Angus McKay.
Archives of Saskatchewan.

12. L'intérieur de Fort Pitt, juste avant la
rébellion de 1885.
1. Fire Sky Thunder; 2. Sky Bird;
3. Matoose; 4. Napasis; 5. Gros Ours;
6. Angus McKay (de la Compagnie de
la Baie d'Hudson); 7. Dufrain (cuisinier
de la Compagnie de la Baie d'Hudson);
8. L. Goulet; 9. Stanley Simpson (Compagnie de la Baie d'Hudson); 10. Alex
McDonald; 11. Rowley; 12. Sleigh;
13. Edmund; 14. Henry Dufrain.
Provincial Museum and Archives of Alberta.

13. Le conseil de Louis Riel, 1885.
1. Johnny Sansregret; 2. Pierriche
Parenteau; 3. Pierre Gariépy; 4. Philippe
Garnot; 5. Albert Monkman; 6. Pierre
Vandal; 7. Baptiste Vandal; 8. Toussaint
Lucier; 9. Maxime Dubois; 10. Jimus
Short; 11. Tourouni; 12. Emmanuel
Champagne.

14. Gabriel Dumont, à Fort Benton,
Mentana, 1885.

14.

15. Gros Ours enchaîné, après sa capture en 1885.

16. Crowfoot, chef des Pieds-Noirs.
Archives nationales du Canada.

17. Faiseur d'enclos, à l'époque de sa reddition.

18. Esprit errant, chef des Cris des plaines.

19. Riel pendant son procès, s'adressant aux jurés à la cour de Regina, en Saskatchewan.

20. Le jury qui condamna Louis Riel. De gauche à droite: Frances Cosgrove, Wiliam Merryfield, Edwin J. Brookes, H. Dean, Henry J. Painter, Edward Everett. Aucun des jurés n'était de descendance métisse ou canadienne-française. Aucun d'entre eux ne parlait français et tous étaient des anti-métis notoires.
Archives publiques du Canada.

21. Le juge Richardson qui condamna à mort Louis Riel.

20.   21.

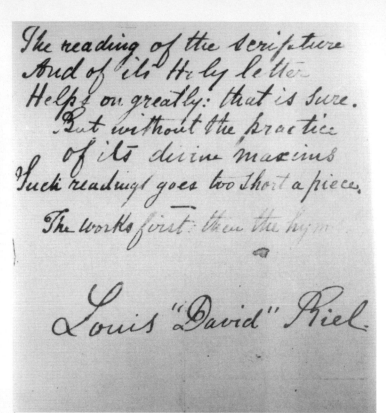

The reading of the scripture
And of its Holy letter
Helps on greatly: that is sure.
But without the practice
of its divine maxims
Such readings goes too short a piece.
—
The works first: then the hymn.

Louis "David" Riel.

22. Les derniers mots écrits par Louis Riel, deux heures avant son exécution.

23. La tombe de Louis Riel.

marcha sur Batoche avec 50 hommes de la *North West Mounted Police*. Ils y furent bien accueillis et, dans son rapport, Crozier déclara que le gouvernement local était excellent et que le compte rendu des Blancs était grossièrement exagéré.

Quelque dix ans plus tard, le 31 mars 1883, Gabriel Dumont déposa une demande pour acquérir le lot numéro 20 dans le canton numéro 42 du rang numéro 1. Mais il n'en obtint jamais la propriété légale, en dépit du fait que la plupart des autres réclamations furent acceptées.

Le jour après que le père André eut écrit à Dewdney, le commissaire Crozier télégraphia à Frederick White, secrétaire particulier de Macdonald, lui disant que Riel était arrivé au lac aux Canards.

Le 12 juin 1884, le père André écrivit de nouveau à Dewdney à propos de Riel: «En autant que je sache, tous ses efforts visent à faire comprendre aux gens qu'en répondant à leur appel, il n'a d'autre but que de leur venir en aide par des moyens légaux et pacifiques[14]...»

Le père André avait déconseillé à Riel de prendre la parole lors d'une assemblée à Prince Albert, et il avait suivi son conseil. Mais lorsqu'une seconde invitation arriva, portant 84 signatures, le religieux changea d'avis. Il était évident que les colons désiraient entendre Riel.

Il prit donc la parole, en juin 1884, à Treston Hall où il se mérita des applaudissements et l'appui accru des anglophones. Aux dires du père André, les anglophones l'applaudirent autant que les francophones, mais «cinq ou six personnes de Prince Albert qui se croient supérieures aux autres et pensent avoir le droit, par leur naissance (et vous pouvez être certain que le Prince est l'un d'eux), de régner sur la population, ont été profondément choquées[15]...»

Et il continue sa longue lettre, en abordant les buts visés par Riel: «Ils sont nombreux et il faudra beaucoup de temps pour les atteindre s'il tient vraiment à les réaliser. Il veut que l'on concède gratuitement aux Métis la terre qu'ils occupent; il veut se battre pour que les districts de Saskatchewan, Alberta et Assiniboia deviennent des provinces ou qu'ils soient au moins représentés au Parlement; il veut que les lois foncières soient amendées de façon à tenir compte de la colonisation rapide de la région. Ce sont là, en autant que je m'en souvienne, les principaux points de son discours aux gens de Prince Albert, samedi dernier[16]...»

En deux mots, le père André conseillait à Dewdney de laisser les assemblées et les discussions se poursuivre sans intervention de la police et de ne rien faire qui puisse mettre le feu aux poudres... Avec le temps, le calme reviendrait.

La Loi des terres du dominion de 1878 reconnaissait aux Métis des droits fonciers dans le Nord-Ouest en raison de leur origine autochtone.

Monseigneur Taché, environ cinq ans plus tôt, avait évalué le nombre de Métis de la région à mille deux cents familles et il avait insisté pour qu'on résolve rapidement leurs problèmes: «Il ne fait aucun doute que tout retard accroît les difficultés.» Les Métis, bien que pauvres, étaient fiers. L'absence de réponse à leurs pétitions les insultait tout autant qu'elle les irritait.

Crozier fit un rapport sur la présence de Riel aux assemblées de Prince Albert et du lac aux Canards. À cette dernière, «l'assistance était composée de Métis francophones et d'Indiens». Il reconnaissait n'avoir aucune «information officielle» à l'effet que Riel aurait dit aux Indiens qu'ils avaient des droits tout comme les Métis et qu'il espérait pouvoir les faire reconnaître.

«Je pense que Gros Ours et ses partisans seraient déjà en route pour leur réserve si ce n'avait été des envoyés de Riel qui, dit-on, l'ont invité à le rencontrer au lac aux Canards. Il s'est certainement rendu là-bas et après avoir promis de se rendre au fort Pitt et reçu des provisions, il s'est mis en route avec son groupe mais il a rebroussé chemin après avoir rencontré Riel[17] ...»

Le commissaire Irvine, supérieur de Crozier, envoya le rapport à Ottawa avec une notice explicative datée du 2 août 1884.

Manifestement, John A. Macdonald surveillait de près les événements du Manitoba et du Nord-Ouest. Dans une lettre adressée au lieutenant-gouverneur du Manitoba, le 28 juillet 1884, il écrit:

La perspective d'une bonne récolte au Manitoba devrait, comme vous le dites, apaiser considérablement le mécontentement. Vous n'aurez pas vraiment la paix, cependant, tant qu'une opinion publique stable ne se sera pas formée – une véritable opinion publique fondée sur l'avis de colons prospères. Pendant un certain temps, les spéculateurs fonciers qui rôdent autour de Winnipeg et des embryons de villes éparpillés dans votre province, prétendront, avec des agitateurs comme Greenway, représenter cette opinion publique.

Norquay m'a envoyé en secret une lettre qui a été interceptée, et cela montre que ces agitateurs de l'Union des agriculteurs préparent un soulèvement armé. Je suppose qu'il vous en a parlé... Je n'attache pas beaucoup d'importance à de telles conspirations mais mon expérience lors du problème fenian m'a appris qu'il ne faut jamais négliger les menaces de complots ou d'attaques pour la seule raison qu'elles seraient insensées et vouées à un échec certain.

Dans le Nord-Ouest, certains éléments sèment le trouble, à savoir:
    1. Les agriculteurs de l'Union des agriculteurs;
    2. Les Métis francophones conseillés par Riel;
    3. Les Indiens dirigés par des fainéants tels que
    Gros Ours, Piapot, etc.

Ce dernier élément n'est cependant pas à craindre tant que les Blancs ou les sang-mêlé ne se soulèvent pas. Mais si cela devait se produire, les Indiens pourraient se joindre à tout groupe d'insurgés.

Je vous écris cela car je crois que vous devriez inciter vos ministres à être vigilants et à prendre toutes les précautions nécessaires[18]...

Après la formation de l'Union pour la défense des agriculteurs du Manitoba et du Nord-Ouest, Ottawa fut inondé de protestations. William (Will) Henry Jackson, qui devint secrétaire de Riel, fut pendant un certain temps un des dirigeants de l'Union des agriculteurs. À peine quelques semaines après sa première rencontre avec Riel, il s'activait déjà à recruter des appuis, à rassembler des données pour le document en préparation, et à expédier des comptes rendus d'assemblées aux journaux et, de façon générale, à neutraliser les opposants.

William Henry Jackson était un homme de principes; il était issu d'une famille de Blancs anglophones respectée. Sa photographie, datant sans doute de l'époque de son mariage avec une descendante de Simon de Montfort, une dame bien née et de bonne famille, nous fait voir un homme énergique et élégamment vêtu à la mode des années 1890. Jackson étudia à l'université de Toronto dont il fut sans doute diplômé. On le disait doué pour les langues, capable de s'exprimer en français, en allemand et en cri aussi bien qu'en anglais.

Après 1886, il vécut aux États-Unis et il consacra ses énergies à organiser les travailleurs et à aider les défavorisés. Bien qu'il ne fût pas sans ressources, il passa ses dernières années comme surveillant d'une fournaise au charbon dans un immeuble de New York. Peu avant sa mort à l'âge de 91 ans, on apprit qu'il avait accumulé au cours des années une imposante collection de livres qu'il projetait de léguer à une bibliothèque destinée aux Métis et aux Indiens de la Saskatchewan. Selon ses amis des derniers jours, c'était un homme cultivé, peu soucieux de son apparence, mais doté d'une dignité toute naturelle et d'une voix puissante.

C'est à Will Jackson que revient le mérite d'avoir uni les colons blancs aux Métis anglophones et francophones. Tout en conservant son poste de secrétaire de l'Union des colons, il passait le plus clair de son temps avec Riel dont il demeura un des collaborateurs les plus dévoués jusqu'à la fin. Les deux hommes avaient de très grandes affinités.

Le 12 août 1884, en réponse à une demande de renseignements de Lord Landsdowne, le gouverneur général, John A. Macdonald écrivit de sa résidence d'été à Rivière-du-Loup:

> J'ai reçu votre message du 9 courant. Dewdney a envoyé son commissaire adjoint, M. Hayter Reed, et M. Rouleau, juge de correctionnelle, pour rencontrer les Indiens et les sang-mêlé au lac aux Canards. Reed parle cri, il connaît bien la mentalité des Indiens et il est populaire parmi eux. Rouleau est un avocat canadien-français particulièrement habile; il doit rencontrer Riel et les sang-mêlé. Quant à M. Forget, commis du conseil du Nord-Ouest, il est lui aussi francophone, et il a toute la confiance de Dewdney. Il a été envoyé à Prince Albert sans mission précise, mais il doit garder les yeux et les oreilles bien ouverts. Il connaît bien le Nord-Ouest.
>
> L'arpentage des lots riverains est, je crois, terminé. On a donné aux arpenteurs instruction d'agir avec la plus grande largeur d'esprit. Quant aux revendications foncières des sang-mêlé, voici ce qui en est. Lors de la création de la province du Manitoba, il a été convenu que toutes les propriétés des Blancs ou des Métis qui avaient été données ou

tolérées par la Compagnie de la Baie d'Hudson le long des rivières Rouge et Assiniboine seraient reconnues.

Cela fut fait et les bons-titres furent émis à la plus grande satisfaction des sang-mêlé de l'endroit. Cependant, les Métis francophones ne cultivent pas la terre (les sang-mêlé anglais et écossais le font). Ils vendirent donc leurs bons-titres pour presque rien et dilapidèrent leur argent.

Les Indiens et les sang-mêlé des plaines au nord-ouest du Manitoba n'ont jamais cultivé la terre; ce ne sont que des nomades parcourant les Prairies avec d'autres Indiens, vivant de la chasse et du transport de marchandises dans de petites charrettes. Mais il ne se fait plus ni chasse ni transport et maintenant ils souffrent de famine. Parmi eux se trouvent des sang-mêlé de Rivière-Rouge qui, réfractaires à la civilisation, ont quitté le Manitoba après avoir dilapidé l'argent de leurs bons-titres; ils errent maintenant dans les plaines. Ils ont parlé des bons-titres aux autres Métis; ils leur ont dit ce que la vente leur en avait rapporté et ils les ont incités à en faire la demande.

Or ces sang-mêlé ont été avisés qu'ils ont le choix de s'identifier à leur père ou à leur mère, aux Blancs ou aux Indiens. S'ils revendiquent en tant que Blancs, ils peuvent obtenir gratuitement une concession de 160 acres, à condition de la cultiver. S'ils le font en tant qu'Indiens, ils peuvent rejoindre la bande de leur mère et recevoir leur part de la réserve, des rentes viagères et des dons qui leur sont assurés par traité.

De plus, les spéculateurs voraces qui abondent dans le Nord-Ouest poussent les sang-mêlé à exiger des bons-titres de la même valeur que ceux du Manitoba. Ces bons-titres sont alors vendus pour une chanson et dilapidés en whisky, ce que nous voulons éviter par-dessus tout.

Je pense que la politique la plus juste est de les encourager à préciser leurs griefs par écrit et à nous les envoyer à Ottawa, avec ou sans délégation. Cela calmera l'agitation actuelle et, avec l'hiver, le climat assurera la tranquillité jusqu'au printemps. Entre-temps, toutes les plaintes ayant un semblant de fondement seront examinées avec toute l'attention qu'elle méritent.

Il ne conviendrait pas de nommer Riel conseiller. Il a commis un meurtre de sang-froid en 1870, ce que les Blancs du

Manitoba et de l'Ontario ne lui pardonneront jamais. Mais s'il parvient à convaincre la population de son district de l'élire comme représentant, nul ne s'objectera. Rouleau rencontrera Riel et tentera, avec le père André, de le convaincre qu'il a tout intérêt à maintenir la paix. On peut compter que le père André nous rapportera fidèlement tous les événements de Prince Albert et du lac aux Canards.

Votre Excellence suggère d'employer certains hommes choisis parmi les sang-mêlé. Nous le faisons déjà. Un certain nombre d'entre eux sont affectés à la police montée en tant qu'éclaireurs, d'autres en tant qu'interprètes.

Je pense que je devrai devancer le vote du Parlement et accroître quelque peu les forces policières, peut-être de cent hommes, et prendre des mesures à la pochaine session pour augmenter leur nombre à 250, ce qui porterait à 750 notre effectif d'hommes et de sous-officiers, en plus des éclaireurs et des artificiers[19]...

Macdonald écrivit ensuite à Donald Smith, le 5 septembre, pour lui demander si la Compagnie de la Baie d'Hudson pouvait prêter ou louer ses bâtiments afin de loger les recrues de la police.

La plupart des plaintes des Métis concernaient l'arpentage des lots riverains. Macdonald écrivit qu'il croyait cet arpentage terminé. Les pétitions et les lettres des missionnaires et des agents des terres du gouvernement montrent que son impression n'était pas fondée. Dans sa lettre à Landsdowne, il niait en outre que les Métis des Territoires du Nord-Ouest eussent droit à des terres, en vertu de la Loi des terres du dominion de 1878. «Ces sang-mêlé ont été avisés que[20]...» Ne leur avait-on pas dit la vérité?

«Ce que je crains, répondit Dewdney à Macdonald, c'est que des Blancs peu scrupuleux persuadent les sang-mêlé qu'ils pourraient s'amuser s'ils faisaient du raffut, auquel cas ils prêteraient sûrement main forte aux Indiens[21].»

Si Riel et Jackson avaient pu fournir une aide quelconque à Gros Ours, celui-ci l'aurait acccueillie volontiers. Mais pour l'instant, Riel et Jackson se consacraient à la rédaction de la déclaration la mieux étoffée, la plus claire et logique possible pour exposer leurs griefs et demander réparation à l'endroit du gouvernement. Leur document incluait une demande d'aide pour les autochtones.

La *North West Mounted Police* surveillait Gros Ours d'aussi près que Riel. Crozier rapporte, le 8 août, que Gros Ours avait tenu conseil avec dix autres chefs et que Riel, quant à lui, avait tenu plusieurs réunions secrètes mais qu'il n'avait pas rencontré Gros Ours. Ce dernier, l'avait-on informé, se dirigerait vers Prince Albert après son départ du lac aux Canards.

Le 10 août, sur la rivière Saskatchewan-Sud, le sergent Brooks rapporte à Crozier que «Riel se trouve de ce côté-ci de la rivière, chez Xavier Batoche. Aujourd'hui, il a pris la parole dans une assemblée au retour de la messe... Il a dit, entre autres, que les droits des Indiens devraient être protégés autant que les leurs. Il n'a pas rencontré Gros Ours mais je crains qu'il ne communique secrètement avec lui...

«Il y a un homme du nom de Jackson (le frère du pharmacien) venu de Prince Albert, qui semble être le bras droit de Riel. Il est avec lui depuis un certain temps. Il en a long à dire et, à mon avis, il fait plus de tort que quiconque parmi eux...

«L'agent des Affaires indiennes à Carlton a invité Gros Ours et les autres chefs à tenir conseil à Carlton. Il leur a promis des vivres. Ils ont accepté l'invitation et sont actuellement réunis à cet endroit[22]...»

Le 21 août 1884, le sergent Brooks rapporte que Riel et Gros Ours étaient à Prince Albert. «Riel logeait chez Jackson, le pharmacien, et, avant de partir, lui et Lépine ont eu avec Gros Ours une rencontre dont je n'ai pu connaître l'issue[23] ...»

Les agents et officiers de la NWMP surveillèrent les activités des Métis et des Indiens tout au long de l'automne et de l'hiver 1884-1885, et Crozier transmit leurs rapports à Régina.

Riel et Jackson devaient savoir que la police les avait à l'œil, mais il n'y avait rien d'illégal à se réunir pour discuter.

Dès le mois d'août, Riel se montra mécontent du manque d'enthousiasme du clergé. Le père André appréhendait le projet de Riel qui rêvait de peupler les Prairies avec une grande nation métisse, francophone et catholique; et il redoutait ses accès de colère lorsqu'on mettait son rêve en doute. Jusque-là, cependant, il n'avait fait de mal à personne. Tout ce qu'Hayter Reed et le juge Rouleau purent tirer du père André, c'était qu'il n'y avait eu ni geste excessif ni projet condamnable. Le religieux pouvait bien écrire d'aimables lettres au lieutenant-gouverneur

Dewdney, mais il était beaucoup trop habile pour condescendre à devenir un informateur. Le rapport de Rouleau à Dewdney mentionna que les rumeurs concernant la collaboration des Métis et des Indiens étaient «grandement exagérées[24]».

Selon Rouleau, les chefs indiens avaient consulté Riel; celui-ci avait consenti à les aider à rédiger une déclaration, mais il avait refusé de les conseiller. «À votre place, écrit Rouleau, je ferais comprendre au gouvernement qu'il est souhaitable de régler la question métisse dans les plus brefs délais...» avant que «leurs chefs n'utilisent l'agitation pour promouvoir leurs propres intérêts politiques». De plus, régler cette question rapidement «enlèverait à Riel le mérite d'avoir atteint cet objectif, ainsi que tout motif d'agitation future[25]».

Mais Macdonald préféra envoyer 150 policiers de plus, même si le coût des salaires, du logement, de l'équipement et des vivres, sans compter celui des chevaux, du fourrage et de l'entretien pour une seule année aurait suffi à satisfaire les demandes des Métis. Sa politique rigide était demeurée intacte depuis qu'il avait écrit à son ami Rose, le 23 février 1870: «Ces sang-mêlé impulsifs... devront être maîtrisés fermement jusqu'à ce qu'ils soient submergés par l'arrivée des colons[26].»

Alors qu'ils préparaient leur pétition, Riel et Jackson apprirent que sir Hector Langevin, ministre des Travaux publics du gouvernement de Macdonald, était attendu à Prince Albert. L'occasion était belle: ils pourraient remettre le texte des griefs des Métis et des colons blancs en main propre à un ministre. Les colons blancs et les Métis aussi bien anglophones que francophones signèrent rapidement la déclaration.

Mais en fait, Langevin n'avait nullement l'intention de quitter Régina pour ce long voyage sur des routes difficiles et il en avisa Rouleau par télégramme, le 19 août. Ni Riel ni Jackson ne furent mis au courant, car Rouleau n'avait aucune raison de les informer de la décision du ministre. Ils ne purent que ruminer leur déception et continuer à améliorer le texte de leur pétition.

De retour à Ottawa, Langevin avisa Macdonald: «Riel est toujours à Prince Albert et constitue un danger permanent. Toutefois, il faut prendre garde d'en faire un martyr, ce qui le rendrait plus populaire encore. Quelques concessions aux Métis et une bonne attitude à leur égard suffiront grandement à régler les problèmes[27]...»

Amédée Forget, secrétaire de Dewdney, accompagna monseigneur Vital Grandin lorsque celui-ci vint administrer le sacrement de la confirmation aux enfants de la paroisse de Saint-Laurent. Forget se déplaça beaucoup, il fut attentif à tout, mais sauf une allusion qu'il fit aux amis de Riel sur la possibilité de sa nomination au conseil des Territoires du Nord-Ouest, il réalisa bien peu de choses. Et, petit incident, selon Charles Nolin et Maxime Lépine, Riel rejettera, offusqué, ce qui lui apparut comme une tentative pour le soudoyer.

Riel voulait discuter avec l'évêque Grandin qui accepta de le rencontrer le 5 septembre. Grandin écouta patiemment Riel se plaindre du manque d'appui que le clergé apportait à sa cause. Mais il n'était pas le seul à se plaindre. D'autres se firent entendre et accusèrent l'évêque de préférer les Canadiens français aux Métis; de plus, ils reprochaient aux prêtres de parler beaucoup de soumission à l'autorité mais bien peu de justice.

Grandin n'eut pas de mal à rejeter leurs accusations. Comment un évêque, un prêtre ou quiconque pouvait-il appuyer un mouvement sans en connaître les fondements? Il éprouvait une compassion égale pour toutes ses ouailles, mais ni lui ni les prêtres de son diocèse ne pouvaient appuyer des revendications secrètes. Il était évident, selon lui, que les plaintes n'étaient pas justifiées puisque Riel n'avait pas dévoilé leurs objectifs ni les moyens envisagés pour les atteindre.

Riel proposa alors la formation d'une union nationale métisse. L'évêque approuva, plaça l'association sous le patronage de saint Joseph et suggéra que les cérémonies de fondation aient lieu le 24 septembre.

Gabriel Dumont apporta pour monseigneur Grandin, chez Joseph Vandal, à la traverse de Gabriel, une copie de la déclaration de Riel sur les objectifs du mouvement. Grandin et Forget y avaient séjourné le 6 septembre. Dumont déclara à Forget qu'il y aurait des troubles si la police tentait d'arrêter Riel. Selon lui, le peuple avait besoin de Riel comme chef politique. Il parla des Indiens, leurs cousins, que les Métis avaient le devoir de nourrir lorsqu'ils avaient faim. Le gouvernement, dit-il, ne traitait pas les Indiens correctement. Les Métis revendiquaient leurs droits mais ne voulaient pas causer de troubles.

Le texte de Riel énonçait les revendications des Métis et des colons blancs des Territoires du Nord-Ouest; ils voulaient...

1. Un gouvernement responsable;

2. Les mêmes concessions qu'avaient obtenues les Métis du Manitoba;
3. L'émission immédiate de titres de propriété;
4. L'attribution de deux millions d'acres de terre pour assurer des fonds de secours et l'achat de machinerie et de semences pour les Métis;
5. L'octroi de contrats gouvernementaux dans la mesure du possible aux habitants de la région pour les encourager à y demeurer et pour y augmenter la quantité d'argent en circulation.

Forget, dans son rapport à Dewdney, jugea la situation grave et s'inquiéta surtout de la perte de confiance que les Métis manifestaient à l'égard de leurs missionnaires. Il accompagna son rapport d'une traduction de la déclaration de Riel à monseigneur Grandin.

Dewdney écrivit à John A. Macdonald, le 9 septembre 1884:

> Riel n'est pas bien disposé envers vous et votre gouvernement... Si on trouve une solution à la question métisse cet hiver, toute l'affaire sera terminée; sinon, il faudra une importante force militaire dans le Nord[28].

Le 15 septembre 1884, de Rivière-du-Loup, Macdonald écrivit à Fred White:

> Je vous envoie deux télégrammes codés de M. Dewdney, d'où il ressort que la situation s'aggrave. M. Dewdney, en tant que lieutenant-gouverneur, est responsable du maintien de la paix dans sa région et, en conséquence, vous devez, pour une grande part, recevoir vos directives de lui. Veuillez faire immédiatement le nécessaire concernant les fusils dont il parle.
>
> Je pense qu'il faut ordonner à Irvine de se placer sous l'autorité de M. Dewdney durant cette période critique. Toutes les directives de ce dernier à Irvine devraient être transmises en code à Ottawa, accompagnées de ses commentaires.
>
> J'arriverai à Ottawa mercredi, vers midi. Il faudrait que nous nous voyions dans l'après-midi pour préparer votre départ.
>
> J'espère que vous réfléchirez à la teneur de notre annonce

demandant 50 hommes en Ontario. Nous pourrons facilement, je suppose, recruter 50 hommes à Winnipeg après les récoltes. Il me semble qu'il serait opportun de préciser que les recrues devront savoir monter à cheval. Souvenez-vous que tant qu'ils ne seront pas de bons cavaliers, leur aide sera de peu d'utilité. Personnellement, je n'appréhende pas d'insurrection, mais avec tous ces avertissements, il serait criminel de ne pas prendre toutes les précautions requises[29].

Le 24 septembre, l'Union métisse de Saint-Joseph fut officiellement fondée lors d'une messe célébrée par le père Julien Moulin, de Batoche, qui prononça également le sermon. Mais pour les Métis, le fait saillant de l'événement fut le discours enflammé que Riel prononça sur les marches de l'église.

Finalement, la pétition fut achevée, approuvée, signée par Andrew Spence, président, et Will Jackson, secrétaire du comité, et envoyée à Adolphe Chapleau, secrétaire d'État. Chapleau, s'il lut la pétition, dut se dire qu'il y avait là un programme qu'il aurait sans doute aimé défendre au cours d'une élection dans les Territoires, à condition, bien sûr, que tous ceux qui pouvaient en bénéficier puissent voter.

Riel et Jackson demandaient un meilleur traitement pour les Indiens, l'octroi de terres aux Métis, l'émission de titres de propriété aux agriculteurs, un gouvernement responsable, une représentation au Parlement, le contrôle des ressources naturelles, la réduction des tarifs douaniers, le vote par scrutin et la construction d'une voie ferrée jusqu'à la baie d'Hudson. En annexe se trouvaient les revendications personnelles de Riel.

Chapleau accusa réception du document. Pour Riel, cela signifiait qu'il avait accompli la tâche qu'il s'était fixée. Maintenant, devait-il retourner au Montana?

«La justice nous commande de prendre les armes»

John A. Macdonald avait repris le pouvoir lors de l'élection générale du 17 septembre 1878. Il est vrai que beaucoup de pétitions et de requêtes avaient été adressées au gouvernement d'Alexander Mackenzie avant sa défaite, mais leur nombre et leur urgence augmentèrent de 1878 à 1884. Il était donc politiquement habile, mais malhonnête, de rendre le gouvernement Mackenzie responsable des troubles de 1885.

Les lettres de Macdonald à Dewdney et Landsdowne montrent qu'il était de toute évidence au fait de la situation dans les Territoires du Nord-Ouest.

Jusqu'à ce qu'une commission soit nommée, beaucoup trop tard, à la fin de mars (bien que la décision du cabinet datât du début de février), son seul geste fut d'augmenter le nombre des policiers. L'histoire se doit de condamner John A. Macdonald pour le bain de sang qui s'ensuivit.

L'avertissement discret de monseigneur Grandin aux prêtres de son diocèse produisit son effet: ils prirent leurs distances face à la politisation croissante des Métis. Mais les avertissements et les prières de Grandin ne pouvaient rendre justice aux Métis et le peuple dut passer à l'action. Depuis son enfance, Riel avait joui de l'amitié et de l'appui du clergé. Maintenant qu'il avait besoin d'eux plus que jamais, ils refusaient de l'aider. Il en fut choqué au plus haut point.

À la fin de novembre chez Moïse Ouellette, en proie à une violente colère, Riel s'en prit au père Végreville, mettant le clergé et le gouvernement sur le même pied que ses adversaires.

Quelques jours plus tard, ce fut au tour des pères Vital Fourmond et Louis Touze de subir ses foudres. L'Église et le gouvernement devaient tous deux être réformés. Riel avait toujours en tête la «mission» dont monseigneur Bourget lui avait parlé.

Pour les habitants du Nord-Ouest, les critiques de Riel à l'endroit du gouvernement et de l'Église étaient dures mais visaient juste. Il disait bien haut ce qu'ils pensaient tout bas; mais les prêtres pensaient qu'ils devaient l'arrêter. S'ils pouvaient le convaincre qu'il avait terminé sa tâche et le persuader de retourner au Montana, c'en serait fini des insultes au clergé. Était-ce un manquement à la charité chrétienne que de refuser les sacrements à Riel? Ils se montreraient indulgents, mais ils se débarrasseraient de lui.

L'occasion se présenta lorsque Riel s'excusa au père André pour son explosion de colère. Apparemment, il fit allusion à son dénuement et aux épreuves endurées par sa femme et ses enfants. Le père André s'engagea à tenter d'obtenir de l'aide du gouvernement Macdonald. Peu avant Noël 1884, il organisa une rencontre entre Riel, D.H. MacDowall, le représentant de Lorne au conseil des Territoires du Nord-Ouest, et lui-même.

Selon le rapport de MacDowall à Dewdney, Riel aurait affirmé que si le gouvernement lui versait une certaine somme pour satisfaire ses revendications personnelles, il pouvait donner l'assurance que ses partisans se contenteraient de n'importe quelle solution proposée par le gouvernement au sujet de l'octroi des terres. Et il s'en retournerait alors au Montana.

Selon MacDowall, Riel déclara que Macdonald avait admis que le gouvernement lui devait de l'argent et qu'il avait déjà autorisé le père J.B. Proulx à lui faire une offre de 35 000 $.

MacDowall ne recommanda pas le paiement des 35 000 $. Il croyait que «3 000 $ ou 5 000 $ suffiraient à renvoyer toute la famille Riel de l'autre côté de la frontière». Mais si la solution était si simple, pourquoi ne l'appliqua-t-on pas? Il ajoutait que des troubles graves étaient peu probables, du moins pas avant les élections prévues pour cinq ou six mois. Car alors, si les demandes de Riel n'étaient pas satisfaites, «il s'énerverait dans les assemblées publiques... et nul ne sait jusqu'où il pourrait aller[30]».

MacDowall ne pouvait engager le gouvernement. Dans une lettre à Dewdney, le père André écrivit que c'était «le devoir du gouvernement de réparer les torts faits à Riel...». Le père André ajoutait que Riel avait «certains griefs à l'endroit du gouvernement...». Selon lui, 100 000 $ constituaient un montant déraisonnable; même 35 000 $ étaient une somme exagérée. Puis, sans préciser aucun montant, il pressait le gouvernement de payer et ajoutait cet étrange commentaire:

> M. MacDowall et moi lui ferons accepter n'importe quelle condition mais mon devoir m'oblige à vous dire qu'il serait préférable de lui concéder cette somme plutôt que de le garder dans la région...
>
> Je sais que si Riel est satisfait, tous les Métis seront unis lors de la prochaine élection, ils voteront comme un seul homme pour MacDowall et nous l'emporterons sur tous les tableaux. Je vous prie donc incessamment d'user de toute votre influence à Ottawa pour que Riel obtienne cette somme; si les choses se passent convenablement, nous n'entendrons plus tellement parler de lui car il désire retourner au Montana[31].

L'officier de la NWMP à Prince Albert, l'inspecteur S. Gagnon, écrivit de Carlton le 26 janvier 1885 que rien d'important ne s'était produit parmi «les sang-mêlé de ce district». Il ajoutait: «Après le jour de l'An, ils ont organisé une réception au cours de laquelle ils ont offert à leur chef Riel la somme de 60 $, en témoignage de leur estime... Il semble que Riel ait eu de la difficulté à subvenir aux besoins de sa famille récemment, et qu'il ait dû demander l'aide du missionnaire catholique de Saint-Laurent...»

Quelques misérables milliers de dollars ne sont rien «lorsque la paix du pays est en jeu[32]». MacDowall écrivit: «Obtenez du gouvernement tous les pouvoirs en tant que commissaire et je pourrai tout arranger, mais je dois obtenir 5 000 $ pour Riel et environ 1 000 $ pour le reste[33].» Dewdney transmit les lettres à Macdonald.

Ce dernier affecta de se montrer horrifié par le fait que Riel se préparait vraisemblablement à accepter un pot-de-vin. À la Chambre des communes, le 26 mars 1885, Macdonald déclara:

> Nous ignorons tout sur les causes du soulèvement des sang-mêlé dirigés par Riel. Riel est venu dans la région à leur invitation, il y a quelque temps. À mon avis, il est venu dans le but de tenter d'extorquer de l'argent au trésor public car, au cours de l'été dernier, on a parfois insinué – et plus qu'insinué, on a indiqué – que si nous lui remettions un certain montant d'argent – il a été question précisément de 5 000 $ – il repartirait tranquillement...

Riel était arrivé à Batoche au début de juillet. Rien dans les rapports des policiers ou des prêtres ne laisse croire que sa motivation principale était l'argent. Selon Charles Nolin, Amédée Forget, qui était commis du conseil des Territoires du Nord-Ouest et secrétaire de Dewdney, suggéra que «si la population le désirait», Riel pourrait être nommé au Conseil et recevoir un salaire annuel de 1 000 $. Toujours selon Nolin, Riel rejeta cette proposition.

D'après le sergent Keenan de la NWMP, Riel fit allusion à un poste dans le cabinet de Macdonald ou au Sénat! Mais ces allusions nous semblent refléter, avant tout, le grand désir qu'avait Riel de voir enfin ses capacités reconnues par le gouvernement central.

Il fut encore question d'argent entre Riel et MacDowall lors d'une autre rencontre organisée par le père André. Deux sommes, 100 000 $ et 35 000 $, furent mentionnées.

Lors de son procès, Riel signala ces deux montants et assura que Macdonald lui avait offert 35 000 $, au cours de l'élection de 1873 pour qu'il quitte le pays. 35 000 $, cela représentait une somme importante en 1885. Investie à un taux annuel de 6%, elle aurait rapporté six fois le salaire d'un ouvrier de l'époque. C'était un peu comme réclamer 1 000 000 $ de nos jours. Il est impossible de savoir si Riel mettait seulement MacDowall à l'épreuve ou s'il était sincère.

Riel avait déclaré estimer que le gouvernement canadien lui devait 100 000 $ de compensation pour divers motifs: tout d'abord pour la perte de sa propriété de Rivière-Rouge, avantageusement située et dont la valeur croissait, puis pour services rendus dans le gouvernement provisoire et pour le maintien de la loi et de l'ordre alors que de la Compagnie de la Baie d'Hudson croulait sous les assauts de Schultz et des autres évadés de prison, finalement pour la perte de temps et pour les douleurs et souffances endurées durant 15 ans. Il fit savoir qu'il accepterait 35 000 $.

Macdonald fit tout un tapage avec la demande de réparation de Riel. La version de MacDowall, de même que son avis que «3 000 $ ou 5 000 $ suffiraient à renvoyer toute la famille Riel de l'autre côté de la frontière», révèlent sa propre malhonnêteté. Riel n'avait pas dit: «Donnez-moi ce que je veux et je convaincrai les Métis d'accepter ce que le gouvernement voudra bien leur donner.» Il avait dit: «Si je suis satisfait, les Métis le seront.»

Il voulait dire que si le gouvernement canadien réglait son cas d'une manière raisonnable, ce geste montrerait que son attitude envers les Métis s'était transformée et que le temps du mépris et de l'indifférence envers leurs revendications était révolu.

Il y a une profonde différence entre demander le règlement d'une revendication et demander de l'argent pour cesser de lutter en faveur des droits légitimes de son peuple.

Louis Riel ne demandait pas un traitement de faveur. D'autres colons qui avaient participé au soulèvement de 1870 avaient été dédommagés pour leurs pertes. Pourquoi ne le traitait-on pas sur un pied d'égalité? Les sommes réclamées par Schultz étaient jugées exorbitantes par la population locale, mais le gouvernement canadien lui en versa quand même la plus grande partie.

MacDowall jugeait Riel à partir de ses propres préjugés: Riel était Métis et il était très pauvre; dès lors, on pouvait facilement l'acheter. Mais il savait aussi que Riel jouissait d'une influence énorme parmi les Métis. Il savait que Will Jackson, un libéral, collaborait étroitement avec lui.

Peut-être était-ce la raison de cette seconde lettre où il demandait 6 000 $, «5 000 $ pour Riel, et environ 1 000 $ pour le reste». Que voulait dire «le reste»? Les adversaires de Riel ne répugnaient pas à employer argent et moyens illégaux pour arriver à leurs fins. À preuve, les pots-de-vin de Donald Smith en 1870 et les voleurs engagés plus tard par John Schultz.

Si vraiment MacDowall croyait pouvoir conclure un marché secret avec Riel, on s'explique mal son télégramme adressé à Dewdney le 2 février 1885; il y mentionnait que Riel «et des dirigeants métis étaient venus pour s'enquérir de l'intention du gouvernement concernant la question métisse», et il parlait de leur mécontentement devant l'absence de réponse du gouvernement. MacDowall signalait également que les partisans de Riel avaient forcé Nolin et Lépine à retirer leurs soumissions au sujet des poteaux télégraphiques.

D.L. Macpherson, ministre de l'Intérieur, transmit à Dewdney la première indication d'une quelconque réaction gouvernementale face aux pétitions des Métis. Il s'agissait de la décision de nommer une commission de trois membres pour enquêter sur leurs revendications «et, dans ce but, d'ordonner le dénombrement de ceux qui n'ont pas reçu d'octroi en vertu de la Loi du Manitoba[34]».

Dewdney transmit la missive de Macpherson à Charles Nolin et non à Spence ou à Jackson qui avaient signé la pétition.

Une assemblée portant sur cette décision fut convoquée pour le 24 février à l'église Saint-Antoine, à Batoche. L'inspecteur Gagnon de la NWMP demanda au père Végreville de l'y accompagner mais, voyant qu'il n'y serait pas le bienvenu, il s'abstint d'entrer dans l'église.

Riel commença par dénoncer le gouvernement; il accusa le Canada de voler le territoire et de rejeter injustement les revendications populaires. Mais une commission avait été nommée; sa tâche était terminée. Puisque le gouvernement refusait de le reconnaître comme interlocuteur, il ne pourrait négocier en leur nom. Il devait donc retourner au Montana.

«Non! Non!» cria-t-on dans l'assistance, unanime à lui demander de rester.

«Et les conséquences?, demanda Riel.

– Nous les accepterons», fut la réponse.

Les Métis francophones lui ayant renouvelé leur confiance à Batoche, les anglophones firent de même quelques jours plus tard à Halcro. Riel était leur héros; il représentait tous les groupes de la population du Nord-Ouest. Ils le voulaient comme chef.

Il ne fait aucun doute que Riel était un dirigeant adulé de son peuple. Quelques mois après l'arrivée de Riel, monseigneur Grandin écrivit à monseigneur Taché: «Les Métis me parlent de Riel avec un enthousiasme extraordinaire. Pour eux, c'est un saint[35]...»

Sa voix, ses manières, son apparence, tout les séduisait. Il était des leurs et pourtant il parlait et agissait comme les prêtres. Durant ses années d'études, Riel avait côtoyé les religieux; sa formation de séminariste l'avait marqué et il était resté profondément pieux.

Il s'habillait modestement et possédait de vastes connaissances politiques. Il pouvait lire et parler latin, anglais et français et il s'exprimait couramment en deux dialectes indiens. Il parlait souvent de religion et vantait, comme les prêtres, les vertus du travail acharné et d'une vie saine. Il remplissait le rôle de chef et de conseiller avec autant d'aisance que ne le faisait le clergé dans la société métisse.

En parlant, il se laissait parfois emporter par son enthousiasme et son dévouement profond envers la cause métisse; il s'exprimait à la manière d'un prêtre, mais pour ses amis, ce n'était pas là une faute. Tout comme bien des chefs politiques et religieux de l'époque, c'est sa très grande ferveur religieuse qui convainquait les gens qu'il était un grand homme, touché par la grâce.

Lorsque le clergé décida de refuser les sacrements aux proches partisans de Riel, celui-ci comprit qu'il devait combler le vide. Il ne voulait pas perdre l'appui du peuple, pour qui la religion était très importante, au profit des prêtres qui collaboraient avec le gouvernement.

Dès le début, les missionnaires avaient redouté l'engouement des Métis pour Riel, car il menaçait sérieusement leur pouvoir sur leurs paroissiens. Riel se présentait comme «un prophète du nouveau monde». Les Métis étaient appelés à devenir «une grande et nouvelle nation». C'était là l'influence de l'évêque Bourget.

Puisque Rome, dans l'Italie de Victor Emmanuel II, était en déclin, le Canada devait devenir le centre de la chrétienté et le siège de la papauté. Bourget serait le nouveau pape et s'installerait dans le Nord-Ouest.

Mais les prêtres de la région n'étaient pas des disciples de monseigneur Bourget.

Bien que convaincu de la justesse de ses croyances, Riel chercha quand même l'approbation de l'Église officielle. Il se rendit chez le père André, à Prince-Albert, en compagnie de Napoléon Nault et Damase Carrière. «Vous devez, dit-il au prêtre, me donner la permission de proclamer un gouvernement provisoire avant minuit ce soir[36].» Cette permission aurait facilité ses projets.

Mais le père André ne pouvait ni ne voulait donner pareille permission, ce qui mit Riel en colère.

Puisque la permission lui était refusée, il s'en passerait. Il persuada un certain nombre de Métis de s'engager à «sauver notre région d'un gouvernement inique, quitte à prendre les armes si c'était nécessaire». Ils signèrent la déclaration et s'engagèrent aussi à «sauver notre âme en vivant dans la droiture nuit et jour et en toute chose et où que nous soyons[37]». Puis, avec Gabriel Dumont, Riel se rendit chez Nolin.

Charles Nolin avait été un des premiers à parler de violence et d'action armée pour forcer le gouvernement à agir. Le sergent Keenan de la NWMP le considérait comme le plus dangereux des Métis parce qu'il parlait de «s'acoquiner avec les Indiens».

Mais lorsque le temps fut venu de passer aux actes, Nolin avait changé d'idée. Si Riel voulait agir pour la gloire de Dieu et le bien des Métis, ne serait-il pas préférable d'implorer l'aide divine par la prière? Une neuvaine, neuf jours de prières dans toutes les paroisses métisses, pourrait leur attirer les faveurs du Créateur, suggéra Nolin. Pourquoi le plus dangereux des Métis, celui qui bouillait de passer à l'action, suggérait-il soudain de prier? Était-ce là l'effet du pouvoir de la religion, ou agissait-il ainsi par les vertus d'un pot-de-vin?

Au début, Riel n'aima pas l'idée; mais le lendemain, il l'accepta. Les missionnaires l'acceptèrent aussi et annoncèrent que la neuvaine débuterait le 10 mars pour se terminer le jour de la fête de saint Joseph, le patron que monseigneur Grandin avait attribué à l'Union métisse.

Riel ne participa pas à la neuvaine. Il assista à la messe du dimanche, le 15 mars, à Saint-Laurent. Mais le sermon du père Fourmond ne lui plut guère. Le missionnaire parla du devoir d'obéissance à l'autorité. Et il alla jusqu'à dire qu'il refuserait les sacrements à ceux qui prendraient les armes contre cette autorité. Rien pour la «justice», tout pour l'«autorité».

Riel protesta et déclara que Fourmond avait «transformé la chaire de la vérité en chaire du mensonge, de la politique et de la discorde en osant menacer de refuser les sacrements à ceux qui prendraient les armes pour défendre leurs droits les plus sacrés[38]».

Le 14 mars, le commandant Crozier avait télégraphié de Carlton à Régina, et annoncé que les Métis, appuyés par les Indiens, pouvaient se révolter à tout moment. Il demandait d'importants renforts. Le commissaire Irvine demanda des instructions à Ottawa et suggéra d'envoyer 100 hommes. Sa recommandation fut acceptée et il reçut l'ordre de partir dès que possible pour Prince Albert avec ses renforts.

Pendant que Riel s'en prenait à Fourmond, Irvine rassemblait ses hommes à Régina. Et au cours des jours qui suivirent, pendant qu'Irvine marchait vers le nord avec sa troupe, Riel et Dumont parcouraient la région; ils demandèrent à leurs partisans de se rassembler à Saint-Laurent le 19 mars et d'apporter leurs fusils en prévision du feu de joie. On devait alors célébrer la conversion de Will Jackson au catholicisme.

Philippe Garnot avait remplacé Jackson comme secrétaire de Riel, et il nota dans ses *Mémoires* que le soir du 15, Riel «joua au prophète». Riel se rendit ensuite à l'anse aux Poissons et, avec un groupe de cavaliers, partit pour Batoche le 18 au matin. Ils s'arrêtèrent pour manger chez Baptiste Rocheleau. Riel y rencontra le docteur John Willoughby qui rapporta plus tard, au procès, certaines de ses déclarations. Les Métis allaient «frapper un coup en faveur de leurs droits». Riel parla des nombreuses pétitions et il affirma avoir le pouvoir, s'il le voulait, de faire venir à la rescousse de nombreux Métis et Indiens des États-Unis.

Il voulait réformer le gouvernement avec des «hommes croyants». L'Ouest serait ouvert aux gens de toutes les races. Il ne pouvait attendre après le gouvernement, car le temps était venu de «diriger ce pays, ou de mourir en combattant[39] ».

Il s'agissait là des paroles d'un homme fermement décidé à passer à l'action.

Napoléon Nault et Michel Dumas apprirent alors à Riel qu'en compagnie d'autres Métis, ils avaient rencontré Lawrence Clarke sur la route menant de Régina à Prince Albert. Ils lui avaient alors demandé s'il connaissait la réponse à leurs pétitions, et Clarke avait répondu que la réponse était en route: 500 policiers à cheval s'en venaient mettre fin à l'agitation. En fait, il n'y avait que 100 policiers.

Nous ne savons pas si Clarke exagéra dans le but de les effrayer, ou s'ils comprirent mal ses paroles. Il est certain, cependant, que Clarke faisait référence à la troupe d'Irvine. Mais en fait, même s'il avait parlé de 5 000 policiers, le résultat aurait été le même. Ces braves étaient décidés à défendre leur foyer.

L'énervement était à son comble parmi les cavaliers de Riel. Ils rencontrèrent un groupe d'employés du gouvernement dans le petit magasin de George Kerr et décidèrent de les faire prisonniers; puis ils se dirigèrent vers Batoche.

Arrivés à l'église Saint-Antoine, Riel demanda au père Moulin la permission d'utiliser l'église pour une assemblée. Comme il refusait, on l'écarta violemment.

Riel prit possession de l'église, et s'écria que la Providence avait «prévu ce geste miraculeux... afin que cette église devienne notre forteresse. L'histoire retiendra l'église de Saint-Antoine comme le lieu de naissance du mouvement d'émancipation du Nord-Ouest[40]!»

L'étape suivante consistait à amener les partisans à approuver la formation d'un gouvernement provisoire. L'assemblée se termina rapidement et Riel repartit vers le village avec ses cavaliers.

En chemin ils saisirent toutes les armes et les munitions stockées dans les magasins de Walters et de Bakers. Comme Henry Walters protestait, on l'arrêta et on l'enferma en haut de sa propre boutique avec les autres prisonniers.

Puis, Riel chargea Dumont de faire couper les lignes télégraphiques.

L'assemblée de Saint-Antoine avait regroupé une minorité de la population métisse; mais la majorité, elle, ignorait ce qui se passait.

À Saint-Laurent, Riel annonça à Fourmond qu'un gouvernement provisoire était déjà établi. «Nous avons déjà cinq prisonniers. La vieille Rome est tombée. Il y a un nouveau pape en la personne de monseigneur Bourget. Vous serez le premier prêtre de la nouvelle religion et désormais vous m'obéirez.»

«Jamais», répliqua Fourmond.

Riel était dans un tel état d'exaltation qu'il mêlait menaces et prophéties.

«Si vous ne m'obéissez pas, vos églises résisteront peut-être mais elles seront vides[41].»

Habile, Fourmond suggéra de procéder au baptême de Jackson. La cérémonie mit fin aux discussions. Riel, en tant que témoin, signa le registre sous le nom de Louis David Riel.

Will Jackson prenait sa conversion au sérieux. Il en écrivit les raisons à sa mère et parut disposé à consacrer quelque temps à la prière et à la méditation. Il ne faisait pas partie du gouvernement provisoire. Riel non plus, d'ailleurs, puisqu'il était citoyen américain.

Le gouvernement était composé de Pierre Parenteau, président; Philippe Garnot, secrétaire; et Gabriel Dumont, adjudant général. Les conseillers étaient Maxime Lépine, Baptiste Boucher, Albert Monkman, Pierre Gariépy, Norbert Delorme, Moïse Ouellette, Baptiste Parenteau, David Tourond, Ambroise Jobin, Donald Ross, Damase Carrière et Baptiste Boyer.

Riel savait que son action ne faisait pas l'unanimité parmi les Métis. Les missionnaires mettaient les gens en garde contre la violence. Et Charles Nolin, qui avait officiellement invité Riel à revenir au Canada, cherchait maintenant à susciter une opposition au sein des Métis. Riel ne perdit pas de temps. Il fit arrêter Nolin, William Boyer et Louis Marion. Les deux derniers avaient refusé de se joindre au groupe armé de Riel.

Au procès, Nolin fut condamné à mort, mais Riel n'exigea pas qu'on l'exécute. Il était passablement certain que le clergé n'inciterait personne d'autre à risquer la mort seulement pour s'opposer à lui. S'il ne pouvait obtenir l'appui des missionnaires, il pouvait au moins les forcer à rester neutres. Nolin et Marion acceptèrent de se soumettre et d'appuyer le gouvernement provisoire. Boyer fut relâché.

Contrairement à ce qui s'était produit à Rivière-Rouge en 1869-1870, Riel ne pouvait enrôler les employés de la Compagnie de la Baie d'Hudson pendant la morte-saison. Même parmi ses partisans, plusieurs devaient affirmer par la suite qu'ils ne s'attendaient qu'à un déploiement de force et qu'ils n'avaient jamais cru qu'il y aurait mort d'hommes.

Le district électoral de Lorne ne ressemblait en rien à celui du fort Garry: aucune place forte ne dominait les routes de la colonie. Le fort Carlton, un poste de la Compagnie de la Baie d'Hudson, représentait la cible la plus proche et la plus avantageuse. Il ne constituait pas une forteresse imprenable, mais les provisions de son entrepôt étaient indispensables. Riel voulait s'en emparer sans avoir à livrer combat.

Il espérait qu'en mettant la main sur des biens et en faisant des prisonniers, il pourrait forcer John A. Macdonald à négocier et à faire des concessions. La menace de guerre serait peut-être aussi efficace que la guerre elle-même. Riel et les Métis discutèrent de la question en long et en large et décidèrent que malgré leur désir de s'emparer du fort Carlton sans effusion de sang, ils seraient justifiés de prendre les armes si on les forçait à se battre.

Crozier comptait sur Prince Albert pour renforcer sa garnison. Il y avait déjà eu des compagnies de miliciens volontaires à Prince Albert; elles étaient alors dirigées par le capitaine H.S. Moore qui habitait encore sur place. À la demande de Crozier, Moore recruta une compagnie qu'il conduisit au fort Carlton le 20 mars.

Au fort, Crozier, Moore et les autres examinèrent la situation. Crozier savait que le commissaire Irvine était en route avec des renforts. Alors s'il parlementait avec Riel, il gagnerait peut-être du temps; peut-être même éviterait-il les effusions de sang. Un commerçant de Prince Albert, Hillyard Mitchell et un Métis écossais, Thomas McKay furent choisis pour parlementer avec Riel.

Mitchell et McKay furent arrêtés à Batoche par les sentinelles métisses puis escortés chez Norbert Delorme où le gouvernement provisoire était réuni. Riel reçut les visiteurs assez cordialement et écouta Mitchell présenter McKay.

Lorsque ce dernier parla d'énervement et du danger de recourir aux armes, Riel, lui, parla de manifestation pour faire reconnaître les droits des Métis. Puis il s'emporta contre McKay, contre ce Métis qui ne faisait rien pour son peuple. Surexcité, il menaça McKay de l'arrêter et de lui faire subir un procès.

Puis, il changea alors de ton et s'excusa pour ses mauvaises manières. Il regrettait que McKay s'oppose à lui, mais il n'était pas trop tard pour changer de camp.

Pour ce qui était de se rendre au fort Carlton afin de discuter avec Crozier, Riel refusa, car il craignait d'être arrêté. Il lui enverrait plutôt des messagers. Nolin et Lépine furent chargés de lui porter un curieux message. Riel exigeait la reddition du fort avec ses provisions. En échange, Crozier et ses hommes seraient libérés sur place. En cas de refus, l'attaque débuterait «le lendemain du jour du Seigneur», soit le surlendemain.

Ce serait alors le début d'une guerre d'extermination contre «ceux qui se sont montrés hostiles au respect de nos droits». Et Riel disait à Crozier: «Puisse la cause de l'humanité vous être de quelque réconfort dans les revers que la mauvaise administration du gouvernement vous a fait subir.»

Il donna ensuite ses instructions à Nolin et Lépine:

Si le commandant Crozier accepte de se rendre, qu'il utilise la formule suivante, et aucune autre: «Parce que j'aime mon prochain comme moi-même, pour l'amour de Dieu, pour éviter un bain de sang et surtout la guerre d'extermination qui menace la région, j'accepte les conditions mentionnées ci-dessus.»

Si le commandant utilise cette formule et la signe, informez-le que nous le recevrons avec ses hommes lundi[42].

Ce jour-là, le 21 mars, une délégation de Métis anglophones vint rencontrer Riel. Thomas Scott, Hugh Ross et William Paquin étaient venus s'enquérir «des gestes que les colons pourraient poser» afin de rester neutres sans se mettre en péril.

Riel avait besoin de l'appui énergique des Métis anglophones. Il leur écrivit une lettre où il rappela les années de mépris qu'ils avaient subies de la part d'Ottawa et la réponse cynique du gouvernement à leur pétition; Ottawa usurpait les droits de tous sauf «des oppresseurs locaux, de la Compagnie de la Baie d'Hudson et des spéculateurs fonciers». Il leur demandait d'appuyer le droit «humain et courageux de se battre pour ce qui d'après nous est juste et équitable; ainsi, Dieu et les hommes seront avec nous et nous vaincrons[43]».

Le lendemain, il y eut deux réunions. On y exprima de la sympathie pour les Métis francophones et on souhaita «qu'ils obtiennent le respect de leurs droits légitimes par tous les moyens constitutionnels», mais on déplora la possibilité de recourir aux armes.

Riel écrivit de nouveau:

> Pour l'amour de Dieu, aidez-nous à sauver la Saskatchewan... Si nous sommes unis, notre unité forcera la police à sortir de Carlton tout comme la chaleur de la poule fait sortir le poussin de sa coquille. L'unité solide entre Métis francophones et anglophones constitue la seule garantie qu'il n'y aura pas d'effusion de sang.

Les Métis anglophones se réunirent à nouveau. On sympathisa encore avec Riel et avec les Métis francophones. Cette fois, Scott écrivit à Riel: «Tous et chacun sympathisent avec vous et nous avons pris des décisions qui, je crois, contribueront à empêcher un bain de sang et favoriseront une entente. Nous communiquerons avec vous d'ici 48 heures. Avisez-nous de toute nouvelle mesure que vous pourriez prendre[44].»

Le lendemain, 24 mars, Scott envoya une pétition au gouvernement, lui demandant de réparer ses torts; il y affirmait que le gouvernement aurait à choisir entre la signature d'un traité avec les Métis ou la guerre. 455 personnes avaient signé. Scott espérait que ce nombre important impressionnerait Dewdney et Macdonald. On verrait clairement que les Métis anglophones étaient du côté de Riel et de son peuple.

Mais c'était trop tard. Près du lac aux Canards, le 26 mars, les fusils parlèrent.

NOTES

1. *Epitome of Parliamentary Documents in Connection with the North-West Rebellion 1885*, A.P.C., p. 311.

2. *Ibid.*

3. *Ibid.*

4. *Ibid.*

5. *Ibid.,* p. 323.

6. *Ibid.*

7. Collection Jackson, bibliothèque de l'université de la Saskatchewan.

8. *The Prince Albert Times,* 13 juin 1883, A.P.S.

9. Débats de la Chambre des communes, 1885, IV, 3083, Blake, 6 juillet.

10. D.P.C., 1886, XII, n° 43H.

11. Grandin, Monseigneur Vital, 10 juin 1884, Archives des Oblats de Marie Immaculée, Edmonton.

12. Collection Macdonald, vol. 105, André à Dewdney, 7 juillet 1884, A.P.C.

13. *Ibid.*

14. Collection Macdonald, vol. 105, André à Dewdney, 21 juillet 1884.

15. Collection Riel, ministère de la Justice, 18 juillet 1884.

16. *Ibid.*

17. Santley, *Louis Riel,* pp. 286-288.

18. Pope, *Correspondence of Sir John A. Macdonald,* p. 314.

19. *Ibid.,* pp. 317-319.

20. *The Prince Albert Times,* 13 juin 1883, A.P.S.

21. Débats de la Chambre des communes, 1885, IV, 308, Blake, 6 juillet.

22. D.P.C., 1886, XII, n° 43H.

23. Collection Macdonald, vol. 105.

24. Collection Macdonald, vol. 107, Rouleau à Dewdney, 5 septembre 1884.

25. *Ibid.*

26. Pope, *Correspondence of Sir John A. Macdonald,* p. 127.

27. Collection Macdonald, vol. 197, Langevin à Macdonald, 6 novembre 1884.

28. Collection Macdonald, vol. 107.

29. Pope, *Correspondence of Sir John A. Macdonald,* p. 325.

30. Collection Macdonald, vol. 250, MacDowall à Dewdney, 24 décembre 1884.

31. Collection Macdonald, vol. 107, André à Dewdney, 21 janvier 1885.

32. Collection Macdonald, vol. 107, Gagnon à Dewdney, 26 janvier 1885.

33. Collection Macdonald, vol. 107, MacDowall à Dewdney.

34. Collection Macdonald, vol. 105, Macpherson à Dewdney, 4 février 1885.

35. Grandin à Taché, 8 septembre 1884, Archives épiscopales de Saint-Boniface.

36. *La Reine vs Riel*, Nolin, 126.

37. Collection Riel II, Isbister à Riel, 4 septembre 1884, A.P.C.

38. *La Petite Chronique de Saint-Laurent*, 1885, A.P.C.

39. *La Reine vs Riel*, Willoughby, p. 35-38.

40. André à Grandin, 21 mars 1885, Archives des Oblats de Marie Immaculée, Edmonton.

41. *La Petite Chronique de Saint-Laurent*, 1885.

42. *La Reine vs Riel*, Riel à Crozier, Document n o 5, 21 mars 1885.

43. Stanley, *The Birth of Western Canada*, p. 318.

44. *La Reine vs Scott*, 23 mars 1885.

VIII

Le deuxième soulèvement métis

La fusillade du lac aux Canards

Jusqu'à la fusillade du lac aux Canards, presque tous les messages envoyés à Ottawa par le lieutenant-gouverneur Dewdney et par les officiers de la NWMP demandaient le règlement des griefs des Métis. Ce n'est que peu avant le début des hostilités que Dewdney demanda des renforts et même alors, il les voulait seulement si les Métis n'obtenaient pas satisfaction.

Le commandant Crozier, responsable du district comprenant Prince Albert, le lac aux Canards, Battleford et la région environnante, rapporta fidèlement les événements. Son supérieur, le commissaire Irvine, envoya des avertissements répétés à Ottawa: si les Métis ne se calmaient pas bientôt, des renforts policiers seraient nécessaires pour éviter un désastre.

«Certains des sang-mêlé, écrivit-il au commissaire aux Affaires indiennes en janvier 1885, affirment que les Indiens, même les Sioux, sont tout à fait d'accord avec Riel, et qu'ils agiront quand et comme il leur plaira.» Il écrivit à Dewdney: «Dernièrement, Riel s'est attribué le rôle de réformateur religieux. Il a même influencé des gens notoirement respectueux des enseignements du clergé et de l'Église, ce qui prouve que son ascendant pourrait devenir dangereux[1].»

Un mois plus tard, il écrivit encore: «J'ai l'honneur de demander que la question métisse soit réglée sans délai. Puisqu'on a l'intention d'arpenter les terres comme le veulent les sang-mêlé, ne pourrait-on pas envoyer un arpenteur dès maintenant?» Et un peu plus tard: «Mécontentement profond. Je ne prévois pas de danger immédiat mais je presse le gouvernement de faire connaître ses intentions dans les plus brefs délais. J'insiste pour qu'on agisse tout de suite et qu'on règle si possible le problème[2].» Le 15 mars 1885, il annonce que «les sang-mêlé sont très agités[3]...». Deux jours plus tard, il demande des renforts en prévision d'un soulèvement imminent.

Le 22 mars, Riel écrit aux Métis et aux Cris de Faiseur d'Enclos dans la région de Battleford pour leur demander leur aide. Les Métis avaient fait leurs premiers prisonniers dont l'un, W.G. Burbidge, parce qu'il avait affiché près de lac aux Canards une proclamation de Crozier; ce dernier y offrait sa protection aux Métis «forcés d'appuyer Riel», s'ils se rendaient à la police. Burbidge devait plus tard témoigner au procès de Riel.

Le 22 mars, sir John A. Macdonald reçut une missive l'avisant que les Métis dirigés par Louis Riel avaient saisi des sacs de courrier dans un bureau de poste près du lac aux Canards, et que les lignes télégraphiques étaient coupées entre Prince Albert et Clarke's Crossing, au nord du lac aux Canards.

Le 23 mars, le général Middleton, officier de l'armée britannique, fut reçu par A. Caron, ministre de la Milice. Il partit le soir même pour Winnipeg où il arriva le 27.

Toujours le 23 mars, le lieutenant-gouverneur Dewdney avait mobilisé le 90e Régiment de Winnipeg et le Régiment d'artillerie de campagne de Winnipeg. Au même moment, plus au nord, Crozier retirait du matériel militaire du fort Carlton. Le 26 mars à Winnipeg, 200 hommes prirent le train pour Qu'Appelle au sud-est du lac aux Canards.

L'escarmouche qui allait se produire au lac aux Canards n'avait été prévue ni par Crozier ni par Dumont. Crozier y avait envoyé un petit détachement, commandé par le sergent Stewart, tout juste pour acheter des provisions au magasin de Stobart et Eden.

Stewart jugea sans doute que s'il parvenait à passer et à s'emparer des provisions, sa petite troupe serait plus vulnérable au retour. Il décida donc de retourner au fort Carlton.

Bien que le fort fut à plus de vingt kilomètres, Crozier apprit ce qui se passait grâce à un messager envoyé par Stewart ou peut-être grâce à un de ses propres éclaireurs. Lorsque Stewart et son groupe rentrèrent au fort Carlton, Crozier était déjà prêt à partir. On a prétendu plus tard que Crozier avait été poussé à agir par les volontaires de Prince Albert et que Lawrence Clarke l'avait traité de lâche parce qu'il n'était pas immédiatement parti affronter Dumont et les Métis. Il est plus probable que Crozier jugea qu'il ne pouvait permettre que l'on résiste à un détachement de la NWMP et qu'il s'attendait à ce que les Métis se dispersent à l'arrivée de sa troupe.

La veille, sur les ordres du Conseil métis, Dumont et ses hommes avaient déjà vidé le magasin en question, ne voulant sans doute laisser aucune marchandise à Crozier. Lorsque Dumont et ses hommes rencontrèrent le groupe de policiers dirigés par le sergent Stewart et Thomas McKay, il y eut une bousculade et un échange d'insultes mais aucun coup de feu. Chaque groupe repartit de son côté.

❑

Au Parlement, pendant que Laurier et les libéraux malmenaient le projet de loi de Macdonald sur le droit de vote, ce dernier s'inquiétait pour les finances du Canadien Pacifique. La compagnie était en faillite. Pourrait-on amener le pays à prêter encore 60 000 000 $ au Canadien Pacifique, après tous les prêts et les dons qui avaient déjà été accordés en argent et en terres?

Son ami George Stephen lui avait écrit: «D'ici là vous aurez appris par d'autre source qu'en plus de trouver 650 000 $ pour payer les dividendes, nous avons dû (Smith et moi) signer un billet de un million de dollars pour cinq mois afin de procurer à la compagnie un fonds de roulement qui lui permettra de poursuivre ses activités encore quelques semaines[4].»

Ceux à qui sir John Macdonald devait de l'argent exigeaient maintenant d'être remboursés. Sa santé était chancelante et ses périodes de beuveries perturbaient sa vie de famille. Son rêve d'un chemin de fer traversant le Canada d'un bout à l'autre s'écroulait peu à peu.

En 1884, Macdonald avait pu contraindre le Parlement à prêter 20 000 000 $ au Canadien Pacifique. Mais ce n'était plus assez! Il en fallait plus. Le peuple et le Parlement canadien, eux, en avaient assez de ce fiasco qu'était le Canadien Pacifique, ils en avaient assez des pots-de-vin, de la corruption, des cadeaux et des prêts. Peu à peu, les principaux investisseurs privés avaient dû s'endetter personnellement pour poursuivre la construction de la voie ferrée. Et le crédit et les fortunes colossales de ces hommes avaient finalement été englouties.

Le 26 mars 1885 fut un jour décisif. George Stephen, qui était un important marchand de Montréal et le principal bailleur de fonds du Canadien Pacifique, écrivit à Macdonald:

> Notre conversation de ce matin m'a convaincu que le gouvernement ne pourra pas trouver le moyen d'augmenter l'aide (financière*) dont le Canadien Pacifique a besoin... Inutile de répéter combien je suis déçu que tous nos efforts pour doter le Canada d'une voie ferrée jusqu'au Pacifique en arrivent à ce résultat. Mais j'ai au moins la conviction d'avoir fait tout ce qui était possible[5].

À moins d'un nouveau prêt du gouvernement, c'en était fait du Canadien Pacifique. Les pièces d'équipement, les locomotives et les wagons, l'acier et les terrains, tout devrait être immédiatement vendu aux enchères pour payer les salaires des ouvriers et régler les dettes.

C'était la fin et Macdonald le savait. Tous ces millions de dollars en fonds publics seraient perdus. D'énormes dettes resteraient impayées. Des milliers d'ouvriers se retrouveraient en chômage. Les rails rouillés et les traverses de bois pourries deviendraient une ruine que tous les Canadiens pourraient contempler. Et ce serait la fin de la carrière politique de sir John A. Macdonald. La promesse faite à la Colombie-Britannique serait rompue et la moitié d'un continent serait perdue.

Seul un événement majeur, d'une ampleur colossale, pouvait le sortir de là. Mais lequel? Au même moment, peut-être à la même minute, Crozier ordonna d'abattre le Métis Isidore Dumont et le Cri Assywin. La bataille du lac aux Canards ne dura que trente minutes. La nouvelle de la fusillade crépita le long des lignes télégraphiques jusqu'à Macdonald, qui était assis dans son bureau, au bord du désespoir.

Combien de temps fallut-il à ce cerveau abruti par l'alcool mais toujours roublard pour comprendre que s'il présentait aux

---

* N.D.A.

Canadiens cette escarmouche relativement mineure comme une grave insurrection impliquant des Indiens, le Parlement apeuré avancerait les fonds nécessaires pour parachever la voie ferrée, et ainsi assurer le transport des troupes et du matériel vers le Nord-Ouest?

Quelques mois plus tard, Macdonald admit avoir réalisé cette manœuvre quasi incroyable. Le 31 août 1885, le gouverneur général Landsdowne affirma dans une lettre confidentielle à Macdonald: «Vous considérez le récent soulèvement dans le Nord-Ouest tout au plus comme une 'crise locale' qui ne devrait pas être présentée comme une insurrection... Mais je crains que nous ayons tous fait l'impossible pour l'élever au rang d'insurrection et avec un tel succès que nous ne pouvons plus la réduire à une simple émeute.» Ce à quoi sir John A. Macdonald répondit:

> Je crains que vous n'ayez raison en ce qui concerne le caractère du soulèvement. Nous en avons certes exagéré les dimensions à l'intention du public. Nous l'avons fait, cependant, à nos propres fins et, je crois, plutôt habilement. C'était un soulèvement limité tant par le nombre de participants que par la région touchée. Il n'a jamais mis en danger la sûreté de l'État ni entraîné de complications internationales [6].

Le Premier ministre passa donc à l'action et fit appel à l'armée. Les renforts canadiens emprunteraient la voie inachevée du Canadien Pacifique pour aller éteindre la flamme vacillante de la rébellion qui venait de s'allumer au lac aux Canards.

Soudain les fonds étaient disponibles. L'ingénieux William Van Horne sauta sur cette occasion pour obtenir l'argent qui lui permettrait de payer ses employés et la voie ferrée fut terminée.

Sans même se demander combien d'hommes Riel pouvait rassembler, Macdonald et son cabinet déclenchèrent une opération de recrutement à travers tout le pays. La NWMP possédait les meilleurs fusils et les meilleurs chevaux, des munitions et des canons en quantité et un matériel généralement supérieur à celui des insurgés. Le nombre des policiers dans le Nord-Ouest égalait déjà, s'il ne le dépassait pas, celui des forces de Riel.

❑

L'escarmouche entre les Métis de Dumont et les forces de Crozier fut le produit de circonstances malheureuses. C'est l'arrogance insouciante du commandant Crozier qui provoqua la tuerie. Les détails, rapportés par les deux camps, sont bien connus.

Les hommes de Dumont et de Crozier se rencontrèrent le 26 mars à quelques kilomètres du lac aux Canards. En s'apercevant, ils s'arrêtèrent pour se mettre à l'abri. Peu après, Isidore Dumont, sa carabine posée en travers de la selle, et un Cri, Assywin, sans arme et portant un drapeau blanc, s'avancèrent lentement sur la route. Ils voulaient manifestement parlementer avec Crozier qui s'avança en compagnie de «Gentleman» Joe McKay.

Dumont n'eut que le temps de demander: «Est-ce la guerre?» McKay tenait sa carabine pointés vers Assywin qui fit un geste pour écarter le canon. En le voyant s'emparer du canon de la carabine, Crozier cria à «Gentleman» Joe: «Abats-le.» McKay sortit rapidement son revolver de sa ceinture et tua Assywin. Puis, il logea une balle dans la tête de Dumont.

Les deux envoyés de paix avaient rendu l'âme; Crozier et McKay regagnaient déjà leurs lignes au galop. Ce furent les premiers coups de feu de la rébellion métisse de 1885.

Au musée de la Gendarmerie royale du Canada, au dos d'une photographie de McKay, on peut lire ce qui suit: «C'est Joe McKay qui tira le premier coup de feu à la bataille du lac aux Canards.»

Fred Anderson, qui habitait au lac aux Canards depuis longtemps et qui connaissait McKay, fit cette déclaration:

Il y a toujours eu un désaccord sur l'auteur du premier coup de feu. Je connaissais Joe McKay. Il m'a raconté que les deux camps parlementaient quand un Indien s'empara du fusil de Joe. Selon lui, sa seule intention pendant la bousculade était de pointer le canon dans sa direction. Lorsque le coup partit, l'Indien fut tué, ce qui amorça les hostilités. La bataille ne dura que 30 minutes mais ce fut suffisant pour que douze policiers et volontaires et quatre Métis soient tués.

Selon une entrevue accordée par McKay au *Daily Herald* ou au *Prince Albert Daily Herald* et publiée 50 ans plus tard, le coup qui tua Assywin ne vint pas de la carabine. McKay déclara au journaliste qu'il avait tiré son pistolet de sa ceinture et abattu Assywin avant de tuer Dumont d'une deuxième balle. McKay savait qu'après le meurtre, Isidore Dumont réagirait rapidement.

Gabriel Dumont s'était empressé de placer ses hommes derrière les saules. Il ne vit pas son frère et Assywin s'avancer vers Crozier et McKay. Plus tard, il déclara qu'il croyait que McKay avait tué Isidore après avoir arraché la carabine des mains d'Assywin et que ce dernier avait été tué aussitôt par les volontaires de Prince Albert[7].

Aussitôt la fusillade commencée, on a tiré tant qu'on a pu. J'ai déchargé les douze coups de ma carabine Winchester et elle était déjà rechargée, quand les Anglais, effrayés du nombre de leurs morts commencèrent à reculer. Il était temps pour eux, parce que leur canon, qui jusque-là avait empêché mes hommes de descendre du coteau, était hors d'usage à cause qu'en le chargeant, le canonnier avait mis le plomb avant la poudre... Mes hommes à pied commencèrent alors à les cerner.

(...) Pour fuir, ils devaient traverser une clairière, je m'embusquai alors en disant à mes hommes: courage, je vais faire sauter les capots rouges dans leurs voitures... à coups de cartouches. Et je riais, non pas que j'eusse plaisir à tuer, mais je le faisais pour donner du courage à mes gens.

Comme je m'ambitionnais à culbuter les capots rouges, je ne pensais pas à m'effacer, et une balle est venue me sillonner le crâne sur lequel se voit encore une cicatrice profonde; je suis tombé assis, et mon cheval, blessé aussi, a passé sur moi pour se sauver. Nous étions alors à 60 verges de l'ennemi. J'ai voulu me relever, mais le choc avait été si violent que je n'ai pas pu. Quand Joseph Delorme me vit retomber, il cria que j'étais tué. Je lui ai dit: courage, quand la tête n'est pas perdue on ne meurt pas. J'ai alors recommandé à Baptiste Vandal de prendre mes cartouches et ma carabine qui était fameuse et qui portait à 800 verges*.

À Batoche, on entendit le bruit de la fusillade et Riel accourut au lac aux Canards à la tête de 70 hommes.

«Pendant que nous nous battions, Riel était à cheval, exposé aux balles, et pour toute arme, il n'avait qu'un crucifix à la main.»

Lorsque son cousin Auguste Laframboise fut touché, Dumont tenta de ramper jusqu'à lui pour lui réciter une prière, mais Laframboise tomba sur le côté en murmurant: «Cousin, je vous la devrai.»

Riel voulut faire avancer les hommes à pied. Mais la troupe de Crozier était en fuite. Édouard Dumont, un autre frère de Gabriel qui avait pris le commandement à sa place, décida de lancer ses hommes à leur poursuite.

Mais Riel s'y opposa: «Pour l'amour de Dieu, n'en tuez plus.» Déjà trop de sang avait été versé. Le récit de Dumont fait ressortir plusieurs autres faits secondaires. Lawrence Clarke, dans sa fuite, avait «oublié son capot en chat sauvage». Crozier laissa derrière lui quatre ou cinq charrettes, huit chevaux en bon état et quelques morts.

Les Métis perdirent Jean-Baptiste Montour, Joseph Montour, Auguste Laframboise, Isidore Dumont et le cri Assywin qu'on appelait aussi, semble-t-il, du nom de son parrain, Joseph Trottier.

Le commissaire Irvine arriva au fort Carlton peu après le retour de la troupe de Crozier. Il constata que le vieux poste de la Compagnie de la Baie d'Hudson était très difficile à défendre. Il évacua donc le fort qui fut détruit par un incendie déclenché accidentellement dans l'écurie.

Dumont voulut harceler la colonne de Crozier qui fuyait vers Prince Albert. «Je voulais me mettre, avec quelques-uns des miens, en embuscade, dans une grande sapinière où devaient passer les hommes de la police. On aurait pu y faire un grand massacre, mais Riel, qui nous modérait tout le temps, s'est formellement opposé à mon projet.»

C'est seulement trois jours plus tard, selon Dumont, que leur prisonnier Thomas Sanderson put quitter Batoche, porteur

---

* Extrait du récit de Gabriel Dumont *in* Adolphe Ouimet, *La question métisse*, s.d., s.é., pp. 123-124. Il en sera de même pour les autres propos de Dumont. (N.D.T.)

d'une lettre adressée au commandant Crozier et d'un sauf-conduit permettant de venir ramasser les corps des volontaires morts au lac aux Canards. Sanderson, que la police prit pour un espion, fut mis en prison mais les Métis anglophones de Prince Albert insistèrent pour qu'on leur montre la lettre. Ils furent surpris de lire qu'on leur permettait de ramasser leurs morts et que les Métis leur offraient même de les aider à les transporter. Ce qui illustre bien l'absence d'animosité et l'attitude conciliante de Louis Riel et de son groupe.

Les volontaires de Prince Albert étaient mécontents d'abandonner leurs morts et Crozier céda à leurs demandes. Sanderson fut relâché et William Drain et Thomas Jackson partirent ramasser les corps au lac aux Canards. Thomas Jackson était impatient d'aller au lac aux Canards: selon la rumeur, son frère Will montrait des signes de dépression nerveuse.

Thomas Jackson ne put convaincre Riel de permettre à Will de retourner à Prince Albert. Riel persuada plutôt Jackson d'y convoquer une réunion pour discuter d'une lettre où il demandait à Crozier de permettre qu'un médecin de Prince Albert vienne soigner un de ses blessés. Dans sa lettre, Riel rendait Crozier responsable de l'affrontement et cherchait à le convaincre de se rendre.

> Une catastrophe s'est abattue sur la région hier. Vous en êtes responsable devant Dieu et devant les hommes. Vos hommes ne peuvent prétendre que leurs intentions étaient pacifiques puisqu'ils avaient des canons. Et ce sont eux qui ont tiré en premier. Dieu a daigné nous accorder la victoire; et comme notre mouvement vise à sauver des vies, notre victoire est une bonne chose; et nous l'offrons au Tout-Puissant[8]...

Les Métis avaient remporté la première bataille. La deuxième lettre remise à Thomas Jackson demandait à la population de Prince Albert de continuer à les aider.

> Si les policiers étaient isolés de la population de Prince Albert, ils se rendraient sans difficulté. Je crois que nous les garderions en otages jusqu'à la conclusion d'un traité équitable avec le dominion.

> Joignez-vous à nous sans endosser notre recours aux armes,

si vous n'êtes pas prêts à le faire, mais envoyez vos délégués rencontrer les nôtres. Nous discuterons des conditions
de notre entrée dans la Confédération en tant que province... Les immigrants autant que les autochtones sont
manifestement opposés à la Compagnie de la Baie d'Hudson... Si vous laissez la Compagnie et la Police montée
mener leur combat seules, vous verrez que nous pourrons
éliminer leur influence en Saskatchewan. Unissons-nous
sur la base des intérêts qui sont communs aux Métis anglophones et francophones et aux immigrants et nous pourrons célébrer notre paix et notre réussite... Si nous ne
pouvons nous unir, la lutte prendra de l'ampleur. Les
Indiens viendront de tous les côtés et plusieurs de nos frères
franchiront la frontière au printemps...

La nouvelle de la victoire du lac aux Canards encouragea
et les Métis et les Indiens. Riel écrivit aux Métis de Qu'Appelle:
«Soyez courageux: faites ce que vous pouvez. Si ce n'est déjà fait,
emparez-vous des magasins, des provisions et des munitions.»
Aux Métis et aux Indiens de Battleford, il lança un appel à l'action: «Soulevez-vous; affrontez l'ennemi, et si vous le pouvez,
emparez-vous de Battleford – détruisez-la – sauvez les marchandises et les provisions et venez à nous.» Aux Métis plus à l'ouest,
il dit: «Soyez prêts à tout. Prenez les Indiens avec vous. Rassem-
blez-les de partout. Prenez toutes les munitions que vous pouvez, peu importe dans quel magasin. Grondez, tonnez, menacez.
Soulevez les Indiens. Désarmez les policiers du fort Pitt et de
Battleford[9].»
Riel savait maintenant que les Métis anglophones et les
Blancs ne se rallieraient pas à l'insurrection. Il se devait donc de
chercher de l'appui partout où il pouvait en trouver.

L'inégalité des forces en présence

Quand les journaux de l'Est du Canada annoncèrent la défaite de la Police montée au lac aux Canards, l'émoi fut énorme.
Les gens, qui ignoraient tout des Prairies ou des Indiens, imagi-
naient une variante canadienne des atrocités sanguinaires qui
avaient ponctué les guerres indiennes aux États-Unis.

Pour le fils d'agriculteur du comté de Colchester en Nouvelle-Écosse, ou pour l'écolier du comté d'Hastings en Ontario, l'Indien était un héros. C'était un athlète superbement musclé, portant une magnifique coiffure de guerre ornée de plumes d'aigle, armé d'une carabine Winchester de calibre 45 à 12 coups et monté sur un mustang plus fougueux que tous les pur-sang qu'ils avaient pu voir aux foires du comté. Lancé au galop, sans selle et par terrain accidenté, il pouvait abattre une oie sauvage à tout coup.

Mais pour le Canadien de l'Est, le terme «sang-mêlé» n'évoquait rien de bon, et encore moins le terme «Métis». Ce mélange de races évoquait pour lui toute la sauvagerie indienne dont on lui avait rebattu les oreilles, mêlée à la ruse et aux pires cruautés dont les Blancs pouvaient être capables.

Personne n'avait pris la peine d'expliquer aux Canadiens de l'Est que la grande Compagnie de la Baie d'Hudson s'était édifiée grâce au travail acharné des Métis et des autochtones; qu'ils formaient un peuple pacifique qui avait son propre système de gouvernement; et que leurs requêtes et pétitions étaient restées lettre morte.

Le général Frederick Dobson Middleton, un officier d'infanterie britannique qui avait servi en Inde, en Afrique et en Nouvelle-Zélande, était diplômé de l'école militaire supérieure de Sandhurst qu'il avait en outre dirigée. Il avait déjà commandé la milice canadienne pendant quelques mois. Trapu, corpulent, rougeaud, âgé de 59 ans, Middleton arriva d'Angleterre pour un second séjour au Canada en juillet 1884.

Il n'en connaissait pas plus sur les Territoires du Nord-Ouest que la plupart des Canadiens de l'Est. Comme il l'écrivit à lord Melgund, secrétaire militaire du gouverneur général, il était «porté à croire que la situation était grave, sinon sir John n'aurait pas accepté de m'envoyer là-bas».

Middleton demanda qu'on achète aux États-Unis quelques nouvelles mitrailleuses Gatling. En passant à Toronto, il prit le temps d'aviser le lieutenant-colonel William D. Otter qu'on ferait appel à lui et à son école d'infanterie si la situation l'exigeait.

À Ottawa, Caron s'activait à mobiliser les corps de milice partout au Canada; il le faisait en songeant à ses propres intérêts et à ceux du Parti conservateur. À Toronto, le Régiment de la reine fut mobilisé; le 65e Régiment de carabiniers de Montréal et les Voltigeurs de Québec suivirent. Peu après, ce fut au tour de la Garde à cheval du gouverneur général et des troupes de la cavalerie permanente de Québec.

On appela aussi le corps de l'École de cavalerie, la cavalerie de Winnipeg, le Régiment d'artillerie de la garnison de Montréal, la batterie de campagne de Winnipeg, les batteries A et B.

Par la suite, on constitua aussi des unités spéciales: le Service de renseignement des arpenteurs des terres du dominion, le bataillon provisoire d'Halifax, le bataillon Midland, le bataillon mixte du Nouveau-Brunswick et le bataillon York and Simcoe. Dans l'Ouest, il y eut le régiment de Battleford, les éclaireurs de Boulton, les éclaireurs de French, les gendarmes à cheval des Montagnes Rocheuses, les éclaireurs de Steele, le bataillon d'infanterie de Winnipeg, l'infanterie légère de Winnipeg et le corps de milice de Yorkton.

Otter persuada les Torontoises de trouver les vêtements chauds et autres articles dont ses hommes avaient besoin, car l'armée ne pouvait équiper une troupe aussi nombreuse.

Caron dut se mettre en quête de personnel et de ravitaillement. Il y avait près de 6 000 hommes à équiper en armes, munitions, nourriture et autres articles. Il nomma le lieutenant-colonel William Hayes Jackson responsable de l'administration avec instruction de se rendre en vitesse à Winnipeg en passant par les États-Unis. Caron convainquit en outre le service télégraphique du gouvernement et la Great North-Western Telegraph Company de lui fournir des télégraphistes spécialement assignés.

Le chemin de fer n'était pas terminé. Entre Ottawa et Nipigon, il y avait au moins quatre grands tronçons inachevés; les troupes devaient franchir les intervalles en traîneaux, à travers la brousse et les tourbières. Puis, à la section suivante hommes, chevaux et traîneaux étaient embarqués de nouveau à bord des wagons plats et ouverts. Les premiers soldats arrivèrent à Winnipeg le 4 avril. On venait de faire l'éclatante démonstration des possibilités et de la nécessité du chemin de fer. Pas étonnant que William Van Horne ait fait remarquer avec bonne humeur que le Canadien Pacifique devrait ériger un monument à Riel!

L'idée d'expédier hommes et chevaux dans des wagons ouverts consternait même William Van Horne, mais Caron insista pour qu'ils utilisent ce qui était devenu la route canadienne. Le 22 avril, 3 000 soldats étaient arrivés à Winnipeg. Ceux qui firent

le voyage plus tard, en juillet et août, firent tout le trajet en train, car la voie ferrée était terminée.

D'après ce que Hugh Macdonald écrivit John A., son père, le commandant du district militaire de Winnipeg n'avait «guère de cervelle, encore moins de jugement». Jackson devait s'occuper de trouver sur place des recrues, des chevaux, des vêtements et de l'équipement. Sagement, Middleton laissa les hommes de Winnipeg se débrouiller avec leurs problèmes.

C'est probablement à Qu'Appelle que le général Middleton reçut la lettre de John A. Macdonald, datée du 29 mars 1885:

> Bien que je sois tout à fait inexpérimenté en matière militaire, écrivait le Premier ministre, cela ne pourra pas nuire de vous communiquer quelques-unes de mes idées sur la situation actuelle.
>
> La première chose à faire est de circonscrire l'insurrection. La voie ferrée doit, bien sûr, être surveillée mais, en plus, il faudrait envoyer des groupes surveiller les hommes et les provisions qui arrivent par train à Emerson. Les pistes qui traversent la frontière devraient aussi être surveillées de près. Il faudrait stationner des troupes à Battleford et, si possible, y contrôler les communications avec la voie ferrée; l'objectif, c'est d'empêcher la rébellion de se répandre à l'ouest.
>
> Je suppose que vous avez autorisé le colonel Osborne Smith à lever un bataillon à Winnipeg. J'imagine qu'on pourrait faire appel à 1 000 ou 2 000 hommes de l'endroit et des environs, si nécessaire.
>
> Là où des forces de la Police montée sont stationnées mais où il n'y a pas d'organisation militaire, comme à Régina, Maple Creek et Edmonton, les officiers de police (qui sont aussi magistrats) ont été autorisés à assermenter les citoyens prêts à servir comme agents de police. Cela leur donnera le droit d'intervenir aux côtés de la police en plus de leur assurer un certain entraînement.
>
> Il me vient à l'esprit qu'avec la fin de l'hiver, les routes seront impraticables pour l'infanterie et que les services d'une cavalerie seront presque, sinon tout à fait, indispensables. Lord Melgund sera disponible pour ce faire à Winnipeg.
>
> Le capitaine John Stewart, un jeune homme fougueux et

ancien commandant de la cavalerie de milice à Ottawa, possède maintenant un ranch au sud de Calgary. Il se trouve ici en ce moment et il s'apprête à partir pour l'Ouest où il recrutera des hommes originaires des Prairies – des gardiens de troupeaux et d'autres excellents cavaliers et tireurs. Ils fourniront leurs chevaux et leur équipement, tout sauf les carabines.

Je suppose que le général Strange pourra vous envoyer au moins quelques cavaliers là où vous le jugerez nécessaire le long de la voie ferrée.

Caron, je crois, vous a déjà dit tout cela. Je lui ai demandé de vous télégraphier pour savoir si vous vouliez une cavalerie du Québec ou de l'Ontario, mais je n'ai pu le rencontrer pour m'enquérir de votre choix. Si vous pouviez avoir assez d'hommes des Prairies, ils seraient, bien sûr, beaucoup plus utiles que les citadins qui forment notre cavalerie.

On m'a dit qu'il y avait dans les Cantons-de-l'Est une bonne cavalerie composée de fils d'agriculteurs. Selon M. Ives, député d'un de ces comtés, ils ne demandent pas mieux que de se porter volontaires. Ne prenez pas la peine de me répondre mais communiquez avec Caron à ce sujet.

Le colonel Irwin vous serait-il utile en ce moment? J'apprends que des régiments d'artillerie se portent volontaires partout au Canada. Certains pourraient vous être utiles, mais je crains que les canons de neuf livres ne soient trop lourds pour les Prairies[10].

Middleton arriva à Winnipeg par train le 27 mars et partit le jour même pour Qu'Appelle avec ce qui restait du 90e Bataillon. Il projetait d'attaquer Batoche, la capitale métisse, à partir de Qu'Appelle. Il décida que la voie ferrée, qui longeait la frontière très au sud de la zone des combats, servirait de base d'opération et de voie d'approvisionnement. Trois colonnes attaqueraient vers le nord à partir de la voie du Canadien Pacifique. La première colonne, commandée par Middleton lui-même, aurait son quartier général à Qu'Appelle et attaquerait Batoche en venant de l'est.

La deuxième colonne, commandée par le lieutenant-colonel Otter et basée à Swift Current, à l'ouest de Qu'Appelle, attaquerait Batoche directement par le sud. La troisième colonne, commandée par le général Strange et basée à Calgary, attaquerait aussi par le sud, si nécessaire.

Les trois colonnes protégeraient la route et les régions environnantes des attaques indiennes et, au besoin, attaqueraient Batoche de trois côtés. Le poste de commandement de Swift Current fut laissé sous les ordres du général Laurie pendant que de petits détachements étaient postés le long du chemin de fer pour le protéger. Des hommes en plus grand nombre étaient stationnés à Clarke's Crossing, Humboldt, Medicine Hat, Gleichen, Cypress Hills, Old Woman Lake, au fort Qu'Appelle et à Sand Hills.

Des unités locales furent mises sur pied à Régina, Battleford, Prince Albert, Calgary, Brandon, Emerson, Yorton et Birtle.

Lorsque Middleton arriva à Clarke's Crossing, sur la rivière Saskatchewan-Sud, il décida de diviser sa colonne en deux groupes avançant de chaque côté de la rivière. Le 24 avril, les deux groupes se rejoignirent à l'anse aux Poissons, qui se jetait dans la rivière Saskatchewan-Sud en venant de l'est.

La deuxième colonne quitta Swift Current le 11 avril, franchit les 325 kilomètres en direction nord jusqu'à Battleford, où elle arriva le 25 avril 1885. La troisième colonne quitta Calgary le 20 avril, parcourut les 310 kilomètres jusqu'à Edmonton, où elle arriva le 5 mai.

Middleton avait 5 456 hommes sous ses ordres, y compris les sous-officiers. L'équipement comprenait 586 chevaux, 8 canons de neuf livres, 2 mitrailleuses Gatling, 6 000 carabines Snider-Enfield de calibre 50 et 1 000 carabines à répétition Winchester. Il y avait 70 000 cartouches pour les Gatling, 1 500 000 autres pour les Snider-Enfield, et 2 000 obus pour les canons de neuf livres. Il y avait aussi des vivres, du fourrage, des vêtements, deux hôpitaux de campagne et de l'équipement médical. À eux seuls, les officiers de Middleton étaient plus nombreux que les combattants métis.

Comme dans toute guerre, il y eut du gaspillage, des profits excessifs et de l'incompétence. Selon le général Laurie, le coût total aurait atteint 4 451 584,38 $.

Macdonald pouvait agir très rapidement et au moment précis où il le décidait. Tout bien considéré, la mobilisation et le déploiement des troupes furent menés rondement. Ce qui contraste vivement avec les atermoiements et la négligence qu'il avait mis à répondre aux plaintes et aux pétitions des Métis.

Caron avait invité le docteur Darby Bergin à organiser les services médicaux de l'armée qui n'en était pas pourvue à l'époque.

Avec l'aide du docteur Thomas Roddick, de Montréal, et du docteur Michael Sullivan, de Kingston, il planifia le matériel nécessaire. Mais une grande partie du matériel n'était pas disponible et dut être fabriqué à la hâte d'après leurs spécifications.

Mercredi, le 8 avril, l'équipement complet du premier hôpital de campagne fut placé à bord d'un train en partance pour l'Ouest. Partout au Canada, des étudiants en médecine se portaient volontaires comme assistants ou secouristes.

Ce premier hôpital fut basé à Swift Current. Plus tard, il fut déplacé à Moose Jaw avec les hôpitaux de campagne de Winnipeg, de Qu'Appelle et de Saskatoon, sous la direction de sœur Hannah Grier Coome, de l'ordre anglican des Sœurs de Saint-Jean.

Le docteur Roddick fut nommé médecin-chef à Qu'Appelle et le docteur Sullivan occupa le même poste à Winnipeg.

Un autre hôpital de campagne fut installé à Saskatoon dans une école et dans trois maisons de colons inachevées. L'infirmière Millar, diplômée de l'hôpital général de Winnipeg, y arriva le 12 mai et commença à organiser les soins aux blessés. Les infirmières Phoebe Parsons, Elkin, Hamilton et une aide la rejoignirent. Elles voyagèrent en train militaire de Winnipeg à Troy (Qu'Appelle) puis en charrettes jusqu'à Saskatoon. Elles portaient des uniformes imprimés et des brassards à croix rouge.

Avec les blessés qui affluaient déjà de l'anse aux Poissons et de Batoche, il fallut une somme considérable de travail et d'organisation pour dispenser les soins dans quatre bâtiments différents. Selon le docteur James Bell, chirurgien-major, «une grande part du succès dans le traitement des blessés à Saskatoon fut due à l'adresse, à la bonté et au dévouement inlassable des infirmières».

À la fin de l'insurrection, les infirmières accompagnèrent les 20 derniers blessés de Saskatoon à Winnipeg sur la «barge-hôpital». Chaque fois que c'était possible, les blessés étaient transportés en bateaux à vapeur ou en barges. L'une de ces barges la *Sir John A.*, fut rebaptisée «barge-hôpital». Sa charpente interne fut renforcée et blanchie à la chaux et on disposa une toile sur les côtés et le dessus pour protéger du soleil. Elle mesurait cinq mètres de large sur quinze mètres de long et fut remorquée par le vapeur *Alberta* sur plus de 1 800 kilomètres.

Le résultat de ces expériences fut un service médical permanent pour l'armée canadienne.

Les Métis, eux, n'eurent aucun appui médical.

Une bonne proportion de l'armée de Middleton était composée de cavaliers expérimentés en provenance de la région ou des forces de la NWMP qui connaissaient bien le territoire. Et Middleton était un général très compétent qui avait une vaste expérience de ce genre de guerre à travers tout l'Empire britannique.

Le général Laurie était responsable du transport. Il installa son quartier général à Swift Current, et utilisa tous les moyens de transport disponibles pour approvisionner les troupes – chevaux de charge, charrettes à bœufs, bateaux à vapeur et barges.

Les barges étaient parfois remorquées par des vapeurs, parfois péniblement tirées par des chevaux le long de la rive; ou alors elles suivaient simplement le courant des rivières, dirigées par des hommes qui, au moyen de perches, évitaient les hauts fonds et les bancs de sable.

À terre, chevaux et bœufs tiraient les charrettes jusqu'aux campements de l'armée.

Laurie décida d'ignorer les variations de niveau de la rivière Saskatchewan-Sud et les obstacles que représentaient les hauts fonds. Au printemps 1885, le *Baroness* et le *Minnow*, propriété de la Northwestern Coal and Navigation Company, étaient en cale-sèche à Medicine Hat à l'abri des glaces.

Le *Northcote*, qu'on mit à l'eau le 3 avril, commença sa première saison sur la Saskatchewan-Sud. Le 9 avril, le capitaine Sheets l'amarra à Medicine Hat. E.T. Galt et 50 hommes étaient à bord et s'apprêtaient à transformer le *Baroness* et le *Minnow* en navires de guerre.

Les responsables de l'entreposage du matériel militaire ne connaissaient pas les rivières de la région. Et comme les pluies printanières avaient subitement gonflé les eaux, plusieurs tonnes de matériel empilé sur la berge furent perdues.

Le *Baroness*, un vapeur à roue à aubes arrière, avait été construit aux mines de charbon le long de la rivière Saskatchewan. On l'avait remorqué jusqu'à Medicine Hat et équipé d'un moteur de 49 chevaux-vapeur; il avait 53 mètres de long sur 9 mètres de large et 50 centimètres de tirant d'eau. Depuis 1883 c'est lui qui remorquait les barges chargées de charbon de Lethbridge à Medicine Hat.

Commandé par le capitaine Davis, le *Baroness* transporta sa première cargaison de matériel militaire à Saskatchewan Landing, où il arriva le 5 mai 1885. Davis le conduisit ensuite à Clarke's Crossing. En chemin, il avait dû abandonner une barge remplie de matériel. Mais ce ne fut pas la seule mésaventure du capitaine puisqu'il se fractura la clavicule en tombant d'une échelle.

Après la bataille de Batoche, Middleton utilisa les vapeurs pour transporter ses troupes à Prince Albert, puis à Battleford et au fort Pitt. Le *Baroness* transportait des troupes et du courrier pour Middleton lorsque ce dernier se lança à la poursuite de Gros Ours.

Le *Minnow* avait été construit à Kenora (alors appelé Rat Portage) et expédié par chemin de fer à la rivière Saskatchewan. Il mesurait 11 mètres de la poupe à la proue et 3 mètres de large; il était mû par un moteur de 5,7 chevaux-vapeur. Lui aussi remorqua des barges pour Middleton et transporta des troupes à Battleford.

Là où la rivière Saskatchewan-Sud forme un coude, les vapeurs risquaient de s'échouer sur les bancs de sable formés par des dépôts à l'embouchure des ruisseaux. Le *Northcote* fut ainsi immobilisé pendant un certain temps et on dut avoir recours à des espars. C'étaient des perches solides munies à leur extrémité de palans et de câbles résistants. Les câbles étaient attachés au tambour d'un treuil à vapeur et au plat-bord avant. On ancrait les espars dans le lit de la rivière dix à quinze mètres devant le bateau. Le treuil soulevait alors le navire qui, appuyé sur les espars, pouvait avancer d'une dizaine de mètres. Et on répétait l'opération autant de fois que nécessaire.

D'un point de vue stratégique, le général Middleton était en excellente position. Il n'avait aucune restriction d'argent, de matériel ou d'effectifs. Il bénéficiait aussi d'un chemin de fer, de bateaux et de charrettes.

Les Métis, eux, ne furent jamais plus de 300 combattants. Contre chacun d'eux, donc, l'armée canadienne alignait 24 hommes, sans compter la *North West Mounted Police* et les unités locales. L'armée possédait 9 obus et 5 000 cartouches pour chaque Métis. Il en coûta donc aux contribuables canadiens 19 000 $ par combattant métis. (Ces chiffres sont tirés du rapport de Laurie, publié en 1887, et représentent des dollars canadiens de 1885.)

L'armée métisse, bien que peu nombreuse et mal équipée, avait pourtant plusieurs avantages. Bien exploités, ces avantages auraient sans doute permis à Riel de neutraliser l'ennemi, et de se placer en position de force pour négocier avec le gouvernement canadien.

Il est difficile de préciser combien d'autochtones se battirent aux côtés des Métis. Deux Sioux Tétons furent tués à l'anse aux Poissons. D'après le récit de Dumont, il semble que les autres Indiens s'enfuirent lorsqu'ils manquèrent de munitions. Mais Dumont ne précise pas leur nombre.

Il décrit cependant ses efforts pour trouver des alliés:

> En effet, j'avais envoyé de moi-même deux ambassadeurs, Isidore Parenteau et Louis Letendre; ils étaient partis en raquettes chez les Assiniboines, à la rivière à la Bataille, dans la montagne de l'Aigle, à 120 milles de Batoche. Déjà les Cris, auxquels j'avais préalablement envoyé du tabac, l'avaient fumé, ce qui voulait dire qu'ils répondaient à mon invitation. Et j'avais commissionné les chefs de ces tribus de passer un bout de tabac à Gros Ours, qui en avait aussi fumé. Faiseur d'Enclos m'avait fait dire que lui et les siens restaient assis sur leurs talons, prêts à se redresser au premier signal.

Dumont envoya en outre François Vermette et Napoléon Carrière offrir du tabac à un groupe de Sioux et au Métis Charles Trottier. Ils acceptèrent tous; Charles Trottier, son fils Rémi, et les Sioux arrivèrent à Batoche, à cheval, en charrettes et en raquettes, un peu avant l'affrontement de l'anse aux Poissons.

Les Métis n'avaient pas de réserves pour faire vivre leurs familles pendant que les hommes étaient au combat. Chacun devait fournir sa nourriture, ses vêtements, ses fusils et ses munitions. Aucun convoi de charrettes ne les ravitaillait en vivres ou en fourrage. C'était le printemps: les provisions d'hiver commençaient à baisser et les combattants firent de leur mieux pour ensemencer les champs et éviter que leurs familles ne meurent de faim.

Cependant ils étaient peu nombreux et ils n'avaient donc pas besoin de grandes quantités de nourriture et de moyens de transport importants. Chaque Métis était combattant, il n'existait pas de troupes de soutien. Tous étaient d'excellents cavaliers, habitués à se contenter de l'essentiel. Depuis leur enfance, ils avaient connu les rigueurs de la vie en forêt, de la chaleur, du froid et de la pluie. Ils combattirent avec le courage désespéré de ceux qui défendent leur foyer et leur famille.

Ils firent bon usage de leurs fusils de chasse car, en plus d'avoir bon œil, ils connaissaient bien les possibilités de leurs armes. Chaque balle valait cher pour les fermiers métis; aussi avaient-ils développé une habileté qui leur permettait d'éviter tout gaspillage.

Les carabines Snider-Enfield qu'on avait remises aux soldats canadiens avaient une portée de 400 mètres. Les fusils de chasse des Métis, à quelques exceptions près, étaient inefficaces au-delà de 50 mètres. Quelques Métis avaient des carabines de chasse Sharp; d'autres, encore moins nombreux, possédaient des Winchester à douze coups, de calibre 50. Ils n'avaient sans doute que peu de cartouches, parfois même pas de fusil, et ils espéraient trouver armes et munitions sur les cadavres ennemis.

Même si, à cette époque, les Métis n'avaient participé à aucun combat depuis des années et qu'aucun d'eux n'avait subi d'entraînement militaire, la plupart étaient habitués aux méthodes de guérilla de l'époque de la colonisation.

Leur mentalité, leur mode de vie et leur expérience les rendaient très habiles dans les techniques de guérilla où un petit groupe d'hommes décidés et autonomes doit pouvoir vivre des ressources du milieu avec un minimum d'équipement.

Malheureusement, la direction des Métis était maintenant divisée entre Louis Riel et Gabriel Dumont. Dumont était un excellent chef militaire; il avait l'esprit de décision et il brûlait de chasser les envahisseurs de sa terre natale par tous les moyens. Mais dans tous les domaines, y compris dans les stratégies militaires, il se pliait aux volontés de Riel qui, en politicien et humaniste, ne voulait ni tuer ni blesser et qui n'avait surtout pas la mentalité d'un soldat. Riel ne prenait pas ses décisions en fonction de la victoire; il cherchait d'abord à réduire la misère et les souffrances humaines.

C'est donc Riel et non Dumont qui décida de la stratégie militaire des Métis. Dumont voulait mener une guérilla très mobile où il aurait pu décimer peu à peu le lourd contingent de Middleton; il comptait s'approvisionner à même les morts de l'ennemi et dans les magasins de la région, peut-être aussi aux États-Unis.

Mais Riel décida de garder ses hommes en sécurité derrière les fortifications de Batoche.

Sa stratégie était celle du château fort: bien à l'abri à l'intérieur d'une forteresse quasi imprenable entourée d'eau sur trois côtés et protégée par des fortifications sur le quatrième, les pertes de vie seraient limitées dans les deux camps et personne ne pourrait crier victoire. Avec ses otages, il espérait alors être en position de force pour négocier, comme cela avait été le cas au fort Garry en 1870.

Inexorablement, les deux armées approchaient de l'affrontement final.

Les incidents du lac à la Grenouille et du fort Pitt

Le hameau de Lac-à-la-Grenouille était une petite agglomération regroupant environ six familles autour d'un poste de traite dirigé par Thomas Quinn. Celui-ci était assisté du jeune William B. Cameron, d'Henry Quinn et, à l'occasion, de George Dill. Des nouveaux mariés, John et Theresa Gowanlock, aidés du comptable William Gilchrist et du mécanicien Williscraft, exploitaient un moulin à farine construit par le gouvernement. Les époux Delaney, des employés du gouvernement fédéral, avaient pour tâche de conseiller les Indiens qui voulaient cultiver la terre. Deux prêtres catholiques, les pères Louis Fafard et F. Marchand complétaient la population blanche du village.

Depuis l'ouverture du moulin, rien n'était venu rompre la monotonie de ce paisible petit hameau où, le soir venu, les Blancs aimaient à se rendre visite. La messe du dimanche leur donnait l'occasion de mettre leurs plus beaux atours et, parfois, de rencontrer quelques étrangers qui apportaient des nouvelles de l'extérieur.

La rumeur que certains Indiens du camp de Gros Ours viendraient participer aux activités du 1er avril, jour du célèbre poisson, constitua donc une agréable pause dans leur routine.

Les jeunes Cris de la bande de Gros Ours étaient surexcités depuis la victoire du lac aux Canards. Plusieurs des Métis de l'endroit étaient fils et petits-fils de femmes cries. Les Indiens les considéraient comme des parents et comme leurs parents étaient en guerre, il n'est pas surprenant que les guerriers cris aient mal accepté d'être retenus par Gros Ours.

Le 28 mars, la bande de Gros Ours conclut un accord avec d'autres Cris. William Cameron, un des marchands de Lac-à-la-Grenouille, assista par hasard à cette cérémonie et alerta les Blancs du hameau. Si bien que, lorsque le caporal Sleigh, l'agent Loasby et quatre autres policiers quittèrent la maison des Delaney, les Gowanlock, Gilchrist, Dill et le père Fafard leur donnèrent un supplément de balles et de poudre.

Si, pour les Blancs, ce 1er fut «la journée du poisson d'avril», pour les Cris ce fut «la journée de la grande duperie». Car ils firent d'innocentes plaisanteries aux Blancs. Mais ce soir-là, certains colons se firent conseiller par leurs amis cris de quitter le hameau, car certains guerriers étaient de mauvaise humeur et pourraient causer des troubles. Mais les Blancs ne prirent pas l'avertissement au sérieux.

Au poste de traite, Thomas Quinn, Cameron, Imasees et deux autres Cris passèrent une agréable soirée à écouter Gros Ours raconter sa conversation avec Louis Riel.

Plus tard cette nuit-là, certains Blancs du village furent éveillés par le bruit lointain des tambours de guerre. Imasees, Esprit Errant et d'autres chefs de second rang tinrent conseil, sans en parler à Gros Ours. Ils décidèrent probablement de s'emparer de la population blanche en vue de négocier une amélioration de leurs conditions de vie, ce que Louis Riel avait l'habitude de recommander.

À une heure, dans la nuit du 2 avril, trois Cris pénétrèrent dans le wigwam d'Isidore Mondion et le ficelèrent pour l'empêcher de prévenir les Blancs. Mondion, un Métis marié à une Crie, était un grand ami des colons blancs.

Vers 3 heures du matin, Cheval Assis et Homme Solitaire, qui était le beau-frère de Thomas Quinn, vinrent réveiller ce dernier pour l'avertir qu'il était en danger; ils lui promirent de le protéger. À 4 heures, Imasees et Chapaquocase entrèrent dans la chambre de Quinn par une fenêtre. Sa femme, Homme Solitaire et Cheval Assis prirent sa défense. La situation en resta là jusqu'à 6 h 30. Esprit Errant entra alors chez Quinn et lui demanda de l'accompagner. Quinn éclata de rire et déclara à ses protecteurs qu'il était inutile de résister.

Plus tôt, à 5 heures du matin, les Indiens avaient réveillé les Delaney en leur faisant croire que leurs chevaux avaient été volés. Une fois Delaney dehors, ils l'avaient emmené chez Quinn. À 6 h 30, neuf Blancs, y compris John Pritchard, se trouvaient réunis dans la maison de Quinn. Cheval Qui Marche tenta alors de prévenir Cameron, mais trop tard. Imasees et une vingtaine de guerriers avaient pris possession du poste de traite.

À 7 h 15, les prêtres, les neuf hommes et d'autres Blancs se rendirent assister à la messe. Comme la cérémonie allait débuter, Esprit Errant, en grand apparat de guerre, posa un genou devant la balustrade de l'autel. Il tenait son fusil de la main droite, la crosse fermement posée sur le sol, et il portait son bonnet de guerre en lynx orné de plumes d'aigle. Le tour de ses yeux et de sa bouche étaient peints en jaune ocre. Il resta dans cette position, sans bouger, jusqu'à la fin de la messe. Puis il se leva, se tourna face aux fidèles et donna un ordre sec: «Allez!»

Durant la messe, on entendit le chef Gros Ours, à l'arrière de l'église, exhorter ses braves à demander à Cameron la permission de prendre des vivres et déclarer qu'il ne voulait ni vol ni tuerie. À 9 heures, les prêtres, Cameron, Henry Quinn et Ours Jaune déjeunèrent au poste de traite. Tous les hommes blancs étaient maintenant désarmés.

À 9 h 30, Gros Ours arriva chez les Delaney, en leur disant que les plus jeunes de leurs guerriers voulaient tuer les Blancs mais qu'eux n'avaient rien à craindre. Vers 10 heures, certains Blancs furent conduits au campement cri tandis que d'autres étaient rassemblés sur une colline près de l'église. Esprit Errant ordonna alors à Thomas Quinn de partir lui aussi.

Cameron était responsable du magasin de la Compagnie de la Baie d'Hudson pendant l'absence de l'administrateur en chef, James K. Simpson. Il était arrivé au magasin depuis quelques minutes à peine lorsque Homme Misérable entra en compagnie d'Ours Jaune, tenant une commande pour une couverture signée par Thomas Quinn.

Cameron n'avait pas de couvertures en stock, mais il pouvait donner à Homme Misérable le thé et le tabac qu'il désirait. Au moment où il le servait, Cameron entendit le premier coup de feu. Homme Misérable écarquilla les yeux de surprise. Il saisit son paquet sur le comptoir et sortit en vitesse, aussitôt suivi de Cameron et d'Ours Jaune.

La réaction d'Homme Misérable au début de la fusillade

constitue la preuve que le plan des Cris ne prévoyait pas d'assassinat. Sans être un chef, Homme Misérable était un guerrier de haut rang et il devait être au courant de l'action projetée. Qui plus est, si la tuerie avait été planifiée, il aurait été bien placé pour la déclencher lorsqu'il était avec Cameron.

L'incident de Lac-à-la-Grenouille fut le point culminant de toute une série d'événements. Depuis des années, la bande de Gros Ours souffrait de la faim. Les agents du gouvernement les harcelaient pour les parquer de force dans des réserves qui ne leur convenaient pas. Leur patience était à bout et ils s'apprêtaient apparemment à suivre les conseils de Riel et à faire des prisonniers afin de pouvoir négocier avec le gouvernement.

Mais leur plan échoua à cause d'une confrontation entre Thomas Quinn et Esprit Errant. Comme il arrive souvent dans ces cas-là, celui qui tira le premier se rendit maître de la situation. Le coup de feu imprévu d'Esprit Errant agit comme un détonateur et les années de mécontentement, d'amertume et de colère remontèrent à la surface. Les guerriers de Gros Ours tuèrent les Blancs qui étaient à leur portée, comme s'ils abattaient les symboles de la race abhorrée qui les dominait...

Thomas Truman Quinn, 1,85 m, le port très droit, était doué d'une force exceptionnelle. C'était un excellent cavalier, un chasseur et un canotier hors pair, il était aussi habile avec une hache qu'avec une carabine, un fusil de chasse ou un revolver. Il parlait anglais, français, cri, ojibway, saulteux, sioux et les dialectes assiniboines. C'était un catholique paisible, travaillant modestement à convertir la tribu d'origine de sa femme.

Homme Solitaire, l'oncle de cette dernière, et Cheval Assis, son frère, avaient offert un cheval à Quinn, le 1er avril, et lui avaient demandé de quitter Lac-à-la-Grenouille et de se réfugier au fort Pitt. Mais Quinn refusa. Ce soir-là, il dit à Cameron: «Eh bien, Cameron, les Indiens veulent me tuer peut-être mais ils ne me font certainement pas peur.»

Thomas Quinn décida qu'il n'irait pas au campement de Gros Ours et qu'il retournerait à son magasin. Esprit Errant l'arrêta. Par deux fois, il lui ordonna d'aller au campement; par deux fois Quinn refusa. Sans rien ajouter, Esprit Errant lui logea une balle dans la tête. Ce fut le premier coup de feu à Lac-à-la-Grenouille.

En entendant la détonation, Homme Misérable se précipita à l'extérieur et vit Charles Gouin qui gémissait par terre.

Manichoos lui tira une balle en pleine poitrine, le tuant sur le coup.

Williscraft fut le suivant. Puis ce fut John Gowanlock qui s'effondra dans les bras de sa femme, Theresa. Elle tenta de le soutenir mais croula sous son poids; il respirait à peine et ne pouvait plus parler. Elle posa son visage contre le sien et tenta de le consoler dans ses derniers moments.

Delaney fut ensuite atteint de deux balles. Sa femme se jeta sur lui pour le protéger, en appelant à l'aide les prêtres qui tentaient maintenant de calmer les Indiens. Le père Fafard s'agenouilla près de Delaney, fit le signe de la croix et commença une prière. Esprit Errant s'approcha, pointa sa carabine sur la nuque du prêtre et tira. Un jeune Cri que Fafard avait aidé durant son enfance lui tira une autre balle dans la tête. Le père Marchand tenta d'intervenir mais fut abattu lui aussi.

Imasees était âgé d'environ 30 ans. C'était un guerrier inflexible, fort intelligent et ne le cédant qu'à Esprit Errant pour sa haine des Blancs. Son regard sombre et imperturbable ne disait qu'une chose: mort à ceux qui volent notre terre et notre héritage. Il avait des muscles d'acier mais souples; ses traits rappelaient ceux des légionnaires romains et il portait ses cheveux relevés en chignon au sommet de la tête. On décelait chez lui les mêmes qualités de chef qu'on sentait encore chez son vieux père, Gros Ours.

Petit Ours, un autre fils de Gros Ours, était un guerrier des plaines. Pendant la tuerie, il frappa accidentellement le père Fafard à l'œil avec sa cravache. Monté sur son cheval, il fit feu sur les deux derniers Blancs encore en mouvement, George Dill et William Gilchrist. Ils tentèrent de s'enfuir dans la forêt mais furent rattrapés et assassinés.

Cameron, lui, eut la vie sauve. Comme il avait plusieurs amis parmi les Cris, il alla rejoindre le groupe des femmes. Les Cris n'osèrent tirer dans sa direction de peur d'atteindre leurs femmes et leurs enfants. Par la suite, Mme Gowanlock, Mme Delaney et Cameron furent emmenés comme prisonniers au campement cri. Les Indiens pillèrent les maisons, les magasins et l'église, en faisant des cabrioles avec les vêtements trouvés, même avec les vêtements sacerdotaux. Les corps des deux prêtres, de Gowanlock et de Delaney furent placés dans la cave de l'église et recouverts de terre. Puis, l'église fut incendiée.

James K. Simpson, l'administrateur de la Compagnie de la

Baie d'Hudson, retourna à Lac-à-la-Grenouille le lendemain soir et fut fait prisonnier. Henry Quinn, le neveu de Thomas, avait pu s'enfuir au fort Pitt à environ dix kilomètres de là.

Le fort Pitt se trouvait à 160 kilomètres au nord-est de Battleford et à 325 kilomètres à l'est d'Edmonton. Il était situé en terrain plat à environ 120 mètres de la rivière Saskatchewan-Nord et il était protégé du blizzard par une colline. La palissade qui avait déjà entouré le fort avait disparu faute d'entretien. Les bâtiments avaient de larges fenêtres au lieu d'étroites meurtrières. Le fort était devenu un poste de traite de la Compagnie de la Baie d'Hudson, avec sa demi-douzaine de bâtiments de la NWMP et d'entrepôts de la Compagnie, groupés en carré au milieu d'un terrain plat et entourés de champs cultivés. Le détachement de la police comprenait 22 hommes commandés par le capitaine Francis Dickens, le fils du célèbre romancier Charles Dickens.

Le 10 avril 1885, une bande de Cris des plaines rejoignit la bande de Gros Ours. Commandés par Esprit Errant, ils s'approchèrent du fort qui était indéfendable et ils exigèrent la reddition des policiers, des 28 civils et des marchandises de la Compagnie évaluées à environ 70 000 $. Dickens tenta tout de même de renforcer sa position en plaçant des charrettes et des cordes de bois entre les bâtiments et en fabriquant des barricades avec des sacs de céréales et des marchandises.

C'est l'approvisionnement en eau qui constituait le principal problème des assiégés. Il n'y avait pas de puits à l'intérieur du fort et 120 mètres de terrain à découvert le séparaient de la rivière.

Au matin du lundi 13 avril, Dickens envoya trois éclaireurs en mission: les agents Cowan et Loasby et le civil Henry Quinn. Ils firent un détour jusqu'au lac à la Grenouille et évitèrent de peu environ 250 Cris qui venaient installer leur campement près du fort. En revenant, les trois insouciants tombèrent en plein sur le campement cri. Une sentinelle donna l'alerte, et une fusillade s'ensuivit au cours de laquelle Cowan fut tué et Loasby blessé, tandis qu'Henry Quinn, béni des dieux, s'échappa encore une fois. Loasby avait presque réussi à rejoindre le fort lorsqu'il fut atteint de nouveau. Stanley Simpson, un jeune commis de la Compagnie qui s'était lui aussi enfui de Lac-à-la-Grenouille, sortit et le traîna à l'intérieur.

Le 14 avril, le chef Gros Ours envoya cette lettre à Dickens:

«14 avril – Capitaine Dickens, je veux que vous traversiez la rivière au plus vite parce que j'ai beaucoup de difficulté à retenir mes jeunes guerriers. (Signé) Gros Ours.»

Au moment où il reçut ce message, Dickens croyait encore pouvoir défendre le fort Pitt. Mais lorsque l'attaque survint, il comprit que sa position était intenable.

Gros Ours avait tenté de persuader Esprit Errant et sa troupe de guerriers des plaines et de guerriers des bois de ne pas attaquer le fort. Leur assaut aurait certainement anéanti les troupes de la Police montée. Cependant, Gros Ours trouva une solution qui allait permettre d'épargner des vies. Il proposa un marché: les civils quitteraient le fort pour se rendre au campement indien où il les assurait de sa protection. Les policiers pourraient partir aussi à condition d'abandonner leurs armes. Ainsi les Cris gagneraient la victoire sans effusion de sang et pourraient se partager le contenu du fort.

Dickens accepta. Toutefois, alors que les Cris surveillaient l'évacuation des civils, Dickens attela une paire de chevaux à un chaland, qu'ils tirèrent rapidement jusqu'à la rivière à demi glacée. Les policiers avec leurs armes sautèrent sur le chaland qui commença à dériver lentement sur la rivière. Complètement surpris et plus préoccupés par l'évacuation des civils et par le pillage du fort, les Cris tirèrent à peine quelques coups de feu.

À cause du vent et du froid, la blessure de l'agent Loasby nécessitait des soins constants. Le chaland faillit être submergé à plusieurs reprises, mais on accosta finalement sur la rive opposée où on installa un campement sommaire pour la nuit. L'embarcation mit ensuite six jours pour arriver à Battleford, pendant lesquels il plut constamment.

Les Cris trouvèrent la montre en or que le capitaine Dickens avait oubliée dans sa hâte et qui avait appartenu à son père. (Il put la récupérer par la suite.) Ils trouvèrent aussi un œil de vitre qu'un Indien borgne se dépêcha de loger dans sa propre orbite. Tous furent déçus d'apprendre qu'il ne voyait toujours que d'un œil. Pressé de questions à ce sujet, Henry Quinn expliqua que la couleur de l'œil de vitre ne convenait pas aux Indiens.

Le pillage de Battleford

À l'origine, Middleton avait ordonné au lieutenant-colonel Herchmer de prendre quelques hommes pour pacifier les Indiens de la région de Battleford et rassurer la population qui s'était réfugiée dans les bâtiments de la NWMP. Les Blancs de Battleford et des environs étaient tous des colons anglophones arrivés depuis moins de quinze ans.

Mais Herchmer traînait; mieux informé que Middleton, il savait que si les Cris de Faiseur d'Enclos entraient en guerre, sa poignée de soldats courait à une mort certaine. Comme les appels à l'aide s'intensifiaient et que Middleton avait plus de soldats à sa disposition, celui-ci changea d'idée. Et c'est le lieutenant-colonel Otter qu'il envoya à Battleford.

Otter, vétéran des invasions des Fenians de 1865-1866, avait toute une armée sous ses ordres: il y avait le Régiment de la reine, un certain nombre de soldats de son école d'infanterie, la batterie B, les tireurs d'élite de Todd, la batterie de campagne de Winnipeg et le 35e Bataillon. Ils marchèrent les 325 kilomètres qui séparaient Swift Current de Battleford.

En 1885, Battleford, s'étendait déjà sur les rives est et ouest de la rivière à la Bataille. Mais la ville n'avait aucune défense. La vieille partie se trouvait sur la rive ouest; la caserne de la NWMP et un certain nombre de maisons se trouvaient sur la partie la plus élevée, du côté est. Bien qu'il n'y eût pas plus de 300 habitants, la ville possédait un service de bac et des ponts.

La caserne de la NWMP était un fort mal entretenu. Elle était entourée d'une palissade faite de poteaux d'environ dix centimètres de diamètre, reliés par des planches dans le haut. Un cheval ou une simple charrette aurait pu facilement l'enfoncer. Au milieu se trouvait une maison en brique, encore debout aujourd'hui; à gauche, on avait installé les tentes coniques des soldats qui, sur une photo, sont assis au soleil.

La mauvaise récolte de 1884 avait semé le désespoir parmi les autochtones. Faiseur d'Enclos, le chef des Cris de la région, marmonnait que leur dieu avait fait disparaître les bisons parce qu'ils avaient adopté le dieu des chrétiens; lorsqu'ils reviendraient à leurs croyances, prétendait-il, les Cris auraient à nouveau le ventre plein.

En échange de leurs immenses territoires, le Canada avait accepté de leur fournir de la nourriture dans leurs réserves jusqu'à ce qu'ils puissent subvenir à leurs propres besoins, autrement dit jusqu'à ce que ces chasseurs nomades deviennent des agriculteurs.

Qui pouvait croire que cela ne prendrait que quelques années? Un autochtone était un «paresseux» s'il ne produisait pas autant qu'un agriculteur blanc d'expérience. Il encourait alors une pénalité sous forme de diminution de sa ration alimentaire, ce qui affectait sa santé et l'empêchait de travailler dur. Aussi prétentieux que bien nourri, Middleton accusa les Indiens de Faiseur d'Enclos d'effrayer les femmes des colons lorsqu'ils mendiaient. On se demande comment ils purent être aussi patients...

Hayter Reed, le commissaire adjoint aux Affaires indiennes qui allouait les rations alimentaires aux Indiens, croyait savoir exactement quelle quantité de travail un homme et une paire de bœufs pouvaient abattre en une journée. Il considérait que les Indiens ne satisfaisaient pas à ses exigences, qu'ils étaient paresseux et ne méritaient que des rations réduites. Par voie de conséquence, les Indiens étaient constamment affamés.

Craig, l'agent responsable de la bande de Faiseur d'Enclos, était convaincu que le gouvernement n'avait pas l'intention de laisser les Indiens devenir financièrement autonomes. La politique indienne, d'après lui, consistait à contenir les autochtones jusqu'à ce que les colons blancs soient si nombreux qu'il ne puisse plus y avoir de troubles.

Robert Jefferson, représentant du ministère fédéral de l'Agriculture, connaissait bien Faiseur d'Enclos et le respectait. Il était convaincu qu'Ottawa voulait traiter convenablement les Indiens, mais que «ses mesures étaient désespérément insuffisantes[11]».

Pas surprenant, dans ce cas, que Faiseur d'Enclos et sa bande aient été amers.

Robert Jefferson fut fait prisonnier par Faiseur d'Enclos. Son récit, publié par la Société historique du Nord-Ouest canadien, démontre que les histoires racontées dans les journaux de Toronto, où l'on prétendait que les Indiens avaient mis Battleford à sac, étaient pure invention.

Les Cris, écrit Jefferson, «arrivèrent en force autour du bureau de leur agent sur la rive sud de la rivière à la Bataille.

Maisons et magasins étaient déserts; tous s'étaient réfugiés dans la caserne. Le juge s'était enfui juste à temps pour traverser la réserve des Stony avant le meurtre de l'instructeur Payne. Même les Métis, craignant un camp autant que l'autre, s'étaient évanouis dans l'arrière-pays.

> Une seule personne – le cuisinier – eut la témérité de rester dans la vieille maison du gouvernement. Il reçut de nombreux visiteurs ce jour-là. Il leur donna à manger et ils repartirent sans lui faire de mal. Les Indiens voulaient parler à leur agent des Affaires indiennes, mais il s'était enfui à Battleford. Ils pénétrèrent donc dans la ville, dans la zone des maisons et des magasins situés en terrain plat, sur la rive ouest de la rivière à la Bataille[12].

Malgré que maisons et magasins fussent déserts, écrit Jefferson, «ils ne touchèrent à rien jusqu'au soir». Et même alors, les pillards étaient surtout des femmes, accompagnées seulement de quelques hommes. Puis la maison du juge fut incendiée, personne ne semble savoir comment. Au matin, tous les Indiens avaient disparu. Pendant la nuit, ils avaient fait main basse en vitesse sur tout ce qui leur tentait, et ils avaient pris leurs jambes à leur cou, s'imaginant que la police était à leurs trousses dans l'obscurité. Ce fut la débandade générale.

> Ils étaient trop pressés pour s'emparer de beaucoup de choses; la plus grande partie du pillage fut l'œuvre des Blancs. Au matin, dès qu'ils eurent le champ libre, civils et soldats arrivèrent en groupes et terminèrent ce que les Indiens avaient commencé. Ils vidèrent complètement la vieille ville de Battleford.

> Durant tout l'incident, les Indiens n'avaient fait aucune tentative organisée pour assiéger la caserne; en fait, ils n'étaient pas assez nombreux pour cela. Les hommes, comme il convient, passèrent la nuit à rôder autour de la ville, mais à bonne distance; ils étaient d'ailleurs trop peu nombreux pour faire le moindre mal. Le jour venu, lorsqu'ils se montrèrent sur les collines au sud de la rivière, ils se firent tirer dessus par des guetteurs postés sur la rive opposée.

> Une grande consternation régnait parmi les Blancs, mais c'était le fait de leurs idées préconçues sur les guerres indiennes et leur cortège de barbarie. Les Indiens n'étaient

pas suffisamment en colère pour poser des gestes offensifs, surtout contre des forces égales sinon supérieures aux leurs. Ils ne s'attendaient pas du tout à combattre: Riel et ses Métis se chargeaient de cet aspect de l'opération – eux ne faisaient qu'une diversion. Ils ne s'attendaient pas à être attaqués.

Selon Jefferson, Craig, l'agent des Affaires indiennes, avait quitté son poste pour se réfugier à Battleford. Le récit de Craig, «plus amusant que merveilleux», mentionne qu'il avait «consacré son temps et son attention au pillage des magasins et des maisons où les Indiens avaient déjà pénétré par effraction. Mais son entreprise échoua parce que chaque fois qu'il quittait sa tente, on lui volait ses biens. Il ne pouvait rien garder à moins de s'asseoir dessus.»

Il est difficile de savoir si Faiseur d'Enclos voulait rejoindre Gros Ours. Il s'était mis en tête que Crowfoot, qui avait fait de lui son fils adoptif, prendrait la direction d'une confédération indienne. Faiseur d'Enclos avait déclaré à Jefferson que Riel arrangerait tout. Était-ce seulement un souhait pour que l'insurrection métisse réussisse et profite aux Cris?

Jefferson déclara au tribunal que, pendant qu'il était prisonnier des Cris, on avait lu et traduit devant lui une lettre de Riel à Faiseur d'Enclos où il lui demandait de venir en aide aux Métis à Batoche.

«Je savais, écrit Jefferson, qu'il faudrait forcer les Indiens pour qu'ils participent au raffut, car la plupart d'entre eux avaient des intentions pacifiques et il n'y avait qu'une petite minorité de rebelles hostiles. Tout indiquait que les troubles s'apaiseraient sous une manne de farine et de bacon.»

Faiseur d'Enclos et sa bande quittèrent leur réserve près de Battleford pour la colline de Couteau Coupé, ainsi nommée parce que le chef Couteau Coupé y avait attaqué les Cris quelques années auparavant. Couteau Coupé était alors tombé dans le piège tendu par Belle Journée et ses guerriers.

À Battleford, Otter ne rencontra aucune résistance. Les Blancs s'étaient cachés dans le fort de la NWMP tandis que les quelques Indiens qui rôdaient encore regagnèrent leur campement, trouvant sans doute la ville déserte fort ennuyeuse. Les gens retournèrent à leurs maisons et à leurs magasins en racontant des histoires horribles. Certes, les Indiens avaient emporté de la nourriture, mais le pillage avait été surtout le fait des Blancs.

Otter écrivit dans son rapport à Middleton, daté du 3 mai 1885 à Battleford:

J'ai l'honneur de vous annoncer que j'ai appris de mes éclaireurs, le 29 du mois dernier, qu'une troupe d'environ 200 Indiens stony et cris était campée près de la réserve de ces derniers, à 38 milles d'ici. Comme Faiseur d'Enclos, le chef cri, hésitait entre la guerre et la paix, attendant de savoir si Gros Ours pouvait lui venir en aide, j'ai cru nécessaire d'entreprendre une action ferme dans le but de forcer Faiseur d'Enclos à faire un choix et empêcher la jonction des deux troupes.

Je décidai d'effectuer une reconnaissance en force et quittai Battleford le 1er de ce mois à 3 heures de l'après-midi, avec les effectifs suivants:
— 75 hommes de la Police montée, dont 50 à cheval. Capitaine: Neale.
— 80 hommes de la batterie B, R.C.A. Commandant: Short.
— 45 hommes de la compagnie C, I.S.C. Lieutenant: Quadmore.
— 20 gardes à pied du gouverneur général. Lieutenant: Gray.
— 60 hommes du Régiment de la reine, y compris le corps des ambulanciers de ce régiment. Capitaine: Brown.
— 45 hommes du régiment de Battleford. Capitaine: Nash.

Nous avions avec nous une mitrailleuse Gatling et deux canons de sept livres de la police, que j'avais choisis parce qu'ils sont plus faciles à transporter que les canons de neuf livres, et un convoi de 48 charrettes transportant hommes, rations et provisions[13].

La troupe d'Otter s'arrêta à 8 heures; hommes et chevaux se reposèrent pendant quatre heures puis reprirent leur marche au clair de lune. À l'aube, ils arrivèrent au campement de Faiseur d'Enclos

que l'on voyait installé au sommet de la plus haute de deux collines herbeuses, toutes deux sans arbres ni buissons. De chaque côté des collines se trouvaient deux ravins remplis de broussailles où coulait un large ruisseau. La seule façon d'atteindre la colline était de passer le ruisseau à gué à son point le plus étroit. Nous franchîmes donc le ruisseau; notre avant-garde d'éclaireurs et de policiers avait presque atteint le haut de la petite colline lorsque notre présence fut découverte et l'alerte donnée. Déjà nos éclaireurs essuyaient le feu nourri de l'avant-garde ennemie.

La version crie du début de l'affrontement confirme, pour l'essentiel, le récit d'Otter. Jefferson, prisonnier de Faiseur d'Enclos, écrit que, même la nuit, un campement indien n'est pas silencieux. Au matin du 2 mai, par hasard, un des vieillards sortit pour une promenade matinale au haut de la colline et aperçut les attaquants. Il donna l'alerte.

Femmes et enfants furent placés hors de danger. Les guerriers coururent se mettre à l'abri dans les ravins broussailleux; au moment où les éclaireurs et les hommes de la NWMP arrivaient au sommet de la colline, les Cris ouvrirent le feu.

Les policiers se déployèrent au sommet de la colline. La batterie B fit de même et ses canons commencèrent à pilonner le campement.

L'intensité de la riposte des Cris fit croire à Otter que Gros Ours avait déjà rejoint Faiseur d'Enclos. Il pensa d'abord qu'ils tentaient de l'encercler. En fait, ils cherchaient à contrôler le gué du ruisseau, seul repli possible pour les soldats. S'ils y parvenaient, ils pourraient infliger de lourdes pertes à la troupe en attaquant par derrière, du côté le plus exposé de la colline.

La seule solution qui s'offrirait alors aux hommes d'Otter serait de franchir les broussailles quasi impénétrables des ravins. Trop inexpérimentés, cependant, ils n'auraient pu manœuvrer sur ce terrain.

Les Indiens étaient trop peu nombreux pour encercler la troupe d'Otter. Ils tentèrent bien une charge pour s'emparer de la mitrailleuse Gatling, mais la riposte de la NWMP et le feu meurtrier de la mitrailleuse les en empêchèrent. Ils tentèrent donc une nouvelle fois de descendre la colline pour s'emparer du gué. Leurs fusils de chasse et leurs arcs n'avaient qu'une fraction de la puissance des Snider-Enfield et des Winchester de l'armée d'Otter. Ils défièrent quand même le Régiment de la reine et le régiment de Battleford dans «une des plus violentes escarmouches de la journée».

Les hommes de la NWMP, commandés par l'éclaireur en chef Ross, firent un long détour pour prendre les Cris à revers, et ils les harcelèrent jusqu'à ce que les plus entêtés se retirent.

Selon le rapport d'Otter, après six heures de combat «nos flancs et nos arrières étaient libres mais notre position allait devenir intenable la nuit venue, car les deux canons étaient inutilisables dans des pistes défoncées et il fallait soigner nos blessés. En outre, le but de la reconnaissance était atteint, en ce sens qu'il (Faiseur d'Enclos) avait dévoilé son plan. Mais Gros Ours, ou du moins ses hommes, l'avait rejoint avant moi, car les forces ennemies se composaient d'au moins 500 combattants, dont environ 50 sang-mêlé. (Grossière exagération et mensonge. Gros Ours n'y était pas.*)

«Je décidai donc de rentrer à Battleford afin d'y prévenir une contre-attaque[14].»

Huit soldats avaient été tués et quinze blessés. Avec son avant-garde au poste de son arrière-garde, l'armée parvint à battre en retraite.

> Il n'y eut pas de poursuite, écrit Jefferson. Certains cavaliers indiens se préparaient à pourchasser les soldats, mais Faiseur d'Enclos les en empêcha. Il disait qu'il était bien de se défendre et de défendre leurs femmes et leurs enfants, mais qu'il ne voulait pas passer à l'attaque. Ils avaient repoussé l'ennemi; cela suffisait...
>
> On raconte que, comme Otter n'était pas autorisé à prendre l'offensive, il avait baptisé son opération «reconnaissance en force». Si elle avait réussi, il l'aurait sans doute appelée autrement. Mais si ce n'avait été de la grâce de Dieu et de l'obligeance de l'adversaire, d'aucuns l'auraient qualifiée autrement[15].

Faiseur d'Enclos, un rebelle! Mais que ferait le commun des mortels en voyant des hommes armés s'approcher furtivement de sa maison, à 5 heures du matin? Faiseur d'Enclos n'avait pas dévoilé ses intentions; il s'était défendu, tout simplement.

---

* N.D.A.

L'attaque surprise d'Otter ne lui avait pas laissé le choix. Une fois réveillés, ses guerriers coururent se battre, spontanément. Ils n'allaient pas se mettre en rang, comme les soldats du gouvernement, en attendant les ordres des officiers.

En lisant le rapport d'Otter, on pourrait croire à une brillante victoire. Sa stratégie comportait pourtant la même erreur qui avait causé la défaite du chef Couteau Coupé. Malgré des forces supérieures en soldats, en armes et en ravitaillement, Otter fut battu à plate couture et forcé de reculer. Et si Faiseur d'Enclos et Belle Journée n'avaient pas retenu leurs braves, encore plus de soldats auraient péri dans le goulot formé par le gué du ruisseau, leurs chevaux empêtrés dans l'eau et la boue.

Faiseur d'Enclos et Belle Journée pouvaient-ils retenir encore ceux qui venaient d'affronter victorieusement des troupes gouvernementales plus puissantes et mieux armées? Faiseur d'Enclos suivit sans doute plus qu'il ne mena ses guerriers affamés sur la route de Batoche où les Métis se battaient contre le Canada.

Vers cette époque, quelques Indiens commirent des actes individuels de terrorisme, cette violence inutile qui est la marque des faibles. Un Blanc du nom de Payne fut tué. Itka expliqua à Middleton ce qui s'était passé. Il était venu demander à Payne de la nourriture pour sa famille pendant qu'il serait à la chasse. Payne refusa avec brusquerie. Comme Itka insistait, Payne saisit le fusil de l'Indien et menaça de le tuer. Itka lui arracha l'arme des mains et l'abattit.

Robert Tremont fut tué lui aussi. Wah-wah-nitch était avec quatre Indiens de la réserve des Stony, lorsqu'il aperçut Tremont qui graissait les roues d'une charrette. Wah-wah-nitch n'avait pas de fusil, seulement un arc et des flèches. Un de la bande suggéra: «Tue-le.» Un autre s'y opposa: pourquoi tuer un homme sans raison? Après discussion, on laissa chacun libre de faire ce qu'il voulait. Wah-wah-nitch saisit un fusil et tua Tremont.

La tribu de Faiseur d'Enclos quitta la colline de Couteau Coupé le lendemain, en direction de Batoche et du campement de Gros Ours. Les éclaireurs croisèrent un convoi de charrettes qui se dirigeait vers Battleford. Sans que les Cris ne fassent aucune menace, les charrettes se rendirent avec leurs marchandises. Les Cris laissèrent donc partir les hommes et acceptèrent les marchandises si généreusement données.

Robert Jefferson rapporte ce qu'on lui raconta de l'incident.

Il est évident que les charretiers ne connaissaient pas les habitudes des Cris et qu'ils abandonnèrent leurs chargements avant même de parlementer.

> Ils étaient si effrayés de ce qu'ils pourraient subir aux mains des Indiens, écrit Jefferson, que, pour les amadouer, ils donnèrent tous leurs petits objets de valeur à ceux qu'ils croyaient les plus importants.

> Un jeune homme m'exhiba une montre qu'il avait reçue d'un charretier. Je lui dis qu'il ferait mieux de la lui remettre ou il aurait des ennuis quand viendrait le temps de régler les comptes. Mais il me répondit qu'il ne l'avait pas demandée; c'était un cadeau et il la garderait. À la fin des troubles, il fut condamné à trois mois de prison et dut retourner son «cadeau». Tous ceux qui reçurent des «cadeaux» et qui purent être identifiés subirent le même sort[16].

Peu après la prise du convoi de charrettes, Faiseur d'Enclos apprit la défaite des Métis à Batoche et la fuite de Gros Ours. Il dut alors comprendre que les peuples autochtones de l'Ouest canadien étaient complètement vaincus. Ils étaient trop pauvres pour acheter des carabines modernes et des munitions. Ils avaient depuis longtemps vendu leurs bons chevaux pour subvenir à leurs besoins, et il ne leur restait que des canassons. Les bisons disparus, ils n'avaient plus ni tentes ni vêtements adéquats.

Faiseur d'Enclos pouvait s'enfuir aux États-Unis, mais les Américains l'auraient traité encore plus durement et plus injustement qu'ils ne traitaient leurs propres autochtones. Il choisit donc la voie qui, selon lui, entraînerait le moins d'effusion de sang et le moins d'épreuves pour les siens.

Il fit rédiger une lettre, qu'il parapha de sa marque, où il demandait à rencontrer Middleton pour négocier la paix.

Le 26 mai, il conduisit sa bande à Battleford où il fut rejoint par Itka et Wah-wah-nitch et il se rendit. Middleton refusa de leur serrer la main; il s'adressa à Faiseur d'Enclos d'un ton sévère de maître d'école et il l'accusa d'avoir aidé Riel; ce dernier lui aurait en effet confié que Faiseur d'Enclos lui avait promis 200 hommes.

Faiseur d'Enclos répondit:

Dommage que personne ne puisse témoigner de ce que j'ai dit. Samuel Trottier, Urbel Delorme et quatre autres assistaient à cette réunion. Mais ils sont partis maintenant. J'ai dit: «Je ne veux pas y aller, parce que Riel n'a pas assez de poudre et de cartouches.» C'est pourquoi je me suis arrêté au ruisseau de Couteau Coupé. Dans cette direction, j'allais au lac Petit Démon, non pas chez Riel.

Pourquoi, demanda Middleton, avez-vous attaqué la police et les charrettes [à la colline de Couteau Coupé]?

Pendant que nous dormions paisiblement, répondit Faiseur d'Enclos, ils sont arrivés et ils ont tiré du canon sur mon campement. Je me suis levé et j'ai dû me défendre[17]...

Middleton emprisonna Faiseur d'Enclos, Wah-wah-nitch, Itka et plusieurs autres dans la prison de la NWMP. Faiseur d'Enclos fut ensuite envoyé à Régina pour y subir son procès.

Le compte rendu de ce procès, présidé par le juge Richardson, se trouve dans le dossier 52, 1886. Faiseur d'Enclos ne se défendit pratiquemment pas. À la fin, Richardson lui demanda: «Faiseur d'Enclos, avez-vous quelque chose à dire pour votre défense?»

D'après l'interprète, il répondit: «Je ne veux parler qu'une fois. De tout le mal dont on m'a accusé cet été, il n'y a rien de vrai... Quand les miens et les Blancs se sont affrontés et jusqu'à ce qu'ils s'enfuient (de Battleford*), j'ai vu tout ce qui se passait, je leur ai enlevé toutes leurs armes et je me suis départi des miennes. J'ai tout fait pour empêcher que le sang coule.

Si je n'avais pas fait cela, il y aurait eu beaucoup de sang versé cet été; mais maintenant que j'ai fait ce qui devait être fait, vous pouvez m'imposer n'importe quelle sentence, bien sûr... Faites de moi ce que vous voudrez... Je devrai souffrir, parce que j'ai sauvé bien des vies. Je vous serre donc la main, à vous tous messieurs.

– [Richardson:] Faiseur d'Enclos, vous avez été reconnu coupable d'un crime très grave et, au cours de votre procès, vous avez été défendu par un bon avocat... La preuve por-

* N.D.A.

tée contre vous était si accablante que je ne peux voir comment le jury aurait pu rendre un autre verdict que celui-là.

Si vous aviez été accusé de trahison, vous auriez été reconnu coupable et vous auriez alors dû quitter ce tribunal comme Riel l'a déjà fait, en condamné à mort.

Lorsque Ballantyne vous l'a conseillé, si votre cœur avait été loyal et honnête envers la reine, vous seriez allé voir l'agent et vous auriez dénoncé ceux qui agissaient mal; vous auriez aidé les autorités locales à les punir. Si vous aviez usé de votre influence comme vous auriez dû le faire, il n'y aurait peut-être et même sans doute pas eu de bataille à Couteau Coupé.

Il est indéniable que vous avez été magnanime envers les Blancs qui sont tombés entre vos mains. Il est en outre évident que vous avez été bon envers les prêtres et que vous avez pris soin d'eux; ces prêtres et ces jeunes Blancs, les charretiers, vous doivent sans doute la vie.

À ceci j'ajouterai que je vous connais personnellement depuis des années et que je n'oublie pas le rapport que j'ai sur vous et qui n'est pas mauvais. Plutôt que de vous imposer une très lourde sentence, ce qui reviendrait à vous faire terminer vos jours au pénitencier, nous avons tenu compte des gestes que vous avez posés à l'endroit de ces hommes – les prêtres et les charretiers; nous avons également tenu compte de votre reddition. Mais malgré tout, il nous est impossible de passer l'éponge; un châtiment doit vous être infligé, non seulement pour vous faire prendre conscience de vos fautes et des torts que vous avez contribué à causer, mais pour empêcher que d'autres ne s'avisent de faire la même chose...

Le tribunal vous condamne donc, Faiseur d'Enclos, à trois ans de prison au pénitencier du Manitoba.

– [Faiseur d'Enclos:] Je préférerais être pendu tout de suite plutôt d'aller là-bas[18].

Faiseur d'Enclos ne retourna jamais chez lui. Il mourut avec le chef Crowfoot dans la réserve des Pieds-Noirs, au début du printemps 1886.

Joe Scott et monseigneur Cornish lui fabriquèrent un cercueil en bois, recouvert de coton et de clous de cuivre. Il fut mis en terre avec amplement de couvertures, carabines, munitions, couteaux et tabac pour accomplir son dernier voyage. Il y a quelques années, les Cris de sa tribu ont transporté son cercueil sur la colline de Couteau Coupé où il repose maintenant dans la réserve qui porte son nom, à quelques kilomètres de Battleford.

Ne meurent pas ceux qui trouvent place dans le cœur de leurs descendants.

NOTES

1. Collection Macdonald, vol. 105, Crozier à Dewdney, 7 janvier 1885.

2. Chambers 85, Crozier à Dewdney, 14 mars 1885, A.P.C.

3. Chambers 85, Crozier à Dewdney, 15 mars 1885.

4. Pope, *Correspondence of Sir John A. Macdonald*, p. 332.

5. *Ibid.*, p. 338.

6. Report on the Suppression of the Rebellion in the North-West Territories, 1886.

7. Ouimet, Adolphe, *La question métisse*, Montréal, s.é., 1889, p. 124.

8. D.P.C., 1886, XII, n⁰ 43.

9. *La Reine vs Riel*, Document n⁰ 7, p. 227.

10. Pope, *Correspondence of Sir John A. Macdonald*, p. 339.

11. Jefferson, Robert, *Fifty Years on the Saskatchewan*, Canadian North-West Historical Society, vol. 1, n⁰ V, 1929, p. 132.

12. *Ibid.*, p. 124.

13. Otter to Middleton, Report of Dept. of Militia and Defense on the Suppression of the Rebellion in the North-West Territories, A.P.C., pp. 21-23.

14. Jefferson, *Fifty Years on the Saskatchewan*, p. 143.

15. Epitome of Parliamentary Documents, p. 364.

16. Jefferson, *Fifty Years on the Saskatchewan*, p. 148.

17. Mulvaney, Charles P., *The North-West Rebellion*, Toronto, Hovey, 1885, p. 384.

18. D.P.C., 1886, XII, n⁰ 52, Extraits du procès de Faiseur d'Enclos.

IX

Les quatre jours de Batoche

L'affrontement de l'anse aux Poissons

Middleton partit de Qu'Appelle le 6 avril avec 407 hommes et 102 charrettes chargées de provisions. D'autres soldats et d'autres vivres allaient s'ajouter au fil des jours pour porter finalement la troupe à 800 hommes. Ils traversèrent les Touchwood Hills passé Humboldt puis ils arrivèrent à Clarke's Crossing, à 55 kilomètres à peine de Batoche. Là, Middleton divisa sa troupe. Il envoya la moitié de ses hommes, commandés par Melgund, alors chef d'état-major, sur la rive ouest de la rivière Saskatchewan-Sud. Melgund, tout comme Middleton, devait pousser jusqu'à Batoche.

Plus tard, on critiqua cette décision de Middleton parce que, ce faisant, il n'avait pu écraser la petite troupe de Dumont à l'anse aux Poissons. Les communications étaient difficiles entre les deux contingents séparés par la rivière; tout ce dont ils disposaient, c'était les pavillons de signalisation et les clairons. Une fois la bataille commencée à l'anse aux Poissons, il fallut deux heures au contingent de Melgund pour traverser la rivière à bord d'un seul chaland qui, de surcroît, prenait l'eau. La décision de Middleton était cependant compréhensible, car les Métis pouvaient emprunter la rivière pour attaquer de nuit. Ils auraient pu s'infiltrer en canot pour couper ses lignes de ravitaillement, assaillir les renforts, lancer des raids sur les campements, tuer, voler ou disperser les chevaux afin de paralyser les batteries, mettre le feu aux magasins, bref, faire du ravage.

Les soldats progressèrent laborieusement le long de la rivière Saskatchewan-Sud. Non loin d'un ravin, Middleton partit en reconnaissance avec ses aides de camp et un groupe d'éclaireurs de Boulton.

Le 24 avril 1885, Middleton écrit: «Nous aperçûmes un groupe d'à peu près 50 cavaliers, non loin d'un escarpement, à environ 500 verges à notre gauche. Ils tirèrent une volée de balles qui, heureusement, passèrent au-dessus de nos têtes pour aller s'écraser parmi les arbres[1].»

La bataille de l'anse aux Poissons, «la coulée des Tourond» comme l'appelait les Métis, était commencée. Gabriel Dumont affirma qu'apprenant l'approche de Middleton, il était impatient de l'affronter. Il dit à Riel qu'il ne pouvait plus suivre ses conseils humanitaires, qu'il était décidé à tirer sur les envahisseurs et qu'en cela, il était approuvé par ses gens[2].

> [Dumont:] Riel m'a alors répondu: Eh bien!, faites comme vous voudrez. Nous sommes partis à la brunante, le soir du 23 avril. Notre troupe se composait de 200 hommes: Métis, Sauteux, Cris, Sioux et Canadiens. Riel nous accompagnait. Dans les haltes, il nous faisait dire le chapelet.
>
> À huit milles de Batoche, chez Roger Goulet qui s'était sauvé, j'ai fait tuer deux de ses vaches pour manger. Nous avions à peine fini de souper que deux Métis, Noël Champagne et Moïse Carrière, qui étaient restés à Batoche avec mon frère Édouard et une trentaine d'hommes pour garder la place, vinrent nous avertir que la Police montée s'en venait, par le chemin de Qu'Appelle, pour surprendre Batoche, et qu'Édouard demandait 30 hommes avec moi ou avec Riel. J'ai répondu que j'étais parti pour aller tirer sur Middleton et que je ne retournerais pas; Riel a consenti à se rendre au désir d'Édouard, et je lui ai cédé 50 hommes de ma troupe.
>
> Le jour s'est levé avant que nous fussions en vue de Middleton, campé à la ferme McIntosh.
>
> J'ai cru prudent de reculer et d'aller attendre l'ennemi à la coulée de l'anse aux Poissons, qui est connue parmi nous sous le nom de petite rivière aux Castors; elle se jette d'ouest en est, à la droite de la Saskatchewan. C'est sur la rive droite de ce ruisseau que demeurait la famille Tourond...

Vers sept heures, un éclaireur, Gilbert Berland, nous avertit qu'une colonne d'environ 800 hommes s'avançait sur
nous. J'ai alors placé 130 de mes gens dans un bas-fond, sur
la rive gauche du ruisseau aux Poissons, vis-à-vis de la maison des Tourond, et j'ai fait cacher les chevaux dans le bois.
Puis je suis parti avec 20 cavaliers pour aller m'embusquer
plus en avant sur le passage des troupes, avec dessein de
ne les bousculer que lorsqu'elles seraient repoussées, et
donnant ordre à mon corps principal de ne les attaquer que
lorsqu'elles se seraient complètement engagées dans la coulée. Je voulais me servir de la technique qu'on utilise avec
les buffles.

Mais après avoir vu les pistes qu'avaient laissées nos jeunes
gens, les Métis anglais, qui étaient avec les troupes, donnèrent l'éveil, et ils firent halte pour attendre le gros de leur
armée, en envoyant des éclaireurs visiter la coulée.

L'un d'eux est venu vers moi, mais je ne voulais pas gaspiller mes cartouches pour si peu. Il nous a aperçus et il s'est
sauvé. Je l'ai poursuivi et j'allais le rejoindre quand quelqu'un a tiré; mes gens m'ont crié que je tombais dans un
groupe d'une quarantaine que je ne voyais pas, tant j'étais
intentionné de capturer ma proie. Quand j'ai vu que je
n'avais pas le temps d'assommer ce fuyard, je l'ai tiré, et je
me suis enfoncé dans la coulée pour rejoindre mes 20 cavaliers; à ce moment même, les hommes de la police descen-
daient de cheval.

Il était alors 7 h 20.

Ils ont commencé à tirer sur nous[3].

Il semble que ces 20 cavaliers en parurent 50 à Middleton.
    Les tirs provenaient des éclaireurs de Boulton, le même qui
avait été condamné à mort puis gracié au fort Garry, en 1870. Ils
étaient rapidement descendus de cheval pour se jeter au sol et
commencer à tirer.
    Bien cachés parmi les arbres, les Métis ne constituaient pas
des cibles faciles. Mais leurs pétoires, pour la plupart chargées
par le canon, étaient inefficaces au-delà de 40 ou 50 mètres.
    En plus des éclaireurs de Boulton, Middleton avait plus de
300 soldats avec lui, soit un total de 524 hommes, dont 60 charretiers.
    Dumont vit sa troupe de 130 hommes diminuer rapide-

ment. Quelques-uns s'enfuirent dès le début de la fusillade. D'autres furent paralysés après avoir épuisé leurs munitions. Mais dans l'ensemble, leur adresse et leur détermination fut évidente si l'on tient compte de leur petit nombre et de leur piètre armement. Ils n'étaient plus que 54 lorsque Édouard Dumont arriva de Batoche avec des renforts.

Quand le corps principal eut rejoint les éclaireurs de Boulton, Middleton assigna les compagnies B et F du 90e Bataillon à Boulton qui essuyait le feu des Métis sur le flanc gauche. Du côté est, il disposa le reste du 90e Bataillon, la batterie A et les soldats de l'École d'infanterie.

Les deux ailes se déployèrent ensuite en forme de croissant près du sommet de la pente. De là ils pouvaient, sans trop s'exposer, faire feu vers le fond du ravin, en espérant atteindre les Métis dissimulés parmi les broussailles. Mais lorsqu'ils se redressaient pour mieux viser, la riposte des Métis les obligeait à se dissimuler. À l'abri, ceux-ci avaient le temps de recharger leurs fusils entre chaque coup.

Le capitaine S. Frank Peters, un soldat de carrière, commandait la batterie A et ses 90 hommes. Au signal de Middleton, Peters déplaça ses deux canons de neuf livres sur la gauche. Mais l'inclinaison de la pente diminuait leur efficacité car on ne pouvait les incliner suffisamment pour pilonner le fond du ravin. Le mieux que Peters put faire, ce fut de mettre le feu à des meules de foin dans la ferme des Tourond.

Lorsqu'un groupe de Métis fonça sur des soldats de la batterie A, Peters tourna ses canons contre eux et, à coups d'obus, les força à reculer.

Vers 10 heures, Middleton vit des Métis se déplacer dans le ravin pilonné par son aile gauche. Il ordonna à ses hommes d'avancer, espérant les encercler. La ruse de Dumont porta fruit; ces quelques hommes retinrent les troupes de Middleton assez longtemps pour permettre à leurs camarades de se déplacer vers le nord. L'arrière-garde les suivit aussitôt et les deux ailes de Middleton se refermèrent sur un piège vide.

Au même moment, les Métis attaquèrent subitement le flanc gauche. Durant cette attaque soudaine, moins de 60 mètres séparaient les deux camps. Les Métis s'étaient abrités dans une vieille cabane de rondin autour de laquelle ils avaient rapidement construit une barricade avec des arbres morts et des broussailles disposés entre des pierres. Au cours de cet échange de tir à courte distance, plusieurs soldats furent blessés, y compris Hugh John Macdonald. Le fils de John A. Macdonald fut ensuite mis à bord du *Northcote* avec les autres blessés.

À un certain moment, les deux camps étaient si rapprochés que Gabriel Dumont logea une balle dans le bonnet de fourrure de Middleton, lui ratant le crâne d'à peine deux centimètres. À ce stade de la bataille, les soldats canadiens apercevaient distinctement le chef métis tirer avec sa Winchester et se remettre à l'abri après chaque coup de feu.

Quand ils ont vu que je les chauffais trop, ils se sont mis à envoyer des décharges dans le fourré où j'étais. Les branches qui cassaient tout autour de moi m'avertirent qu'il n'était pas prudent d'y rester. Je ne sais si j'en ai tué beaucoup, car aussitôt mon coup tiré, je m'effaçais, mais je n'ai pas dû manquer souvent.

En retournant vers les quelques cavaliers qui me restaient, j'ai rencontré des Sioux qui m'ont dit qu'un des leurs avait été tué sur l'élévation. J'y suis monté pour aller prendre ses armes, mais ses compagnons s'en étaient déjà emparés. J'ai trouvé le malheureux blessé, couché à plat ventre et qui chantait. Je lui ai demandé s'il était blessé à mort, il me dit que non. Les balles sifflaient dru à cet endroit. J'en suis revenu à quatre pattes...

De mon détachement de 130 hommes, il ne m'en restait plus que 47, et de mes 20 cavaliers, je n'en comptais que 15.

J'ai dit aux jeunes gens: N'ayez pas peur des balles, elles ne font pas mal, et je leur montrais comment tirer pour atteindre le but. Ils se sont mis à pousser des cris de joie. Le canon grondait tout le temps.

Nous sommes descendus dans un bas-fond de la prairie, plus près des lignes ennemies; j'ai aperçu un officier qui nous visait; je me suis empressé de le culbuter, et nos jeunes gens se sont mis à ricaner en l'entendant crier comme un enfant.

On les a tenus en échec toute la journée, car je tirais dru, et pour aller plus vite, les jeunes gens autour de moi me fournissaient des cartouches; nos munitions baissaient rapidement. Quand j'ai vu qu'il n'y avait plus que sept cartouches, j'ai décidé de mettre le feu au foin de la prairie pour faire reculer l'ennemi qui se trouvait sous le vent. Sous le couvert de la fumée, je calculais d'aller prendre les munitions et les armes qu'il laisserait dans sa fuite. J'avais recommandé à mes gens de crier et de chanter pendant l'opération.

J'exécutai mon dessein, et je suivis la plus grosse touffe de fumée devant laquelle les capots rouges fuyaient sans regarder en arrière. J'allai fouiller leurs morts pour prendre leurs cartouches et leurs armes, mais ils en avaient été dépouillés.

Je suis revenu vers mes 15 hommes qui étaient postés dans le ravin de la prairie et qui me croyaient perdu.

J'ai dit aux Sioux qui me suivaient que j'allais tâcher de passer dans les bois en arrière des rangs de l'ennemi, et leur faire croire par là que nous étions nombreux. Un jeune sauvage me dit: Si tu nous quittes, nous allons nous sauver.

Je l'ai rassuré en lui disant que j'allais voir mes 47 compagnons restés dans l'autre ravin. En effet, je suis parti pour y aller, mais je n'ai pu m'y rendre, car ils étaient cernés par les tirailleurs ennemis, qui avaient traversé la coulée plus bas, étaient remontés dans le bois de l'autre côté et crachaient constamment la mitraille de leurs canons.

Pourtant mes soldats du ravin se battaient bien, et chacun s'encourageait. Isidore Dumas cependant se prit de peur; alors, pour se rassurer, il se mit à chanter une vieille chanson de Napoléon Ier, et tous les autres répondaient en chœur, et ils ont tous repris courage.

Comme je ne pouvais pas les rejoindre, je suis donc retourné vers mes hommes restés dans les îles de bois de la prairie. Mes Sioux m'échappèrent et je ne restai plus qu'avec sept hommes. J'ai tenté de nouveau d'aller trouver les combattants du ravin, mais il était impossible de m'y rendre sans m'exposer à une mort certaine.

J'ai emmené mes sept compagnons manger chez Calixte Tourond. C'était au soleil couchant.

J'avais espoir d'avoir du secours de Batoche. Mais Riel ne voulait pas laisser partir les hommes; il rassurait la population et disait que nous n'attraperions pas grand mal.

Cependant mon frère Édouard, en entendant le canon, avait

supplié Riel de le laisser partir. À la fin, il lui dit: Quand les miens sont exposés je ne puis rester ici, et il a accouru vers nous avec 80 cavaliers.

Déjà j'étais parvenu à contourner les lignes ennemies, et la police avait reculé, quoique les volontaires continuassent la bataille.

On s'est enfoncés dans les îles de bois où ils s'adossaient et en entendant nos cris ils se sont sauvés, en laissant une foule de bagages. Le médecin oublia sa trousse de médicaments et deux bouteilles d'eau-de-vie que nous bûmes à sa santé.

J'ai proposé de les poursuivre, mais mes gens étaient trempés et transis jusqu'aux os, car il avait plu toute la journée.

Il était alors environ 8 heures du soir.

Que la Providence en soit bénie, dans toute cette journée de combat continu et acharné, nous n'avons perdu que quatre hommes, à savoir: deux Sioux, mon neveu Saint-Pierre et José Vermette. Deux autres ont été blessés: François Boyer, un autre de mes neveux, et Michel Desjarlais, qui mourut trois jours après.

Nous avons ramassé nos morts et nos blessés, et nous avons pris la direction de Batoche.

Dumont fait ensuite ressortir quelques erreurs dans le compte rendu de Middleton. Celui-ci parle de pertes considérables chez les Métis, alors qu'il n'y eut que quatre morts et deux blessés. Quant aux vivres abandonnés que Middleton trouva, il ne pouvait s'agir que des restes des vaches de Roger Goulet et de quelques poules provenant du poulailler d'Isaac Tourond.

Il se trompe aussi quand il parle des fossés de tir qui n'étaient autre chose que les sentiers creusés par le passage des animaux dans le bois.

Le général Middleton n'a pas dû voir par lui-même ce qu'il affirme et on l'a évidemment trompé. Il est d'autant plus justifiable d'avoir cru à ces exagérations qu'il était difficile de croire, pour lui plus que pour tout autre, qu'une poignée d'hommes mal armés ait pu, pendant toute une journée, tenir en échec et mettre en fuite près de 1 600 hommes armés de pied en cap et servis par une bonne artillerie.

Middleton a beau évaluer nos forces à 300 hommes, de 150 que nous étions quand nous avons affronté l'ennemi, nous sommes restés 47 d'un côté et 7 de l'autre, donc nous n'étions que 54 quand, à la fin de la journée, les 80 cavaliers d'Édouard Dumont sont venus nous secourir.

À l'aube du 24 avril, Dumont et ses hommes épuisés arrivèrent à Batoche.

Le lendemain, Middleton organisa des funérailles. Faute de cercueils, certains de ses morts furent enveloppés et cousus dans des couvertures de l'armée. On marqua le lieu de l'enterrement par un monticule de pierres. En partant, les soldats tournèrent la tête à droite, en dernier salut à leurs camarades décédés

Plusieurs années plus tard, le gouvernement canadien érigea un tumulus à cet endroit.

À l'anse aux Poissons, Middleton eut 6 morts et 49 blessés. En dépit de leur nombre et de la puissance de leur artillerie, ces soldats inexpérimentés de l'Est du Canada durent essuyer une défaite complète. Après la bataille, ils étaient complètement démoralisés; les vantardises et les chansons qui avaient impressionné les dames parfumées de Toronto n'avaient guère eu d'effet sur les Métis. Les soldats amateurs de Middleton avaient donc subi leur baptême du feu. Mais ce personnage ridicule à la barbe drue, portant des mocassins, vêtu de hardes et n'utilisant jamais de mouchoir, était un redoutable combattant.

L'Exovedat

Riel avait bien vu que Charles Nolin, son beau-frère, s'était enfui de Batoche pendant la bataille du lac aux Canards. Nolin souhaitait devenir le chef des Métis et il avait été ulcéré de les voir accepter si rapidement Riel comme guide et conseiller. Mais Riel l'éclipsa totalement et ce, même lorsqu'il tenta de s'opposer à lui.

Riel savait que Nolin, en arrivant à Prince Albert avec le

cheval et le traîneau de sa belle-sœur, n'avait pas été accueilli comme il l'espérait. En effet, à son retour du lac aux Canards, Crozier le fit jeter aux fers où il resta jusqu'à la fin du soulèvement. Riel espérait bien que le traitement infligé à Nolin lui fasse perdre toute envie de déserter.

La victoire du lac aux Canards avait transporté Riel de joie. Seule la volonté de Dieu, il en était sûr, avait pu leur assurer cette victoire. Et il n'était pas seul à le croire. Une résolution du conseil de l'Exovedat affirme:

> L'Exovedat des Métis canadiens reconnaît Louis David Riel comme un prophète au service de Jésus-Christ, fils de Dieu et seul rédempteur du monde; un prophète qui s'est mis aux pieds de Marie Immaculée, sous la protection manifeste et infiniment consolatrice de saint Joseph, le bien-aimé patron des Métis et patron de l'Église universelle; l'Exovedat le reconnaît comme un prophète et l'humble imitateur de saint Jean Baptiste, le glorieux patron des Canadiens français et des Métis canadiens-français[4].

«Exovedat» était un mot inventé par Riel qui signifiait «issu du troupeau». C'est ainsi qu'il désignait son Conseil. Il l'utilisait également à quelques occasions pour parler de lui dans les décisions prises par le Conseil, afin de souligner qu'il n'était qu'un membre du groupe.

Les combattants métis devaient prêter le serment suivant: «Jurez-nous devant Dieu que vous serez loyal envers le mouvement des métis canadiens-français et envers le gouvernement provisoire, et jurez-nous que vous persévérerez dans la voie à suivre et que vous accomplirez les tâches que l'Exovedat exigera de vous au nom de Dieu.»

À partir de la fin mars, Riel consacra encore plus de temps à la prière et à la méditation. Dans son journal, il décrit ses visions entremêlées de doutes et de peurs. Il priait: «Ô mon Dieu, soutenez-moi dans l'armée[5].»

Avant le lac aux Canards, il avait convaincu l'Exovedat de reconnaître monseigneur Bourget comme pontife suprême. Il fut décidé que Pâques serait fêté le 1er mai et que le jour du Seigneur passerait du dimanche au samedi.

Dumont s'intéressait sans doute assez peu à ces éternelles discussions religieuses. Louis Schmidt ne pouvait pas les avaler non plus et il en vint à croire que Riel jouait les prophètes pour impressionner. Philippe Garnot, un Québécois, partageait cette opinion bien qu'il fut le secrétaire de Riel après que Will Jackson fut tombé malade. Garnot refusa de prendre les armes, en faisant fi des réprimandes de Riel et de ses doutes sur sa loyauté.

Le père Végreville, de Saint-Laurent, adopta une attitude très critique face à tous ces bouleversements religieux. Après la messe de Pâques, à Batoche, lorsque Riel se mit à critiquer le sermon du père Moulin, ce dernier avait répliqué vivement en accusant Riel d'hérésie et d'apostasie. Quelques jours plus tard, quand le père Végreville vint à Batoche pour rendre visite au père Moulin, Riel le fit arrêter. Puis il exigea que le père Végreville signe une déclaration où il s'engageait à demeurer dans la maison du père Moulin et à conserver la plus stricte neutralité. Les pères Tourmond et Touze durent signer des déclarations semblables.

Les Sœurs grises décidèrent de quitter leur couvent de Saint-Laurent pour aller se mettre à l'abri à Prince Albert, mais leur voiture fit une embardée, une roue se brisa et elles durent rebrousser chemin. Riel les conduisit alors chez le père Moulin.

L'opposition des prêtres amenait le Métis moyen à douter sérieusement de sa cause, car il respectait le clergé et acceptait son autorité depuis des années. Riel en vint finalement à placer les prêtres en résidence surveillée et à assumer leurs fonctions de religieux et de conseillers. Cette transposition était tout à fait acceptable pour les Métis et ils reprirent confiance.

Riel espérait toujours que la majorité des Métis et des autochtones du Nord-Ouest se déciderait à prendre les armes. Mais John A. Macdonald, lui, faisait tout ce qu'il pouvait pour qu'ils n'en fassent rien. Il écrivit au père Lacombe et lui demanda d'utiliser son influence pour maintenir Crowfoot et les Pieds-Noirs à l'écart de l'insurrection. Le chef Crowfoot était considéré comme le fils du grand guerrier Sitting Bull qui avait été le cerveau de la victoire remportée sur le général américain Custer, à la bataille de Little Big Horn.

Le père Lacombe remplit sa mission avec succès en prétendant, semble-t-il, qu'une guerre contre le Canada serait futile et n'entraînerait qu'un surcroît d'épreuves pour les peuples autochtones.

Sur les ordres de Macdonald et de Van Horne, le président du Canadien Pacifique, une locomotive était mise à sa disposition jour et nuit pour qu'il puisse rencontrer tout groupe d'Indiens susceptible de subir sa bonne influence. Assis dans la cabine de la locomotive, le père Lacombe franchit de nuit la distance entre Calgary et Blackfoot Crossing. Au point du jour, il souleva le panneau de la tente de Crowfoot, au grand étonnement du vieux chef. Il fit le salut traditionnel des Indiens, entra, s'assit en tailleur et commença. Les pourparlers furent fructueux et le père Lacombe télégraphia à Macdonald que les Pieds-Noirs respecteraient la paix.

Le 1er avril, de Blackfoot Crossing via Gleichen, Crowfoot envoya à son tour un télégramme dans lequel lui et son peuple s'engageaient à rester fidèles à la reine. Il ne demandait qu'une petite quantité de thé et de tabac en guise de présent... bien qu'il fût entendu qu'une trop petite quantité serait inacceptable.

Le père Lacombe réussit à convaincre les Blood, les Piegan et les Sarsis de ne pas faire la guerre. Et c'est ainsi qu'il porta un coup fatal à la cause métisse, en empêchant 2 000 guerriers de se joindre à l'armée de Dumont.

Faiseur d'Enclos, lui, appuyait les Métis mais il savait qu'ils étaient trop peu nombreux et que leurs armes rudimentaires ne leur permettraient pas de résister longtemps à l'armée canadienne.

Riel avait empêché Dumont de tendre une embuscade à la Police montée et aux volontaires de Prince Albert qui quittaient le fort Carlton. Il savait que des troupes lourdement armées, sous les ordres de Middleton, s'avançaient à partir de Qu'Appelle, mais il convainquit l'Exovedat de ne pas recourir aux tactiques de guérilla pour harceler les soldats.

Durant les combats, il se comporta comme s'il était protégé par Dieu, sans se préoccuper de sa propre sécurité. Au cours de la bataille du lac aux Canards, il tenait, d'après Dumont, un crucifix à la main et il était assis bien en vue sur son cheval, à portée des fusils des policiers. Pendant les trois jours que dura la bataille de Batoche, il allait et venait sans armes, et il encourageait les combattants; ce n'est pas là le comportement d'un lâche.

Avant l'affrontement de l'anse aux Poissons, Dumont avait dû affirmer sans ambages qu'il allait se battre, avec ou sans la permission de Riel. Riel, quant à lui, affirmait que les Métis devaient considérer Batoche comme leur forteresse et la défendre contre les agresseurs.

Riel savait bien que les Métis devaient faire face à une

armée beaucoup plus puissante. Mais il espérait qu'ils pourraient soutenir un siège prolongé et provoquer ainsi une impasse qui permettrait la signature d'un traité.

Si Dumont avait eu gain de cause, les combats auraient pu durer plusieurs mois, peut-être même des années. Il se serait servi des Prairies comme terrain d'opérations et Middleton aurait été forcé de faire ce qu'il craignait le plus: diluer ses forces sur de grandes étendues de territoire et tenter de protéger ses lignes de ravitaillement contre les raids éclair menés par de farouches guérilleros.

Mais Dumont croyait en Riel et il lui resta fidèle jusqu'à la fin. Il céda devant lui et l'Exovedat et fit construire d'ingénieuses tranchées devant Batoche pour protéger sa petite troupe. Plus tard, à Montréal, il déclara que la victoire de l'anse aux Poissons était due aux prières que Riel, bras en croix, récita avec les femmes et les enfants durant l'affrontement[6].

Middleton rencontrait lui aussi des difficultés. De toute son armée de plus de 1 000 soldats, il y en avait moins d'une douzaine qui avaient déjà combattu. Tous les autres étaient des volontaires, fougueux certes et prêts à se battre, mais sans formation technique ou psychologique et, somme toute, mal préparés pour le combat.

Middleton avait conduit ses soldats, ployant sous leurs bagages, en plein territoire ennemi. Ils se sentaient menacés de toutes parts, perdus, à des centaines de kilomètres des lumières de la ville la plus proche.

Plus tard, Middleton envoya une lettre confidentielle à Caron, où il affirmait que n'eût été de lui-même et de quelques officiers expérimentés qui empêchèrent les volontaires de céder à la panique, la bataille de l'anse aux Poissons aurait été un véritable désastre.

Au début, Middleton avait confiance dans son artillerie et dans sa supériorité numérique. Il se rendait maintenant compte que les Métis avaient des qualités beaucoup plus importantes que ce qu'on lui avait rapporté. Il considérait maintenant qu'il lui faudrait 5 000 ou 6 000 hommes pour en venir à bout. Il prêta foi, semble-t-il, à des histoires invraisemblables qui racontaient que l'armée métisse avait plusieurs centaines sinon des milliers d'hommes bien armés.

La situation du général Middleton s'aggrava encore avec la mise en rade de son système de ravitaillement. Les rivières et les

bateaux à vapeur étaient censés lui assurer un approvisionnement rapide et abondant. Mais avec des capitaines ivres, des
matelots en grève et des eaux trop basses, le système ne fut
jamais bien efficace.

Middleton et son armée de marchands de légumes dépen-
daient donc entièrement du transport à cheval. Mais ce type de
transport était désuet. Les distances à parcourir étaient si considérables qu'après avoir chargé la nourriture nécessaire aux
hommes et aux chevaux (y compris pour le voyage de retour),
il ne restait pratiquement plus de place pour le matériel militaire
à bord des charrettes. Le chargement qui atteignit effectivement
Middleton à Batoche ne représentait qu'une infime portion de
celui qui avait quitté Swift Current.

La seule solution consistait à augmenter le nombre d'attelages. À un certain moment, Middleton avait plus de 1 100
attelages, soit 2 200 chevaux et leurs conducteurs, pour approvisionner ses troupes. Un convoi mesurait alors plus de cinq
kilomètres.

Les colons de la région sautèrent sur cette occasion facile de
faire de l'argent et se mirent à demander des prix astronomiques
pour leur travail, leur équipement et leurs provisions. Auparavant, à Qu'Appelle, un cultivateur pouvait vendre et transporter une tonne de foin pour un ou deux dollars. Maintenant, le
gouvernement payait 20 $ la tonne. Et la livraison de cette tonne
aux chevaux de Middleton à Batoche coûta 450 $ aux contribua-
bles canadiens, à cause des prix excessifs demandés par les charretiers de la région.

Middleton n'était donc pas pressé d'attaquer Batoche, qui
n'était pourtant qu'à 25 kilomètres. Il campa à l'anse aux Poissons pendant presque deux semaines.

Une bataille navale

Le 7 mai 1885, Middleton se sentit prêt à marcher sur
Batoche. Ses éclaireurs, y compris les cavaliers de Boulton et de
French, étaient des fermiers habitués à se déplacer dans la
brousse des Prairies; ils précédaient le gros des troupes qui

s'apprêtaient à franchir les 25 kilomètres les séparant de Batoche. Les hommes de Boulton longèrent la rivière Saskatchewan-Sud, tandis que les éclaireurs de French partirent vers l'est sur les pistes menant à Batoche.

En chemin, les soldats pillèrent les maisons abandonnées par les Métis, en particulier la ferme de Gabriel Dumont à la traverse de Gabriel. Ils y installèrent une «zareba» pour la nuit.

«Zareba» est un mot arabe signifiant «enclos». Lorsqu'il était au Soudan, Middleton campait la nuit avec ses soldats dans une zareba faite des broussailles épineuses. Mais là, il installa sa zareba en disposant son matériel en cercles concentriques; les hommes se réfugièrent au centre où ils creusèrent un trou. Les cercles extérieurs étaient formés avec le matériel lourd, comme les charrettes et les canons; les cercles intérieurs, avec l'équipement plus léger.

Cette disposition prévenait toute attaque surprise d'envergure, car au moment où l'ennemi franchirait le cercle extérieur, la partie centrale serait déjà en alerte.

Presque tous les alentours de Batoche fourmillaient de soldats, de sorte que les Métis pouvaient difficilement approvisionner leur base. Leurs maigres réserves de munitions provenaient des magasins locaux. Middleton usa d'une stratégie qui lui réussit: il les força à se défendre contre de multiples petites attaques et ainsi, il épuisa leurs réserves. Et si la riposte devenait trop vive, Middleton ordonnait à ses troupes de se retrancher à l'intérieur de la zareba.

À 6 heures du matin, le 8 mai, l'armée canadienne se remit en marche. Elle quitta la piste qui longeait la rivière et se dirigea vers l'est à un endroit situé à une quinzaine de kilomètres de Batoche, où on installa une autre zareba. Plus tard ce soir-là, un déserteur de l'armée de Riel, un Métis écossais du nom de Tait apporta à Middleton un plan du système de défense des Métis.

Le petit village de Batoche était construit sur des terres basses enfoncées dans un coude de la rivière Saskatchewan-Sud. Les terres situées derrière étaient surélevées par rapport au village et relativement dépourvues d'arbres et de broussailles. Elles avaient été labourées mais elles étaient si raboteuses qu'hommes et chevaux n'y avançaient qu'à grand-peine. Entre ce plateau et le coude de la rivière la pente était envahie par d'épaisses broussailles. À environ un kilomètre et demi au sud-ouest de Batoche, sur la route d'Humboldt, les prêtres avaient érigé l'église de Saint-Antoine-de-Padoue, ainsi qu'un presbytère à deux étages. En face s'étendait le cimetière.

Il était prévu que les troupes et le vapeur *Northcote* atteindraient Batoche à 9 heures le matin du 9 mai, afin de procéder à un assaut par terre et par eau. Gabriel Dumont avait cependant sa petite idée sur le *Northcote*, ce navire qui défendait maintenant l'honneur de la marine de guerre canadienne dans les Prairies!

Middleton donna instruction au capitaine Haig de préparer le *Northcote* en vue de l'attaque. On accosta donc le vapeur à la traverse de Gabriel et on renforça ses côtés avec des madriers arrachés à la maison et aux dépendances de Gabriel Dumont.

Le *Northcote* fut le premier navire de guerre des forces canadiennes. Il combattit en plein milieu des Prairies et on le protégea avec des matériaux tirés de la maison du chef des ennemis! En fait, chaque fois que les Métis tiraient sur le *Northcote*, ils faisaient des trous dans les propriétés de Dumont. C'est aussi sur ce navire que fut déclenchée la première et sans doute la dernière mutinerie de l'histoire navale canadienne.

Selon ce qu'écrivit plus tard Middleton, le *Northcote* devait arriver à la hauteur de Batoche vers 9 heures du matin pour créer une diversion et, si possible, couper le câble du bac. Afin de coordonner les opérations, les responsables des communications avaient mis au point un système complexe de signaux, utilisant principalement les sifflements de la sirène du *Northcote*.

À 6 heures du matin, l'armée quitta la zareba en direction de Batoche. Vers 8 heures, la batterie A du capitaine Peters porta le premier coup de l'affrontement en incendiant une maison de ferme, à environ trois quarts de kilomètre au sud du presbytère.

Soudain, Middleton entendit des détonations du côté du village et les sifflements hystériques de la sirène à vapeur. Le *Northcote* était entré en action plus tôt que prévu et sans l'appui des troupes de Middleton. La fusillade continua mais, subitement, les appels stridents de la sirène cessèrent. Les communications étaient rompues entre les forces navales et l'armée de terre.

Grâce à ses éclaireurs, Dumont était parfaitement au courant des déplacements du *Northcote*. Et le premier navire de guerre du Canada pénétra en plein dans le piège que lui tendaient les premiers habitants du Canada, les Métis et les Indiens.

Lorsque le *Northcote* approcha de Batoche, les Métis embusqués le long de la rivière lui envoyèrent une telle volée de balles qu'il augmenta sa vitesse pour fuir et arriva au village plus tôt que prévu.

Le tir des Métis était si nourri que l'homme de barre n'osait plus sortir la tête de sa cabine couverte de planches. Pendant un moment, le *Northcote* continua sur sa lancée, puis il dériva dangereusement parce que l'homme de barre ne savait plus quoi faire. Finalement, il s'étendit sur le plancher de la timonerie et manœuvra le gouvernail avec ses pieds; sur le pont inférieur, un des hommes jetait des coups d'œil furtifs entre les planches de l'ex-grange de Dumont et lui criait la route à suivre.

Mais un nouveau danger guettait le *Northcote*. Les Métis, en effet, commencèrent à abaisser le câble du bac qui traversait la rivière. Dumont espérait ainsi immobiliser le navire et le cribler de balles. Mais ils furent trop lents et le vaisseau put glisser dessous. Le câble, cependant, comme un énorme couteau, sectionna les cheminées et arracha la sirène.

Le *Northcote* filait maintenant à toute vapeur pour se sortir de cette mauvaise impasse. La fumée et les cendres brûlantes qui s'échappaient des cheminées amputées étaient si denses que personne sur le bateau ne voyait quoi que ce soit; des débris incandescents allumèrent plusieurs feux sur les ponts. Sans voix, sans yeux et presque sans âme, le *Northcote* heurta alors un banc de sable et fut pris sous une grêle de balles.

Il se dégagea finalement et alla se mettre à l'abri. En s'éloignant, l'équipage qui était composé de civils, éteignit les feux mais refusa de s'exposer en grimpant en haut du tuyau à vapeur pour replacer la sirène.

Trois kilomètres plus loin, l'officier responsable donna l'ordre de retourner attaquer Batoche. Mais comme les matelots se rendaient compte qu'ils courraient plus de dangers qu'ils n'en feraient courir à l'ennemi, ils se mutinèrent et refusèrent d'aller affronter les Métis à nouveau; prudemment, le navire s'éloigna encore plus de Batoche. Ainsi se termina la première bataille navale de ce jeune dominion qu'était le Canada.

Aux abords de la maison abandonnée et aux alentours de l'église et du presbytère, l'armée rencontra très peu de résistance. Avec sa puissante mitrailleuse Gatling, le capitaine Howard arrosa les deux étages du presbytère. Le résultat fut immédiat: un prêtre agitant un drapeau blanc apparut, suivi de quatre religieuses et d'autres prêtres dont l'un boitait. Le vénérable père Moulin, qui s'était cru en sécurité à l'étage supérieur, avait été atteint à la cuisse. Middleton et son avant-garde allèrent à leur rencontre.

Puis, un peu passé le presbytère, l'armée canadienne dut essuyer un feu plus nourri et put avancer seulement jusqu'au sommet de la colline. Devant elle, à 1 500 mètres au fond de la vallée enfoncée dans le coude de la rivière, s'étendait le village de Batoche, capitale de la nation métisse.

Au centre du village, Middleton pouvait apercevoir une grande maison à deux étages, la maison de Xavier Batoche, qui servait alors de quartier général. À côté se trouvait la maison plus petite qui servait de salle du Conseil et sur laquelle flottait le drapeau des Métis.

Middleton écrit:

> J'avançai avec prudence, déployant mon infanterie et repoussant l'ennemi jusqu'à ce que nous arrivions au sommet d'une colline: je fis alors avancer les canons sur un escarpement d'où on pouvait pilonner les maisons de Batoche. Comme ces maisons n'étaient ni très solides ni très grandes, les dommages ne furent pas importants.

> À ce moment précis, comme on nous tirait dessus de l'autre côté de la rivière et d'une falaise le long de la rive et que mes canons étaient complètement exposés au feu de l'ennemi, j'ordonnai de les retirer. Pendant cette manœuvre, un tir très nourri fut déclenché à partir de ce qui était, nous le sûmes plus tard, des tranchées logées juste au-dessous de l'escarpement où nous avions installé nos canons. Une rafale de la Gatling, magnifiquement servie par le capitaine Howard, lui-même secondé par le lieutenant Rivers de la batterie A, fit taire l'ennemi[7].

Et Dumont, lui, comment perçut-il toute la situation? Il confirme la description de l'arrivée de Middleton. «En voyant Middleton s'avancer, dit Dumont, j'avais fait mettre mes gens en tirailleurs dans le déclin de la côte... Le combat commença vers 9 heures du matin et se prolongea toute la journée sans que l'ennemi puisse progresser.»

Après sa triomphante rafale de mitrailleuse, Middleton ordonna à Peters et à la batterie A de monter au faîte de la colline d'où ils pilonnèrent les wigwams aux couleurs vives qui étaient installés de l'autre côté de la rivière; leurs occupants s'enfuirent sur une colline au nord-est. Les canons furent ensuite pointés vers l'est, sur la maison qui abritait le Conseil métis.

C'est à ce moment que les guérilleros parvinrent presque à s'emparer des canons.

Les grenadiers étaient maintenant alignés juste en face de l'église et le 90e Régiment reçut l'ordre de déclencher la mitrailleuse Gatling. Les hommes de la batterie A et les éclaireurs de French s'avancèrent dans un petit ravin juste au sud du cimetière.

Les éclaireurs de French surprirent les Métis cachés dans les épaisses broussailles et les tranchées, et un combat acharné s'ensuivit au cours duquel l'artilleur Phillips de la batterie A fut tué. Les soldats canadiens commençaient à se rendre compte de l'ampleur des travaux de fortification que Dumont avait fait exécuter.

Les Métis attaquèrent le flanc droit (au nord) et furent repoussés par la cavalerie de Boulton. Au même moment, ils attaquèrent aussi au sud et furent repoussés, cette fois par les soldats qui étaient postés dans le cimetière.

À 13 heures, au premier jour de la bataille, Middleton comprit qu'il ne pourrait franchir les défenses ennemies. Ses troupes se retirèrent à 400 mètres à l'est de l'église où on forma la dernière zareba. Ils abandonnèrent donc l'église et le presbytère, et les Métis s'y barricadèrent aussitôt. Toute la nuit, ces derniers tirèrent par intermittence sur la zareba.

Le lendemain, dimanche le 10 mai, les combats reprirent. Dans l'après-midi, la batterie de campagne de Winnipeg pilonna le cimetière qui était maintenant occupé par les Métis. Plus tard, des soldats du 90e tendirent un piège, mais sans succès: ils attaquèrent puis se replièrent brusquement dans l'espoir que les Métis les poursuivraient...

Puis, les troupes gouvernementales reçurent le renfort de la cavalerie du capitaine Dennis, le même qui avait honteusement fui le fort Garry en 1870.

Le lendemain matin, lundi le 11 mai, Middleton, les cavaliers de Boulton et de Dennis, Howard et sa mitrailleuse Gatling, inspectèrent le vaste plateau au nord-est de Batoche. Middleton constata qu'il était défendu par une solide ligne de tranchées creusées le long d'une série d'arbres. Il ne pouvait s'approcher davantage du village.

Pendant ce temps, le lieutenant-colonel von Straubenzie tenta une fois de plus d'occuper la berge près du cimetière. Mais ses hommes furent repoussés et regagnèrent la zareba.

Cette nuit-là, les soldats mécontents et démoralisés furent tenus en éveil par le tir des Métis. Ils étaient devant Batoche depuis trois jours. Chaque jour ils avaient avancé et affronté l'ennemi, puis, la nuit venue, ils avaient abandonné le terrain gagné pendant la journée.

Mais la stratégie de Middleton misait sur l'usure. Ses soldats engageaient des escarmouches, tiraient, forçaient les Métis à gaspiller leurs munitions et, la nuit venue, ils retrouvaient la sécurité de la zareba.

Cette nuit-là, Middleton écrivit à Caron, ministre de la Milice à Ottawa, qu'il pouvait tout au plus maintenir sa position; pour s'emparer du village, des renforts seraient nécessaires. Caron ordonna aussitôt une mobilisation de 1 000 soldats de plus.

Middleton continuait à surestimer la force des Métis. Peut-être était-ce dû à de mauvais renseignements que les qualités exceptionnelles des métis ne démentaient pas. Peut-être était-ce une manœuvre pour que les troupes et le matériel continuent d'affluer d'Ottawa.

Dumont présenta aussi sa version des faits:

> Nous étions environ 175 hommes, à part l'escouade de 30 hommes qui épiaient le *Northcote*.

> Le combat commença vers 9 heures du matin et se prolongea toute la journée sans que l'ennemi put s'avancer...

> Le canon qu'ils avaient braqué sur une butte, à environ un mille, jetait sans cesse des boulets sur Batoche, et de l'autre côté de la rivière sur la maison de Baker où flottait un drapeau de la Sainte Vierge. Un drapeau de Notre Seigneur était au milieu de nous, sur la maison du Conseil.

> Les boulets rouges [incendiaires*] ont frappé trois ou quatre fois la couverture en bois de la maison de Baker, y mettant le feu qui s'éteignait comme miraculeusement...

---

* N.D.A.

Nous avons tenu les ennemis trois jours en échec, et tous les soirs ils rentraient dans leurs trous. Et pendant ces trois jours, ils ne nous ont pas tué un seul homme; ils n'ont touché que les mannequins que nous leur présentions et sur lesquels ils s'efforçaient de tirer.

Durant ces engagements, Riel se promenait sans armes au front de notre ligne et il encourageait les combattants.

Le *Northcote*, pendant ce temps, avait pu s'esquiver vers Prince Albert, mais il paraît, d'après le rapport du capitaine Smith, qu'il remonta à Batoche avec le vapeur*Marquis*; mais ils n'y arrivèrent que le 13 mai, c'est-à-dire après la bataille.

Nous l'avons appris de source certaine: Middleton, malgré qu'il eût reçu du renfort, désespérait de nous réduire, quand des traîtres, que je ne veux pas nommer, lui ont fait connaître que nous n'avions plus de munitions, et que, à part quelques-uns, tous les Métis étaient découragés...

Ces traîtres étaient continuellement en conversation avec l'ennemi et avec les nôtres qu'ils engageaient à déposer les armes en leur offrant des sauf-conduits.

Ce qui contribua considérablement à déconcerter nos soldats, c'est qu'on leur refusait tout secours religieux, à eux, à leurs femmes et à leurs enfants[8]!!!

Dès le début, les Métis n'avaient que très peu de munitions. Les magasins qu'ils purent piller n'avaient pas de stocks permettant à 150 hommes de soutenir un feu nourri pendant deux ou trois jours. Leurs stocks étaient destinés à des chasseurs.

Et comme les temps étaient difficiles, il n'existait guère de demande pour de bonnes carabines. Les autochtones, toujours sans le sou, ne possédaient que de rares carabines à longue portée et très peu de munitions pour les alimenter.

La force et la puissance de feu de l'armée de Middleton, elle, ne diminuait pas. Et lorsqu'ils manquaient de munitions, les soldats épuisés n'avaient qu'à quitter le champ de bataille.

Le dernier jour

Au dernier jour des combats, pendant un échange de coups de feu, un drapeau blanc apparut à l'extrémité est des lignes métisses. Deux prisonniers des Métis s'avancèrent alors, porteurs d'un message de Louis Riel à Middleton:

> Monsieur, si vous massacrez nos familles, nous commencerons par tuer l'agent des Affaires indiennes Lash et d'autres prisonniers suivront.
>
> LOUIS DAVID RIEL[9]

Cette prise de position, dont le ton était inhabituel chez Riel, était motivée par le bombardement aveugle qu'on avait fait sur les maisons de ferme de Batoche et qui menaçait la vie des femmes et des enfants.

Astley, un des prisonniers, revint vers Riel avec un message de Middleton:

> M. Riel, je suis très désireux, comme je l'ai toujours été, d'éviter de tuer femmes et enfants. Mettez-les à l'abri dans un endroit sûr. J'ai confiance que vous ne placerez pas d'hommes parmi eux.
>
> FRED MIDDLETON
> Commandant général[10]

En apprenant que les Métis étaient à court de munitions, Middleton avait d'abord ordonné une attaque frontale limitée, puis il avait changé d'idée. Il retourna au campement et donna un contre-ordre à von Straubenzie qui le transmit au colonel Arthur Williams, commandant du bataillon Midland, et au colonel Grasset, commandant des grenadiers. Mais Williams décida de désobéir aux ordres et mena une charge à la baïonnette.

Bien que son geste en fit l'idole des journalistes, sa vanité causa la perte de plusieurs vies. Middleton, outré et dégoûté, n'osa pas le traduire en conseil de guerre. Et il vit, quant à lui, sa réputation ruinée par des journalistes et des volontaires qui n'avaient qu'une vague idée des questions militaires. C'était un officier expérimenté et intelligent; il avait appliqué contre les Métis un plan d'attaque méticuleusement préparé. Si ses ordres avaient été suivis à la lettre, il y aurait eu peu ou pas de pertes de vies dans les deux camps. Cependant, à cause de l'impatience, de l'inexpérience, du mépris pour la vie humaine et de l'insubordination d'un jeune politicien assoiffé de gloire, Arthur Trefusis Williams, il y eut de nombreux morts à Batoche.

Le bataillon Midland, déployé à l'ouest, s'installa de façon à surplomber la rivière. Les grenadiers étaient au centre des lignes, face à la pente conduisant au petit ravin. Le 90e se trouvait à l'est.

Peu après le début de l'attaque, le flanc est fut renforcé par les cavaliers de Boulton et de Dennis. À partir de la rivière, les troupes formaient donc une ligne ininterrompue sur 2,5 km en direction nord-est. Il y avait alors environ cinq soldats pour chaque Métis.

Puis les soldats du bataillon Midland conduits par Williams avancèrent, en pointant leurs baïonnettes qui étincelaient au soleil. Au centre, les grenadiers quittèrent leurs tranchées et descendirent dans le ravin, vers les fossés de tir des Métis.

Au beau milieu de la charge, Riel envoya un dernier message à Middleton:

> Général, votre réponse rapide montre que j'avais raison de faire appel à vos sentiments humanitaires. Nous rassemblerons femmes et enfants en lieu sûr et nous vous préviendrons dès que ce sera fait. J'ai, etc.
>
> Louis David Riel

Sur l'enveloppe, il avait écrit: «Je n'aime pas la guerre et si vous ne reculez pas et si vous refusez une entrevue, le sort des prisonniers sera maintenu[11].»

Du côté est, le 90e nettoya les tranchées qui lui faisaient face pendant que le bataillon Midland et les grenadiers avançaient vers le cimetière. Les Métis qui avaient fui devant la première charge battirent en retraite jusqu'à une série d'escarpements où ils furent bombardés par la batterie A et mitraillés par la Gatling.

Le 90e d'abord, puis le bataillon Midland, ensuite les grenadiers atteignirent les escarpements et commencèrent à attaquer les Métis maintenant privés de munitions. Pendant ce temps, les hommes de Boulton avaient mis pied à terre et, avec leurs Winchester à répétition, avaient fait plusieurs morts. Les survivants reculèrent à travers un grand champ labouré vers les maisons du village.

Les soldats les suivirent et plusieurs furent abattus par des tireurs métis cachés dans les maisons du village.

Plusieurs Métis, n'ayant plus de balles, bourrèrent leurs fusils de pierres. Mais les soldats canadiens poussaient leur attaque sans ménager les cartouches. Alors, sans munitions ni espoir de s'en procurer, un grand nombre des alliés de Riel prit la fuite à travers la rivière et dans la forêt.

À cause de la façon dont les tranchées étaient construites, ceux qui avaient encore des munitions pouvaient, tout en restant à l'abri, courir vers les points faibles pour les renforcer. C'est ainsi que les derniers défenseurs donnèrent l'impression que toutes leurs positions étaient encore bien garnies; en réalité, ils n'étaient plus que quelques-uns qui, de surcroît, ne pouvaient tirer que sporadiquement sur les vagues de soldats qui les assaillaient.

À la fin, les soldats canadiens envahirent leurs tranchées et passèrent à la baïonnette ceux qui tentaient de s'enfuir. Les journalistes, quant à eux, passèrent sous silence les actes de cruauté, les meurtres et les tortures que les soldats firent alors subir aux Métis encerclés.

Mais les Canadiens poursuivaient leur offensive; le capitaine French et ses hommes attaquèrent la maison de Xavier Batoche. Ils s'emparèrent du rez-de-chaussée, puis French grimpa à l'étage pour fouiller les chambres. Ne trouvant personne, il ouvrit une fenêtre et se pencha pour crier des ordres à ses hommes qui continuaient à faire feu sur les Métis. À son insu, trois Métis se cachaient juste sous la fenêtre: c'était Louis Riel, Donald Ross et Ouimet, 75 ans et membre du Conseil.

Les faits qui suivirent furent rapportés par le seul survivant, Louis Riel: «Dès que le capitaine French se pencha en criant ses ordres, il fut abattu par Donald Ross. En voyant son capitaine s'écrouler, un des éclaireurs de French tira immédiatement sur Donald Ross avec sa Snider-Enfield de calibre 50.» Selon Riel, la dernière volonté de Donald Ross fut qu'on lui amène ses enfants avant qu'il ne «parte pour l'inconnu». Riel ajoute qu'il vit son vieux conseiller Ouimet tué par un des hommes de Boulton.

Le colonel Williams fonça vers une petite maison située près de celle de Xavier Batoche. Il retira un gros tas de pierres posées sur une trappe du plancher et libéra les neuf prisonniers qui étaient enfermés dans la cave. Victorieux, les soldats occupèrent le village et dispersèrent les derniers Métis.

Des vieillards et des blessés incapables de fuir furent inutilement torturés et tués. Certains de ces événements sont rapportés par Gabriel Dumont dans sa déclaration faite sous serment:

> La quatrième journée, le 12 mai, vers 2 heures de l'après-midi, sur des renseignements exacts fournis par ceux qui nous trahissaient, à savoir que nous n'avions plus de munitions, les troupes s'avancèrent et nos gens sortirent de leurs tranchées; et c'est alors que furent tués: José Ouellet, 93 ans; José Vandal, 75 ans d'abord les deux bras cassés puis achevé à la baïonnette; Donald Ross, d'abord blessé à mort puis dardé à la baïonnette, bien vieux lui aussi; Isidore Boyer, vieillard aussi; Michel Trottier, André Batoche, Calixte Tourond, Elzéar Tourond, John Swan et Damase Carrière, qui eut d'abord la jambe cassée et que les Anglais ont ensuite traîné la corde au cou à la queue d'un cheval. Il y eut aussi deux Sioux de tués.

> Le bilan de ces quatre jours de bataille acharnée a été, pour nous, trois blessés et douze morts, plus un enfant tué, seule victime durant toute la campagne de la fameuse mitrailleuse Gatling[12].

Après la bataille, les militaires reconnurent que si les Métis n'avaient pas manqué de munitions, Batoche aurait été imprenable.

Les corps de 53 Métis et alliés reposent dans une tombe commune à Batoche. On rapporte qu'il y eut 173 blessés.

Les soldats et les colons anglophones vidèrent ensuite les humbles maisons de leurs très rares objets de valeur; ils volèrent les animaux et les produits de la ferme. En plus des honneurs et des décorations, les vainqueurs héritèrent de la terre qu'ils avaient conquise.

Et que resta-t-il aux fermiers et combattants métis? Des années de pauvreté et des rêves brisés. Leur fierté, mêlée à une profonde amertume, brûla dans leur cœur pendant des générations. Ils rendirent hommage à leurs morts qui furent enterrés avec leurs familles. Et les disparus laissèrent le souvenir de braves qui avaient combattu envers et contre tous, pour défendre leurs fermes, leurs familles et leur peuple.

NOTES

1. Report on the Suppression of the Rebellion, 1886.

2. Ouimet, *La question métisse*, p. 130.

3. *Ibid.*, p. 131.

4. Collection Riel II, A.P.C.

5. Collection privée, encan de livres de Montréal.

6. Collection Riel II, A.P.C.

7. «The Canadian Pictorial Illustrated War News», Grip Publishing, Toronto, 1885.

8. Ouimet, *La question métisse*, p. 138.

9. Epitome of Parliamentary Documents, p. 225.

10. *Ibid.*, p. 226.

11. *Ibid.*

12. Ouimet, *La question métisse*, pp. 137-138.

X

Répression et résistance

Riel se livre et Dumont prend la fuite

Dumont raconte qu'après la bataille, il retrouva Riel au milieu d'un groupe qui s'était réfugié dans la forêt. Riel lui demanda:

> – Qu'allons-nous faire, nous sommes vaincus?
> Je lui ai dit: «Il faut périr; vous deviez savoir qu'en prenant les armes, nous serions vaincus. Eh bien!, il faut qu'ils nous détruisent.»

> J'ai alors dit à Riel qu'il me fallait aller à notre camp chercher des couvertes [sic]. Il me répondit que je m'exposais trop. J'ai rétorqué que l'ennemi n'était pas capable de me tuer. Et j'avoue que je ne craignais rien[1].

Dumont revint avec des couvertures mais le groupe s'était dispersé. Il rejoignit alors sa femme qui était un peu plus loin en compagnie d'autres femmes et des enfants. Il lui demanda de remettre les couvertures à la famille de Riel et de partager sa nourriture avec les autres femmes.

Puis il chercha Riel pendant trois jours afin de lui conseiller de ne pas se rendre à Middleton.

Il conduisit sa femme chez son père, à environ cinq kilomètres de Batoche. Lorsqu'il lui fit part de son intention de rester dans la région afin de tuer le plus de soldats possible, le vieillard le désapprouva. Il le félicita quand même de son courage, puis il conclut: «Mais si tu suis ton idée de rester à tuer des hommes, tu passeras pour un bêta[2].»

Et il conseilla à son fils de franchir la frontière. Dumont promit de le faire s'il ne retrouvait pas Riel. Son père lui dit alors que Moïse Ouellette avait une lettre de Middleton pour Riel.

Dumont se rendit chez Ouellette qui lui déclara que Middleton avait promis que lui et Riel seraient traités avec justice. Ouellette ajouta que les Métis qui s'étaient rendus l'avaient fait par amour pour leurs enfants.

«Tu diras à Middleton, répliqua Dumont, que je suis dans les îles de bois, et que j'ai encore 90 cartouches à dépenser sur ses gens[3].» À l'issue du combat, Dumont avait été ramasser des cartouches sur le champ de bataille.

Un peu plus tard, Ouellette avoua à Dumont qu'il avait remis la lettre de Middleton à Riel et que ce dernier était parti se livrer. Comme Dumont parlait de le rattraper avant qu'il ne se livre, Ouellette lui affirma qu'il était déjà trop tard.

Décidé à quitter le pays, Dumont envoya un de ses neveux chez son père pour prendre «quelques galettes». Le garçon informa sa femme de son départ pour l'étranger et revint avec six galettes d'environ 300 grammes chacune. C'était là toutes ses provisions pour un voyage de 1 000 kilomètres.

Dumont n'avait pas fait 100 mètres que, dit-il, «j'ai entendu crier derrière moi, j'ai aperçu Michel Dumas, qui m'avait déjà accompagné au Montana, lorsque j'étais allé chercher Riel. Il désirait traverser les lignes avec moi. Il était sans armes, et n'avait lui aussi que quelques galettes pour toutes provisions[4].»

Michel Dumas, un homme robuste et courageux, était respecté de ses voisins. Son voyage au Montana s'était déroulé dans des circonstances plus heureuses. Il avait soutenu Dumont au combat et il préférait maintenant s'expatrier plutôt que d'être pourchassé comme un animal dans son propre pays.

En 1885, le télégraphe était un phénomène nouveau dans le Nord-Ouest, et ni Dumont ni Dumas ne songèrent à la possibilité que les autorités américaines aient été informées de leur statut de fugitifs. Ils furent tous deux arrêtés peu après avoir franchi la frontière.

Les deux prisonniers furent bien accueillis par le général Terry qui les traita en invités plutôt qu'en criminels. Un Canadien, le sergent Prévost, tenta cependant de tuer Dumont. Heureusement, les soldats américains étaient tout près et l'en empêchèrent. Les militaires organisèrent même une réception pour les fugitifs, au cours de laquelle Dumas raconta tout le soulèvement des Métis.

Quelques jours après leur arrestation, ils furent relâchés sur l'ordre du président Cleveland, sans doute parce qu'il les considérait comme des réfugiés, menacés de mort s'ils étaient déportés.

Les deux célèbres combattants furent bien accueillis dans les villages métis américains. La femme de Dumont, Madeleine, le rejoignit à Lewiston; elle n'avait pas eu besoin de fournir aux militaires ni aux policiers la réponse que Dumont lui avait suggérée en cas d'interrogatoire: pouvaient-ils s'attendre à ce qu'elle retienne Dumont alors même que le gouvernement canadien n'y était pas parvenu?

Madeleine annonça à Gabriel la mort de son père. Elle-même était malade en arrivant à Lewiston et elle mourut quelques semaines plus tard. Madeleine avait dû être une femme remarquable. Elle avait été la compagne et la collaboratrice de son mari au cours de voyages parfois longs de 1 000 kilomètres. Ces voyages se faisaient à pied, en raquettes, en charrette ou à cheval. Il semble qu'elle se rendit souvent, seule, de Batoche à Winnipeg pour vendre les fourrures rapportées par son mari.

À Batoche, elle enseignait aux enfants de l'école des missionnaires. Durant la bataille de Batoche, elle aida les blessés à évacuer le champ de bataille et elle les soigna. Et jusqu'à la fin, elle distribua aux enfants et aux blessés les dernières miettes de nourriture.

Après les combats, elle se réfugia chez son père dans le village de Saint-Laurent mais, continuellement harcelée et insultée par les soldats, elle fut forcée de partir.

La mort prématurée de Madeleine Dumont et le décès de plusieurs autres après la rébellion est une indication des graves privations qu'ils durent endurer pendant tout le soulèvement.

La maison qu'avait construite Gabriel Dumont fut démolie, non pas au cours de la bataille, mais par pure malveillance, et seulement parce que c'était la sienne. Sa coûteuse machine à laver fut mise en morceaux. Et sa table de billard fut finalement transportée au pénitencier de Stony Mountain, par le directeur Bedson qui avait participé au transport des troupes de Middleton.

Peu après la mort de sa femme, Dumont participa au Wild

West Show de Buffalo Bill Cody, où il électrisa les foules par ses prouesses de cavalier et de tireur d'élite. Il goûta aux joies de la célébrité, entre autres lors de l'audience que lui accorda le président Grover Cleveland à la Maison Blanche.

L'année suivante, à New York, il apprit de Crozier qu'une amnistie allait être proclamée. Il retourna donc à Batoche car, pour lui comme pour tout Métis, ses racines étaient dans les Prairies.

Plusieurs années après sa mort, survenue en 1906, un Premier ministre se rappelait avoir rencontré le célèbre chef métis: c'est John Diefenbaker qui se souvenait de la cicatrice laissée par une balle sur le crâne de Dumont, au lac aux Canards.

Quant à Michel Dumas, il resta probablement au Montana. Le solide jeune homme trouva sans doute du travail et termina ses jours paisiblement. Mais nous ne savons pas ce qu'il advint de lui après qu'il eut quitté Dumont.

Huit guerriers pendus

Gros Ours était le dirigeant politique d'une bande de Cris des plaines qui chassaient dans la région du lac à la Grenouille. Pendant plusieurs années, il avait été le chef d'une petite bande rassemblant une douzaine de wigwams. Durant les négociations d'août et septembre 1876, il avait refusé les conditions imposées aux peuples autochtones par le traité numéro 6 et ce, même si plusieurs autres chefs les avaient acceptées. Lui et sa bande franchissaient souvent la frontière américaine et ils s'étaient fait une réputation de valeureux guerriers. Peu à peu, Gros Ours fut reconnu comme un chef de haut rang.

Gros Ours n'en imposait pas par son apparence: il était petit, frêle, mince et atteint de strabisme. Il paraissait plus vieux que ses 60 ans et souffrait de troubles respiratoires. Et même s'il avait une voix puissante, il n'était pas un orateur doué. Lorsqu'il parlait cependant, on l'écoutait.

Avant la disparition des troupeaux de bisons, Gros Ours fut souvent engagé par la Compagnie de la Baie d'Hudson qui le considérait comme un bon employé. Lorsque ses hommes voulurent substituer la viande de bison par le bétail de la Compagnie, Gros Ours le leur interdit.

Au cours des années 1880, à mesure qu'ils perdaient leurs illusions sur les intentions du gouvernement, d'autres autochtones en vinrent à partager l'opinion de Gros Ours et rallièrent sa bande.

En 1883, le territoire américain commença à leur paraître hostile – il y avait trop de soldats autour d'eux – et ils regagnèrent la région du fort Pitt. Ils acceptèrent alors les conditions du traité mais invoquèrent divers prétextes pour éviter d'être confinés à une réserve. En 1885, Gros Ours se trouvait à la tête d'une bande comptant environ 200 wigwams, une force redoutable pour le Nord-Ouest.

Dans le *Edmonton Bulletin* du 2 mai 1885, on peut lire: «Les nombreuses connaissances de M. Gros Ours désirent tous ardemment le voir terminer sa longue sinon utile carrière avec une corde de chanvre autour du cou.»

Gros Ours eut au moins un entretien avec Louis Riel; la conversation eut lieu au-dessus de la pharmacie de Jackson à Prince Albert; et il eut de fréquents contacts avec ses émissaires. Il ne fait aucun doute que Riel l'incita à l'action. Gros Ours, cependant, ne voulait pas se joindre à lui car il ne croyait pas à la réussite de l'insurrection. Mais les événements du lac à la Grenouille lui forcèrent la main. À chaque fois qu'il le put, il choisit la voie qui entraînerait le moins de souffrances et le moins d'effusion de sang.

Après s'être emparés du fort Pitt, Gros Ours et sa bande retournèrent au lac à la Grenouille. Le 1er mai 1885, ils décidèrent de se diriger vers Battleford pour rejoindre Faiseur d'Enclos. Ils se rendaient bien compte que leurs prisonniers les retardaient dans leurs déplacements. En chemin, ils s'arrêtèrent sur une colline appelée la butte aux Français où ils organisèrent une danse de la soif: c'était une cérémonie par laquelle les jeunes hommes étaient promus au rang de guerriers.

Le 28 mai, ils apprirent qu'une colonne de la Police montée approchait. Esprit Errant, le chef militaire des Cris des plaines, emmena ses guerriers dans la vallée, sur un terrain qu'il jugeait favorable au combat. Ils y creusèrent des tranchées et préparèrent leurs défenses. Le lendemain matin, on envoya tous les prisonniers dans un campement plus sûr à environ six kilomètres de la rivière.

Le général Strange qui commandait la troisième colonne de Middleton ordonna au colonel Steele de trouver un point faible dans les positions cries. Strange tira un premier coup de canon sur ce qu'il croyait être les derniers fuyards d'une bande en retraite. Mais Esprit Errant l'avait attiré dans un piège: les soldats étaient maintenant exposés au tir des Indiens. Strange pointa alors son canon de neuf livres sur les tranchées d'Esprit Errant.

Après trois heures de combat, Strange crut que sa petite troupe était encerclée, il se replia donc et alla attendre Middleton au fort Pitt qu'on avait entre-temps reconstruit.

Il envoya le colonel Steele avec une avant-garde de 75 éclaireurs pour surveiller les déplacements de Gros Ours et d'Esprit Errant. Des coups de feu furent échangés à Pipe Stone Creek et un message de Steele rapporta un accrochage avec les guerriers d'Esprit Errant à environ 70 kilomètres de là, près du premier gué du lac Loon.

Middleton ordonna à Otter et Irvine d'avancer vers le lac Loon à partir du sud et de l'ouest et d'intercepter tout Indien en fuite. Un détachement équipé d'un canon et de la mitrailleuse Gatling fut envoyé en renfort à Steele.

Le 6 juin, incapable de traverser d'épaisses broussailles, Steele fut forcé d'abandonner ses provisions. Il n'était pas encore au bout de ses peines. À quelques kilomètres de là, ses cavaliers purent traverser le deuxième gué du lac Loon. Mais le lendemain matin, l'artillerie et les charrettes qu'ils n'avaient pu faire traverser avant la nuit s'étaient enlisées dans la boue. Les Cris, grâce à leurs poneys plus légers et à leur connaissance du terrain, avaient facilement échappé à leurs poursuivants. Steele retourna donc au fort Pitt avec l'intention de rejoindre le gros des troupes de Strange près de la butte aux Français.

Middleton soupçonnait les Cris des plaines de s'être rendus à la réserve chippewa du lac Cold. Il se mit donc en route le 14 juin et rejoignit Strange à la rivière aux Castors où il apprit que ce dernier avait déjà envoyé 100 hommes au lac Cold. Le père LeGoff, qui était prisonnier des Chippewas, parvint à les convaincre de ne pas se joindre aux Cris des plaines.

Après avoir quitté le lac Loon, les Cris de Gros Ours libérèrent leurs prisonniers et leur indiquèrent le chemin du village le plus proche. Middleton l'apprit et envoya le colonel Sam Bedson et quelques soldats à leur rencontre pour les escorter jusqu'au fort Pitt.

Dans leur fuite, les membres de la bande de Gros Ours se dispersèrent peu à peu. À un moment donné, comme les soldats s'étaient trop approchés, Gros Ours marcha à leur rencontre pour créer une diversion qui permettrait aux autres de s'échapper. Mais les soldats ne virent personne et tous purent s'enfuir.

Gros Ours comprit finalement qu'il était inutile de fuir; il laissa sa famille auprès d'un ami métis et alla se livrer. À son insu, son plus jeune fils, Cheval Enfant, le suivit puis insista pour l'accompagner. Le 2 juillet, Gros Ours se rendit à la Police montée du fort Carlton. Il fut ensuite transféré à Prince Albert, puis à Régina. Cheval Enfant l'accompagna en prison puis fut ensuite placé dans un pensionnat jusqu'à la libération de son père.

Gros Ours fut jugé à Régina pour avoir «le 2 avril 1885, près de l'endroit appelé Lac-à-la-Grenouille, incité au soulèvement, à l'insurrection et à la rébellion... Le 17 avril 1885, près de l'endroit appelé le fort Pitt, il conspira... pour provoquer une rébellion... Le 21 avril, près du Lac-à-la-Grenouille, il se rebella... Le 28 mai, près de la butte aux Français, il incita à la rébellion...

Le juge Richardson, dont la maison avait été incendiée à Battleford, déclara aux jurés:

> M. Halpin, qui dit habiter au lac Cold... loin du lac à la Grenouille... affirme que le 19 mars il fit part de la situation à Gros Ours, à savoir que le courrier de Sa Majesté avait été intercepté au lac aux Canards.

> Gros Ours et sa bande rendirent visite aux fonctionnaires du gouvernement au Lac-à-la-Grenouille où, s'il faut en croire Pritchard, Gros Ours déclara que des troubles avaient éclaté mais que lui et sa bande allaient rester loyaux envers le gouvernement... Cet homme savait, en tout cas, ce qui se passait et ce qui avait été fait... M. Simpson nous a dit ce qui est arrivé aux différents endroits, en particulier à la butte aux Français...

> Maintenant, la première question que vous devez vous poser c'est: Y avait-il rébellion le 1er avril? Deuxièmement, le savait-il? Troisièmement, si oui, a-t-il commis ou a-t-il participé à des actions évoquées dans cet acte d'accusation? Si vous répondez oui à chacune de ces questions, alors j'affirme que vous devriez déclarer l'accusé coupable[5].

L'avocat de la défense demanda au juge d'informer le jury

que la seule présence de Gros Ours lors des événements en question ne constituait pas une preuve suffisante pour le trouver coupable. Le juge, après quelque discussion, décida que le jury devait être convaincu que Gros Ours avait aidé, soutenu et encouragé la perpétration des crimes.

Dans son adresse au jury, Richardson ne fit état d'aucun message de Riel ou de tout autre Métis demandant l'aide de Gros Ours. Un témoin déclara avoir annoncé à Gros Ours l'affrontement entre les Métis et la NWMP au lac aux Canards. Un autre témoin déclara que la veille des événements du Lac-à-la-Grenouille, Gros Ours avait parlé de l'insurrection.

Le jury déclara Gros Ours coupable et le recommanda à la clémence du tribunal. Il fut condamné à trois années de pénitencier à Stony Mountain.

Gros Ours tomba si malade qu'il fut relâché après seulement deux années. Il ne retrouva jamais la santé et mourut dans la réserve de Faiseur d'Enclos au nord-ouest de Battleford pendant l'hiver 1887-1888.

❑

Pendant toute sa fuite, Esprit Errant conserva son bonnet de guerre en peau de lynx; sur ce curieux bonnet, une tête de lynx était fixée au-dessus du front et une longue plume d'aigle pendait à la queue. Quoi qu'il en soit, c'est grâce à sa ruse et à sa connaissance du terrain que Strange et Middleton furent forcés d'abandonner. Mais à la fin, découragé, il s'arrêta dans un petit village indien près du fort Carlton. Il appela ses amis, les remercia et leur fit ses adieux. Puis il entra dans un wigwam vide et, à deux reprises, se frappa en pleine poitrine avec son grand poignard avant de s'évanouir au milieu d'une mare de sang. Quelques heures plus tard, ses camarades constatèrent qu'il était toujours en vie mais horriblement blessé (on pouvait voir ses poumons par l'ouverture de la poitrine) et ils avertirent la Police montée.

Impuissant, affaibli par la perte de sang et à peine conscient, Esprit Errant fut transporté sur une civière à bord du *Northcote* jusqu'à Battleford. Et on l'emprisonna jusqu'à ce qu'il fût en état de subir son procès.

À la prison de Battleford, il retrouva graduellement la santé, plus à cause de sa robuste constitution que grâce aux soins de ses geôliers. Il ne parla qu'une fois à un officier de police: trop fier pour renier ses actes, il déclara avoir agi en accord avec ses principes. S'il était trouvé coupable, il préférait la pendaison à l'emprisonnement. Sa seule préoccupation, c'était de soutenir ceux qui attendaient leur procès comme lui.

Le 22 septembre 1885, devant le juge Rouleau, Esprit Errant fut accusé et jugé pour le meurtre de Thomas Quinn. Il n'y eut aucun témoin, ni pour la Couronne ni pour la défense. On lut l'acte d'accusation et Esprit Errant plaida coupable. Il fut condamné à être pendu le 27 novembre 1885.

Les autres Indiens détenus dans la caserne de Battleford comparurent également devant le juge Rouleau. William Prescott Sharp fut choisi procureur de la Couronne.

Le compte rendu officiel des procès de ces Indiens se trouve à la page 354 et suivantes du *Résumé des documents parlementaires** de 1885. Les procès furent scandaleusement courts et conduits avec une absence révoltante de témoins et de défense. Dans ce compte rendu officiel, il n'est fait absolument aucune mention d'un avocat agissant pour le compte des Indiens, alors que les noms du juge, de l'interprète, du procureur de la Couronne, du juge de paix et des jurés sont précisés à chaque intervention.

Cette absence de défense donne l'impression que ces hommes furent mal conseillés sur le plan légal, si jamais ils le furent, et qu'on fit preuve d'un empressement singulier à les condamner à mort.

Lors du procès de Wah-wah-nitch (Homme Dépourvu de Sang), le juge Rouleau, après avoir déclaré qu'il représentait l'autorité, répéta l'accusation selon laquelle

> Homme Dépourvu de Sang avait bel et bien tué un certain Bernard Tremont.
>
> Dûment mis en accusation, le prisonnier plaida coupable. John Edward Kelly, dûment assermenté, agit comme inter-

---

* *Epitome of Parliamentary Documents*; voir la bibliographie. (N.D.T.)

prète. Condamnation à mort. Le prisonnier sera pendu par le cou jusqu'à ce que mort s'ensuive, vendredi le 27 novembre 1885.

CHARLES B. ROULEAU
Battleford, T.N.-O.
5 octobre 1885

Je certifie par la présente que ce document est une copie exacte de tous les débats qui ont eu lieu et de la preuve qui fut présentée lors dudit procès.

CHARLES B. ROULEAU

❏

Charles Ducharme (Charlebois), Wa Wa Sehe-wein (Homme Élégant) et Wahsahgamap (Yeux Brillants) furent jugés le 25 septembre 1885 pour le meutre de Puskaya (Elle Gagne) près du Lac-à -la-Grenouille. Ils plaidèrent non coupables et choisirent un procès devant jury. Aucun nom indien ou français n'apparaît sur la liste des six jurés.

François Dufresne, du fort Pitt:

J'ai dit aux Indiens qu'elle était malade. «Non, dirent-ils, c'est une cannibale et nous allons la tuer»... J'ai entendu les Indiens dire que n'importe qui pouvait la tuer et que ce serait bien... Un des prisonniers, Charles Ducharme, se tenait aux côtés de la femme et dit: «Mes amis, vous avez demandé à tout le monde de tuer cette femme et personne ne veut le faire. Quand j'aurai frappé cette vieille femme, ne vous moquez pas de moi.» Tous les Indiens dirent oui. Puis le prisonnier Ducharme frappa la femme... Dès qu'elle fut tombée sur le côté, Yeux Brillants lui tira une balle dans la tête... Un autre Indien a tiré sur elle mais il n'est pas prisonnier...

Paskwyak, un Cri, répéta la même histoire.

Le prisonnier refuse de contre-interroger les témoins et déclare: «J'ai entendu la vieille femme dire qu'il serait pré-

férable de l'emmener loin du camp et de la tuer, sinon elle détruirait les femmes et les enfants.»
Le prisonnier refuse de contre-interroger les témoins.
Les prisonniers déclarent n'avoir aucune preuve à fournir contre les assertions des témoins de la Couronne.
Peine de mort contre les deux prisonniers Charles Ducharme et Homme Élégant. Yeux Brillants est condamné à vingt ans d'emprisonnement au pénitencier du Manitoba.

Ce meurtre s'était produit à des kilomètres de tout campement ou village, pendant la fuite de la bande de Gros Ours. Les membres de la bande manquaient de nourriture. La femme en question n'avait apparemment aucun parent pour la défendre. Les Cris durent se réunir et décider qu'elle devait mourir. La vieille femme elle-même était d'accord. Elle avait pratiqué le cannibalisme comme l'affirmèrent catégoriquement les membres de la bande: «C'est une cannibale!»
L'affaire fut discutée au conseil de la tribu et la sentence prononcée selon la coutume, mais nul ne voulait l'exécuter. Les soldats canadiens se rapprochaient et la bande devait repartir. Finalement, trois guerriers se portèrent volontaires pour exécuter la sentence qui fut acceptée de tous y compris de la vieille femme. La seule autre solution consistait à l'abandonner dans la brousse où elle serait morte de faim.
Pourquoi ne présenta-t-on pas ces faits au tribunal?

❑

Les Cris Louison Mongrain et Homme Élégant furent jugés le 25 septembre 1885 pour le meurtre de David Cowan. Ils plaidèrent non coupables et choisirent un procès devant jury. Un seul juré portait un nom français, Jules Gagné. Il n'est fait état d'aucun avocat agissant pour les accusés.

Preuve de la Couronne:
Agent Loasby de la NWMP: «Quand nous avons traversé le pont, les Indiens ont commencé à nous tirer dessus. Nous

n'avons pas tiré les premiers. L'agent Cowan et moi-même avons été blessés. Je n'ai pas vu Cowan tomber de cheval.»

John Alfred Martin, agent de la NWMP, déclare qu'il était à 500 verges (1/3 de mille) de Cowan lorsqu'il (Cowan) est tombé. «Environ une demi-heure après la chute de Cowan, j'ai aperçu un Indien, environ de la taille du prisonnier et recouvert d'une couverture blanche, tirer sur Cowan dont il était très près, à quelques verges seulement.»

Kasowakayo, un Cri, déclare que Mongrain lui a dit avoir tiré deux fois sur Cowan, sans préciser où les balles l'avaient atteint.

Taureau Mugissant (Toussaint), un Cri, déclare que Mongrain lui a dit avoir tiré deux fois dans la tête de Cowan.

Kapesenmokoe, un Cri, déclare que Mongrain est le seul qu'il ait vu tirer sur Cowan. Il ajoute: «Le prisonnier (Mongrain) portait un casque, un pantalon et une chemise. Il ne portait pas de couverture.»

Alfred Smith, employé au fort Pitt, déclare avoir vu le corps de Cowan le lendemain de sa mort.
Le prisonnier déclare n'avoir aucune question à poser.

Défense du prisonnier: Mesinachapayo, un Cri, déclare qu'il était à 50 pieds de l'endroit où gisait Cowan. Mongrain était là mais il ne l'a pas vu tirer.
Le prisonnier déclare qu'il n'a plus d'autre témoin.
Le jury le déclare coupable. Condamnation à mort. La pendaison aura lieu le 27 novembre 1885.

❏

Le 1er octobre 1885, les Cris Homme Misérable, Itka, Wah-wah-nitch et Nabpace furent transportés de Régina à Battleford et accusés le lendemain d'avoir tué Charles Gouin le 2 avril 1885. Leur procès eut lieu le 3 octobre devant le juge Rouleau. Deux témoins, Taureau Mugissant (Toussaint) et Naokesiekookeyaise

(Tonnerre de Quatre Ciels) déclarèrent avoir vu les prisonniers tuer Charles Gouin.

Pendant son procès, le Cri Homme Misérable aperçut W.B. Cameron, le marchand du lac à la Grenouille, à l'arrière de la salle d'audience. Il lui dit en signaux indiens: «Mon frère, parle en ma faveur, Homme Misérable.» Mais Cameron ne trouva rien à dire pour lui venir en aide. Homme Misérable ne tenta pas de nier sa participation au soulèvement.

Les prisonniers ne désiraient pas interroger les témoins ni présenter de défense. Ils furent déclarés coupables et condamnés à mort.

En entendant le prononcé de la sentence, Homme Misérable ne montra aucun signe d'émotion et lança à haute voix et sur un ton sarcastique: «Aquisee mahga», ce qui veut dire «bravo».

❏

Itka, un Assiniboine de la réserve Stony, fut accusé du meurtre de James Payne, un agent agricole du gouvernement fédéral. Il n'y eut pas de témoin. Itka plaida coupable et fut condamné à être pendu le 27 novembre 1885.

❏

Le 1er octobre 1885, le Cri Papuh Make Sick (Autour du Ciel) fut accusé devant le juge Rouleau du meurtre du père Fafard. Il plaida non coupable et choisit d'être jugé par le juge suppléant.

Preuve de la Couronne: Kosipekanew (Celui Qui Tonne), un Cri, déclare avoir vu l'accusé abattre le père Fafard. Osasaweau, un Cri, cousin germain de l'accusé, déclare avoir vu Esprit Errant et l'accusé abattre le père Fafard. Sawayon, un Cri, déclare la même chose.

Preuve de la défense: le prisonnier déclare que les témoins ont dit la vérité et refuse de les interroger. Il déclare n'avoir aucun témoin à faire entendre.

Ceci met fin au procès. Le prisonnier est déclaré coupable par le juge suppléant et condamné à être pendu le 27 novembre 1885.

□

Le 5 octobre 1885, Co-pin-ou-waywin, Mus sin-ass et Peeyay-cheew furent accusés de trahison pour avoir signé avec d'autres une lettre à Louis Riel datée du 29 avril 1885. Ils avaient apparemment demandé à Riel des munitions et de l'aide pour attaquer le fort Battleford. Co-pin-ou-waywin et Mus sin-ass plaidèrent non coupables; Peeyay-cheew, coupable.

Preuve de la Couronne: Pierre C. Pambrun, agriculteur, déclare avoir vu Co-pin-ou-waywin dans le camp indien. Il parle ensuite des déplacements d'un groupe d'Indiens, mais n'ajoute absolument rien au sujet de l'accusé. Assiskiwnatauko (La Vieille Femme Terre) déclare connaître le prisonnier de vue et qu'elle était présente lorsque les magasins furent attaqués mais ne peut affirmer y avoir vu le prisonnier. Kyam Ka Pitt (Celle Qui S'assoit Tranquille) déclare connaître Mus sin-ass, un des prisonniers, et qu'elle l'a vu partir pour Battleford avec les Indiens de la réserve Sweet-grass.

Robert Jefferson, instructeur agricole du gouvernement à Eagle Hill, dans la réserve de Faiseur d'Enclos, déclare avoir écrit la lettre à Riel. Le contenu de la lettre lui fut dicté par les accusés et plusieurs autres Indiens.

Preuve de la défense: Michewayes (Le Conjureur), un Cri, déclare avoir été présent lorsque Jefferson écrivit la lettre mais n'a pas entendu les accusés lui demander de signer leurs noms; il déclare que le prisonnier Co-pin-ou-waywin n'a jamais suggéré à personne de faire mal à qui que ce soit; qu'il ne l'a jamais vu prendre les armes contre les Blancs.

Le témoin déclare la même chose pour Mus sin-ass. Ii-Hi-Wa-Ka-Pim-Wat (Celui qui Abat l'Aigle) déclare qu'il était présent et qu'il n'a pas entendu Mus sin-ass dicter la lettre ni demander qu'on y mette son nom.

Le père Louis Cochin, O.M.I., déclare ne pas pouvoir se souvenir que Co-pin-ou-waywin ait participé activement à la rébellion et que ce dernier a seulement essayé d'être bon envers les prisonniers et de les protéger.

Les accusés ne contre-interrogent pas les témoins et sont déclarés coupables. Condamnés à deux années au pénitencier du Manitoba.

❑

Apis Chaskoos (Petit Ours) et Nabpace (Corps de Fer) furent accusés du meurtre de George Dill au lac à la Grenouille. Deux témoins déclarèrent avoir vu les accusés et d'autres Indiens tirer en direction de Dill. Un témoin de la défense déclara avoir vu Corps de Fer abattre Dill. Les accusés furent déclarés coupables et condamnés par le juge Rouleau à être pendus le 27 novembre 1885.

❑

Le 21 octobre 1885, le Cri Wahpia (Homme Blanc) fut accusé de trahison. Il plaida non coupable. Sharp, le procureur de la Couronne, présenta cinq témoins qui affirmèrent que Wahpia dirigeait les débats dans la tente du conseil lorsque toutes les manœuvres furent décidées. Le prisonnier ne contre-interrogea pas les témoins ni n'en présenta. Wahpia fut déclaré coupable et condamné à six ans de pénitencier – l'équivalent d'une condamnation à mort.

❑

Voici donc ceux qui furent condamnés à être pendus le 27 novembre 1885 à Battleford:

1. Manichoos (Mauvaise Flèche)
2. Killemakegin (Homme Misérable)
3. Papuh Make Sick (Autour du Ciel)
4. Pa-Pa-Mah-Cha-Kwayo (Esprit Errant)
5. Apis Chaskoos (Petit Ours)
6. Louison Mongrain
7. Wa Wa Sehe-wein (Homme Élégant)
8. Wah-wah-nitch (Homme Dépourvu de Sang)
9. Itka
10. Nabpace (Corps de Fer)
11. Charles Ducharme (Charlebois)

Seulement huit furent pendus. On ignore ce qu'il advint des trois autres.

En attendant leur exécution, les prisonniers furent gardés dans une grande cellule de la caserne de la NWMP à Battleford. Ils acceptaient toujours leur nourriture avec calme, parlaient rarement à leurs geôliers et recevaient peu de visiteurs.

À huit heures du matin le 27 novembre 1885, les huit furent pendus en même temps sur une haute potence à l'extérieur de l'enceinte du fort Battleford. L'un d'eux, sans doute Itka, reçut des mocassins fabriqués par sa bien-aimée en guise de cadeau d'adieu.

Debout sur l'échafaud, la corde autour du cou, ils contemplèrent leurs camarades et amis. Sept d'entre eux entonnèrent un chant de guerre exhortant leurs familles à vouer une haine éternelle aux Blancs.

Le huitième, Esprit Errant, le chef des Cris des plaines, récita un chant d'amour à sa femme qui, d'en bas, l'observait. Dans sa chanson, il s'excusait pour les ennuis qu'il lui avait causés et pour les promesses qu'il ne pourrait plus tenir.

Le bourreau tira le levier et les huit guerriers indiens tombèrent devant leurs compatriotes. On les enterra en secret au bord de la rivière à la Bataille. Des années plus tard, des enfants furent surpris à jouer avec leurs ossements. La Gendarmerie royale du Canada les recueillit et les enterra à nouveau.

Le vainqueur a toujours le pouvoir de juger les vaincus et de sévir contre ceux qui, selon lui, le méritent. Il en fut ainsi dans la guerre entre les Métis, les Indiens et le gouvernement de sir John A. Macdonald.

Dans les nombreuses poursuites judiciaires qui suivirent les combats, tous les accusés furent Indiens et Métis. Aucun Blanc ne fut accusé d'avoir détourné des vivres ou des fonds prévus par les traités. Aucun Blanc ne fut accusé d'avoir enfreint les traités, tué des autochtones ou volé leurs terres.

Les juges de Régina et Battleford rendirent des décisions en accord avec les souhaits de leurs employeurs d'Ottawa.

Le résultat fut la pendaison d'un Métis et de huit Indiens; aucun Blanc ne fut exécuté. L'âme des nations métisse et indienne était brisée. Les chefs étaient morts, en prison ou en exil aux États-Unis. Moins de deux ans plus tard, les plus importants chefs autochtones, Faiseur d'Enclos et Gros Ours, furent relâchés; mais malades et vidés, ils devaient mourir au bout de quelques mois.

Il fallut plusieurs années aux nations métisse et indienne pour retrouver un peu de leur fierté, de leur autonomie et cette belle indépendance que les vainqueurs leur avaient ravies par la force des armes.

Aujourd'hui, la tombe des huit guerriers pendus à Battleford n'est ni identifiée, ni entretenue. L'événement le plus important de toute l'histoire de Battleford est traité comme s'il n'avait jamais existé, aussi bien par les citoyens de la ville que par le gouvernement de la Saskatchewan.

L'incarcération de Riel

Rien ne nous permet de supposer que Riel songea à s'évader et à s'enfuir au Montana. Il était citoyen américain et on ne l'aurait sans doute pas empêché d'entrer aux États-Unis. Mais il savait que l'avenir des Métis se jouait au Canada.

Le 13 mai 1885, Middleton avait écrit à Riel. Il lui avait alors offert sa protection ainsi qu'à son Conseil, jusqu'à ce qu'il reçoive des instructions du gouvernement canadien. Dumont eut connaissance de cette lettre avant Riel, grâce à Moïse Ouellette.

Celui-ci se trompait en disant à Dumont que Riel s'était déjà rendu, car c'est le 15 mai que Riel reçut la lettre de Middleton. Il lui répondit: «J'ai reçu seulement aujourd'hui votre lettre du 13 courant. Mon Conseil est dispersé. Je souhaite que vous les laissiez aller en paix et en liberté. On me dit que vous êtes actuellement absent. Si j'allais à Batoche, qui me recevrait? J'irai, pour accomplir la volonté de Dieu.»

Le jour même, Riel se livra à des éclaireurs de la NWMP qui ratissaient la région. Ils le conduisirent à Middleton.

Ce dernier décrit son prisonnier:

> Un homme à l'apparence et à la voix douce, arborant une courte barbe brune; son regard anxieux et craintif s'apaisa à mesure que je lui parlais. Il ne portait pas de manteau et semblait transi et malheureux; comme il faisait encore froid à l'ombre, je commençai par lui donner une de mes grandes capotes militaires.

Middleton fit monter une tente près de la sienne et y confina Riel sous la garde du capitaine George Young, fils du révérend Young qui avait été partisan de Schultz sous le gouvernement provisoire de Rivière-Rouge.

Dans son livre *Suppression of the Rebellion*, Middleton écrit que Riel lui fit l'impression d'être «imprégné d'un sentiment religieux profond et morbide, mêlé à une très grande vanité».

Le 17 mai, toujours sous la surveillance de Young, Riel s'embarqua sur le *Northcote* pour Régina. Lui et le capitaine Young fraternisèrent et discutèrent longuement des divers événements qui les avaient mis en présence. Young était intelligent et consciencieux. Ils passèrent huit jours ensemble et au moment où ils se séparèrent, chacun avait acquis un profond respect pour l'autre.

Lors du procès de Riel, Young déclara que ce dernier était, selon lui, plus intelligent et plus instruit que lui-même. Il ne pouvait croire que Riel était fou. Il rapporta certaines de leurs conversations et raconta ce que Riel lui avait expliqué: il n'avait pas été assez bête pour croire qu'il pourrait partir en guerre contre le Canada et l'Angleterre, mais il avait cru pouvoir pré-

venir les hostilités en capturant la troupe de Crozier; avec ses
otages, il avait espéré forcer le gouvernement à accéder à ses demandes.

Au bout de huit jours, Young remit son prisonnier au commandant Deane à Régina. Riel était maintenant sous la garde des
autorités civiles, et il fut enfermé dans la caserne de la NWMP,
seule prison de la ville. Comme à tous les prisonniers, on lui
attacha un boulet de neuf kilos à la cheville droite.

Sans le sou et sûrement conscient qu'on allait l'accuser de
crimes passibles d'une longue sentence, sinon de la peine capitale, Riel ne perdit pas espoir. La plupart du temps, il était seul.
Il écrivit de nombreuses lettres et jeta sur papier ses visions, des
prières et des prophéties. Sa principale préoccupation était le
bien-être de sa famille.

Il écrivit à son frère Joseph: «Pour l'amour de Dieu, essaie
de venir en aide à ma famille dès que possible[6].» Il lui expliqua
que Middleton lui avait écrit et qu'il s'était livré. Joseph réagit
promptement; il trouva Marguerite, Jean et Angélique et les ramena à Saint-Vital. Au cours des mêmes semaines, la mère de
Riel lui écrivit une lettre où l'on peut sentir la profondeur de son
angoisse:

> Cher fils, mon bien-aimé Louis, depuis plusieurs années
> Dieu a voulu remplir la coupe de ses chagrins et de son
> amertume. Aujourd'hui qu'elle déborde, il nous l'offre –
> faudra-t-il que nous la buvions d'un seul trait? Ô! Dieu,
> donnez-moi la force et la volonté de le faire.
>
> Oh! Louis, tu sais à quel point je souffre, tu le comprends
> en songeant à tes propres enfants; il m'est impossible de
> t'expliquer le chagrin d'une mère. Je pleure, oui c'est vrai;
> mais je garde la tête haute car la tristesse ne m'entraîne pas
> dans le désespoir... Ne regarde pas par terre, regarde plu-
> tôt vers le ciel; c'est là que nous trouverons notre seul re-
> fuge, notre seule consolation... Courage, encore une fois
> mon cher fils, courage, courage, pour la plus grande gloire
> de Dieu[7] .

«Je garde la tête haute»... Julie Lagimodière Riel, dans sa
courte lettre d'amour et de souffrance, nous laisse entrevoir une
grande dame.

En juillet, Joseph put écrire que la santé de Marguerite

s'était améliorée, que le petit Jean prenait du poids et débordait d'énergie et qu'Angélique allait mieux, même si elle était toujours maigre.

Riel écrivit une lettre de remerciements à Romuald Fiset, celui qui l'avait accompagné à la Chambre des communes lorsqu'il s'était inscrit comme député en 1874; il venait de lui annoncer que le Comité de défense de Riel avait engagé un avocat. Il déclara aussi à Fiset qu'il souhaitait être jugé par la Cour suprême et non à Régina.

Il écrivit aussi au lieutenant-gouverneur Dewdney pour lui demander d'être jugé par la Cour suprême et lui expliquer que l'affaire concernait autant les événements de 1869-1870 à Rivière-Rouge que les épisodes de la Saskatchewan en 1885. Il trouvait un peu regrettable que les avocats choisis pour lui fussent tous des libéraux et aurait préféré qu'ils fussent au nombre de cinq, dont deux Canadiens français, l'un conservateur et l'autre libéral.

Il écrivit deux lettres à Jonh A. Macdonald. La première expliquait que même s'il s'était séparé de Rome, il avait conservé sa foi chrétienne. Il considérait que le pape Léon XIII faisait trop de politique et il exprimait son désir d'effacer les divisions et les désaccords entre nations et religions.

Dans la deuxième lettre, il exprimait le souhait de retourner à la vie politique. Il pensait pouvoir être utile comme ministre au Manitoba et il voulait continuer le travail amorcé avec la Loi du Manitoba.

Assez curieusement, ses idées sur l'immigration européenne dans le Nord-Ouest devaient se réaliser dans une grande mesure, quoique la manière et les méthodes utilisées fussent différentes. Ukrainiens, Polonais, Hongrois, Suédois, Norvégiens, Allemands, Italiens et d'autres, en plus des Français et des Anglais, composent aujourd'hui la population cosmopolite des Prairies.

NOTES

1. Ouimet, *La question métisse*.

2. *Ibid.*

3. *Ibid.*

4. *Ibid.*

5. D.P.C., 1886, XII, n° 52, p. 173.

6. Collection Riel IV, Riel à Joseph Riel, 25 mai 1885, A.P.C.

7. Collection Riel, Julie Riel à Riel, 29 mai 1885, Société historique de Saint-Boniface.

XI

L'étrange procès de Riel

L'accusation de haute trahison

Le gouvernement de John A. Macdonald ne lésina pas sur le choix des avocats chargés de l'affaire Riel: Christopher Robinson, fils de John Beverly Robinson, un magistrat spécialisé dans les condamnations à mort qui envoya en 1838 les patriotes Samuel Lount et Peter Mathews à la potence, B.B. Osler, avocat principal, ainsi que T.C. Casgrain et D.L. Scott, qui comptaient parmi les meilleurs avocats du pays.

Un comité de défense de Riel, dont firent partie quelques députés, fut rapidement mis sur pied à Montréal. Ses ramifications s'étendirent à la plupart des principaux centres du Québec où on fit des collectes aux portes des grands magasins. Le coût de la défense de Riel se chiffra à 2 576,98 $.

La Couronne choisit d'attribuer «toute la responsabilité de l'insurrection à Riel[1]». Clarke était l'avocat des compagnons de Riel, qu'il présenta comme des innocents abusés et détournés du droit chemin par l'infâme rebelle. Christopher Robinson représentait le gouvernement fédéral.

Le Conseil du gouvernement provisoire des Métis comprenait 15 membres. Riel n'en faisait pas partie et n'y avait pas droit de vote. Mais les procès-verbaux des réunions du Conseil faisaient partie des documents saisis par le capitaine Peters à Batoche.

Losqu'il raconta son emprisonnement à Régina, Garnot, un des membres du Conseil, écrivit:

> Un jour, ils [les avocats de la Couronne] vinrent et nous réunirent [les conseillers métis] pour nous expliquer la différence entre l'accusation de haute trahison, qui entraînait infaillible«ment la peine de mort, et la félonie qui pouvait nous valoir un emprisonnement allant d'un jour à toute la vie...
>
> Ils nous dirent alors: «Nous avons décidé de vous faire condamner et nous ne voyons aucun moyen de vous sauver car vous serez sûrement trouvés coupables. La Couronne vous propose donc de plaider coupable à l'accusation de félonie; si vous refusez, vous serez accusés de haute trahison et plusieurs d'entre vous seront exécutés[2].

Garnot et certains autres commencèrent par refuser, puis finirent par accepter. Cette manœuvre eut pour effet d'isoler Riel des conseillers métis.

On donna carte blanche au lieutenant-colonel Hugh Richardson, juge suppléant, pour la conduite du procès.

En 1875, le conseil des Territoires du Nord-Ouest avait été mis sur pied en vertu de la Loi des Territoires du Nord-Ouest. À cette époque, et pour plusieurs années encore, les Territoires allaient être peuplés principalement d'Indiens et de Métis francophones ou anglophones. Le Conseil comprenait trois membres: deux juges suppléants, Hugh Richardson et Matthew Ryan, et le commandant en chef de la NWMP, le colonel J.F. McLeod. Aucun d'eux n'était originaire de la région. À part l'anglais, ils ne parlaient tout probablement aucune des langues de la région dont ils ne devaient pas, non plus, comprendre les coutumes.

Un «juge suppléant» était un avocat qui avait cinq années d'expérience et qui remplissait à temps partiel les fonctions de juge dans les Territoires. Il recevait un traitement du gouvernement fédéral tout en continuant à pratiquer sa profession à sa guise.

En 1880, Richardson avait écrit une lettre au ministre de l'Intérieur où il dévoilait ses véritables sentiments à l'égard de la nation métisse. Il insistait pour que l'on s'occupe sans tarder des griefs des Métis car «récemment les colonies métisses» avaient été «soumises à l'influence néfaste des responsables des troubles au Manitoba. Cette influence n'apportait rien de bon en Saskatchewan.»

Plus tard, sa maison fut accidentellement détruite au cours de la période d'agitation qui secoua le fort Battleford.

Et voilà pour l'impartialité...

À cette époque, un juge pouvait procéder avec un jury de six hommes, une disposition raisonnable étant donné la population clairsemée et souvent inégalement répartie. Les noms des candidats au jury étaient placés dans un bocal et pris au hasard. L'admissibilité des candidats choisis était alors débattue par les avocats des deux parties. Comme le hasard jouait un rôle important, cette façon de choisir les jurés avait une allure démocratique.

Le procès de Riel eut lieu dans un district où la population était relativement dense. Il y avait, dans le Nord-Ouest, des milliers d'individus parlant français ou anglais ou les deux, et bon nombre parlaient au moins un dialecte autochtone. On peut supposer sans crainte de se tromper que la plupart de ces personnes, qui étaient légalement admissibles à la fonction de juré, étaient d'une certaine façon favorables à Louis Riel et à la cause métisse.

Le juge Richardson avait donc un sérieux problème: comment constituer un jury convenable dans une population qui était, généralement parlant, favorable à Riel? Passer outre aux règles de procédure l'aurait rendu vulnérable. Il trouva donc un compromis. Il dressa tout simplement une liste de 36 personnes de son choix au sein desquelles le jury serait choisi.

De cette première sélection, seulement cinq étaient catholiques ou canadiennes-françaises. Toutes les autres étaient protestantes et anglophones. Un des noms tirés dans le bocal, Michael Sullivan, était un catholique irlandais. Son admissibilité fut contestée par les avocats de la Couronne et leurs objections furent retenues par Richardson. Benjamin Lemoges, un Canadien français, fut écarté de la même façon. On choisit finalement six jurés anglophones protestants sans aucune connaissance du français et donc dépendants, lors de témoignages très importants, d'interprètes partiaux et incompétents.

Charles Fitzpatrick qui défendait Riel avec François Lemieux et J.N. Greenshields s'opposa vivement au pouvoir que le magistrat s'était attribué avec sa liste préliminaire de candidats jurés.

Ce pouvoir «porte atteinte au fondement même du système du jury, parce que le nombre ne signifie rien, qu'il soit de 12, 20 ou 25, si le choix du jury n'est pas de nature à assurer un procès juste et impartial[3].»

C'était les pratiques de la justice coloniale. En vertu de la loi de 1880, lors de trahison ou de délit pénal dans le Nord-Ouest, on ne pouvait récuser plus de six candidats jurés. Au Québec, il était permis d'en récuser 20; dans d'autres districts sous juridiction britannique, ce nombre pouvait aller jusqu'à 35.

Charles Fitzpatrick contesta la juridiction du tribunal, alléguant qu'un crime capital ne pouvait être jugé par un juge suppléant et un jury de six hommes. Le magistrat repoussa l'objection. La Cour d'appel du Manitoba avait récemment confirmé la validité de la loi dans le cas d'un homme nommé Connor, un assassin à la hache, qui avait été condamné à mort et qui allait précéder Riel sur l'échafaud.

Les six accusations portées contre Riel lorsqu'on le cita à procès, le 20 juillet 1885, se résumaient à une seule: Louis Riel, sujet de la reine, avait tenté de renverser son autorité par une rébellion armée et avait tenté de convaincre d'autres personnes de faire de même au lac aux Canards, à l'anse aux Poissons et à Batoche.

Riel était citoyen américain; il n'était pas sujet de la reine d'Angleterre. Pourtant, l'acte d'accusation parlait de «son devoir d'allégeance» et «de la fidélité et l'obéissance qu'il doit à notre reine...».

Riel plaida non coupable.

Le procès eut lieu au palais de justice de Régina, un des bâtiments de pierre les plus vastes et les plus imposants de la ville. Riel était incarcéré dans la prison de la caserne de la NWMP où on le ramenait tous les soirs. Cette prison se trouvait à une douzaine de kilomètres du tribunal et Riel effectuait tous les jours le trajet à cheval, vêtu d'un uniforme de la NWMP au milieu d'un important groupe de policiers. Il était donc très difficile, pour qui aurait voulu le libérer ou l'assassiner, de l'identifier parmi les agents.

Des rumeurs apparemment fondées voulaient que Gabriel Dumont tentât de recruter une armée de Métis aux États-Unis pour effectuer un raid sur Régina, libérer Riel et regagner la frontière à toute vitesse. Il n'en fut rien, mais il semble que Riel en ait eu vent puisque dans le discours qu'il prononça dans le box des accusés, il déclara: «Dumont tente de me sortir de cette boîte.»

Le 21 juillet 1885, les avocats de Riel demandèrent un ajournement d'un mois pour pouvoir faire venir leurs nombreux témoins et documents.

Ils avaient l'intention de faire venir Gabriel Dumont, Michel Dumas et Napoléon Nault qui s'étaient réfugiés aux États-Unis ainsi que les pères André, Fourmond et Touse. Ils voulaient en outre convoquer le ministre adjoint des Affaires indiennes, Van Koughnet, et le ministre adjoint de l'Intérieur, Burgess, puisque ceux-ci avaient en leur possession des documents officiels, des pétitions et des requêtes adressées par les Métis du Nord-Ouest au gouvernement du dominion.

Par ailleurs, Riel demanda aussi, pour préparer sa défense, de nombreux papiers, manuscrits et documents que le général Middleton lui avaient confisqués à Batoche. Il affirma que parmi ces documents, on trouverait un certificat établissant qu'à l'époque des crimes qu'on lui imputait, il était déjà naturalisé américain.

À l'appui de leur requête d'ajournement, Fitzpatrick et Lemieux alléguèrent qu'ils voulaient prouver que:
– l'accusé était aliéné depuis de nombreuses années;
– il avait été interné dans un hôpital psychiatrique au Québec;
– il souffrait de troubles mentaux;
– il avait quitté son foyer au Montana et il était arrivé au pays en 1884 seulement à la demande de ses amis;
– il avait constamment veillé à ce que l'agitation dans le Nord-Ouest soit toujours respectueuse de la constitution et de la paix;
– en février 1885, il avait manifesté son intention de retourner au Montana et n'était resté qu'à la demande expresse des Métis;
– la rébellion avait été déclenchée et dirigée par un Conseil de 15 personnes dont l'accusé ne faisait pas partie et au sein duquel il n'avait commis, encouragé ou soutenu aucun acte de trahison.

Robinson, pour la Couronne, s'opposa à l'ajournement. De plus, il s'opposait formellement à la venue de Dumont, Dumas et Nault. Ces trois fugitifs exigeraient une immunité spéciale puisqu'ils étaient recherchés pour leur rôle dans le soulèvement. Quant à Van Koughnet et Burgess, d'après lui, il aurait été contraire à l'intérêt et à la sécurité de la nation de les forcer à produire des documents détenus par leurs ministères à Ottawa.

> Les documents de Riel saisis à Batoche, déclara Robinson, sont considérés comme des documents d'État. Plusieurs d'entre eux impliquent d'autres personnes que l'accusé et on doit refuser à tout procureur de l'accusé de prendre connaissance de documents pouvant mettre en péril la sécurité nationale et, d'une manière ou d'une autre, impliquer des personnes qui doivent, dans l'intérêt du public et de la société, être punies comme il convient[4].

Ce que disait Robinson, somme toute, c'était que les papiers personnels de Riel, une fois saisis par les autorités, appartenaient à l'État. Donc, Riel et ses avocats se virent refuser même le droit de consulter des documents qui lui appartenaient. Mais, si ces documents contenaient une preuve de trahison, à qui pouvaient-ils nuire? À Riel, de toute évidence. Or, c'est lui-même qui demandait qu'on les produise.

Le gouvernement refusa de produire des documents et des témoins parce que, ce faisant, il aurait fait son propre procès. Chacun des documents et des témoins l'aurait forcé à expliquer et à défendre ses gestes. Le juge Richardson entérinait la ligne de conduite de ses employeurs et la requête fut rejetée: pas de documents, pas de témoins. Les avocats de Riel obtinrent une semaine pour préparer leur défense.

Au cours de cette semaine, Will (Henry) Jackson subit lui aussi son procès. Il nia avoir été prisonnier de Riel et affirma avec insistance être responsable de ses actes. Il reconnut d'emblée qu'il avait été le secrétaire de Riel et qu'il souhaitait partager son sort. Le jury l'acquitta «pour cause d'aliénation mentale» et le plaça dans une institution à sécurité minimale. Peu après, Jackson s'enfuit aux États-Unis.

Le 28 juillet, le procès commença. La salle d'audience, de petite dimension, était constamment bondée de spectateurs. À l'arrière de la salle, bien centré, se trouvait le box des accusés – un carré en bois d'environ 1,20 m de haut.

Riel faisait face au juge, tandis qu'à sa droite les gens s'entassaient sur des chaises en bois. À sa gauche, les six jurés étaient également assis sur des chaises en bois. Directement derrière Riel se trouvaient les greffiers ainsi que les avocats de la Cou-

ronne et de la défense. La foule était compacte, il ne restait aucune place libre. Au haut d'un mur, une série de petites fenêtres
rectangulaires s'ouvraient de l'intérieur. On laissait toutes les
portes ouvertes, car peu après le début du procès, l'atmosphère
devenait humide et étouffante. Durant la pause du midi, on em-
menait Riel dans une petite remise en bois à l'arrière de la salle
d'audience. Un agent de la NWMP lui apportait ses repas préparés dans un restaurant de l'endroit. De crainte que les Métis
ne tentent de le libérer, Riel et le palais de justice étaient toujours
fortement gardés.

Tout au long de son incarcération, Riel, comme d'habitude,
apportait un soin méticuleux à son apparence. Ses vêtements
étaient brossés et ses cheveux peignés. Il n'avait cependant pas
l'embarras du choix puisqu'il ne possédait qu'un seul complet
assorti de son habituelle paire de mocassins lacés aux chevilles
sur des chaussettes de laine. Son complet, qu'il portait lorsqu'il
fut pendu, était fait, semble-t-il, de gabardine noire. Au cours
des derniers mois, il arbora une barbe abondante. Tous ceux qui
le rencontrèrent durant cette période furent frappés par son
intelligence et sa sincérité. Il avait les yeux brun foncé et très
expressifs. Au premier coup d'œil, ses cheveux semblaient noirs
avec une nuance de brun, mais au soleil, de vifs reflets roux
apparaissaient nettement, une couleur très inhabituelle pour les
Métis de la région.

La Couronne entreprit de prouver que Riel avait été le chef
des Métis même s'il n'avait pas été membre du Conseil de leur
gouvernement. B.B. Osler se servit abondamment de la lettre de
Riel à Crozier où il exigeait la reddition du fort Carlton et où il
le menaçait d'une «guerre d'extermination». Osler prétendit que
Riel avait provoqué le soulèvement des Métis par ambition et
par vanité. Il aurait été «assoiffé de sang: son seul but était
d'obtenir de l'argent et d'assouvir son appétit de pouvoir.
Absolument tous les moyens lui étaient bons pour arriver à ses
fins[5].»

John Astley, John Lash, George Ness, Harold Ross et Peter
Tomkins, tous d'anciens prisonniers des Métis, déclarèrent
qu'au lac aux Canards, c'est Riel qui avait donné l'ordre de faire
feu. Selon Astley, avant de partir pour le lac aux Canards, Riel
avait fait aligner les hommes, preuve que c'était bien lui qui
dirigeait les Métis.

Les avocats de Riel tentèrent de faire dire aux témoins que

leur client avait un comportement irrationnel. John Astley refusa de dire qu'il l'avait vu parler ou agir de façon anormale ou bizarre; selon lui, Riel «paraissait intelligent et habile à bien des égards».

Fitzpatrick tenta d'arracher à Ness l'affirmation que Riel s'était efforcé de maintenir l'agitation dans les limites de la constitution. Il échoua, mais, en revanche, il put l'amener à parler des étranges conceptions religieuses de Riel.

Le second jour, deux témoins de la Couronne, George Kerr et Henry Walters, racontèrent la saisie de leurs biens. Puis Hillyard Mitchell expliqua qu'il avait tenté de convaincre les Métis de ne pas avoir recours à la violence. Et Thomas Jackson déclara que durant la bataille de l'anse aux Poissons, Riel avait donné instruction aux hommes de Batoche de se battre *s'ils étaient attaqués*.

Fitzpatrick tenta de discréditer le témoignage de Jackson. Il lui demanda pourquoi il avait détruit la lettre que Riel lui avait demandé de faire circuler parmi les colons blancs; montrait-elle que Jackson était un partisan de Riel? Jackson admit sans ambages que la plupart des habitants du district de Lorne s'étaient unis afin de revendiquer des droits provisoires «ainsi que les droits des sang-mêlé» et que le contenu de la lettre était sans importance puisqu'il reconnaissait volontiers qu'il était un partisan de Riel.

Le témoin suivant fut le cousin de Riel, Charles Nolin. Cet homme avait été décrit par le sergent Keenan de la NWMP comme le plus dangereux des Métis. Dès le début, Nolin avait incité les Métis à la violence, puis il s'était enfui à Prince Albert. Peut-être l'humiliation d'être emprisonné par Crozier après sa désertion augmenta-t-elle sa haine envers Riel? Ou avait-il été soudoyé comme plusieurs l'avaient été en 1870?

Il déclara que Riel avait exigé de l'argent pour la cause métisse, qu'il ne lui avait pas permis de soumissionner pour l'octroi des contrats du gouvernement et que lors de la fameuse assemblée où il avait parlé de retourner au Montana, c'était un subterfuge puisqu'il avait bourré la salle de ses amis pour qu'ils lui demandent de rester. Lemieux, l'avocat de Riel, se chargea d'interroger Nolin et lui fit admettre sa complicité dans le soulèvement et sa fuite à Prince Albert. Nolin parla ensuite des visions et des révélations de Riel.

Riel voulait à tout prix interroger Nolin et réfuter son témoignage. Il ne consentit à respecter les règles de procédure que lorsque ses avocats le menacèrent de se retirer du dossier s'il persistait à interrompre les débats et à vouloir se défendre lui-même.

Lorsque Riel se décida à rester calme, Lemieux poursuivit son interrogatoire. Il demanda à Nolin si Riel n'avait pas eu des démêlés avec les prêtres de Batoche et s'il n'avait pas délaissé l'Église. Oui, tout à fait. Nolin considérait-il que les Métis étaient pieux? Oui, ils l'étaient. «Riel, ajouta-t-il, ne serait jamais parvenu à tromper les Métis s'il n'avait pas prétendu être un prophète. Riel n'était pas sincère et il avait joué sur l'ignorance et la naïveté des gens[6].»

Le 30 juillet, les avocats de Riel appelèrent leurs témoins à la barre. Lemieux demanda au père André d'expliquer la nature des griefs des Métis et la raison pour laquelle le gouvernement n'avait pas agi. Osler protesta: ce n'était pas le procès du gouvernement canadien. Lemieux évoqua alors les opinions politiques et religieuses de Riel. Selon le père André, les idées politiques et religieuses de Riel étaient insensées. «Il semblait y avoir deux hommes en lui, il perdait toute maîtrise de lui-même[7].»

Casgrain contre-interrogea le père André au nom de la Couronne; il lui demanda si Riel voulait obtenir de l'argent du gouvernement fédéral.

> J'étais présent avec une autre personne lorsque l'accusé a fait une demande au gouvernement fédéral: il voulait 100 000 $. Comme nous trouvions sa demande exorbitante, l'accusé a répondu: «Attendez un peu, j'accepterais immédiatement 35 000 $ comptant.»
> — Et à cette condition, l'accusé aurait quitté le pays?
> — Oui, c'est la condition que posait Riel.
> — Quand cela est-il arrivé?
> — Le 23 décembre 1884.
> — Ne vous demandait-il pas constamment d'user de votre influence auprès du gouvernement pour que lui soit versée cette indemnité?
> — Il a abordé ce sujet avec moi pour la première fois le 12 décembre (1884). Il n'en avait jamais été question entre nous auparavant et il en a reparlé le 23 décembre.
> — Il en parlait souvent?
> — Il en a parlé seulement à deux occasions.

– N'est-il pas vrai que l'accusé vous a déclaré qu'il représentait à lui seul la cause métisse tout entière?

– Ce ne sont pas ses paroles exactes, mais c'est ce qu'il voulait dire. Il m'a dit: «Si je suis satisfait, les Métis le seront.» Je dois expliquer ceci. Nous lui avons objecté que si le gouvernement lui offrait 35 000 $, le problème métis resterait entier. Et il a répliqué: «Si je suis satisfait, les Métis le seront.»

– N'est-il pas vrai qu'il vous a dit qu'il accepterait une somme inférieure à 35 000 $?

– Il m'a dit: «Usez de toute votre influence. Peut-être ne pourrez-vous obtenir toute la somme, mais faites ce que vous pouvez. Si vous obtenez moins, nous verrons[8].»

Dans le témoignage du père André, à part son affirmation que les idées religieuses de Riel étaient insensées, la phrase clef est celle de Riel: «Si je suis satisfait, les Métis le seront[9].» Il est difficile d'interpréter cette phrase autrement que par la conviction de Riel que si le gouvernement le dédommageait, cela témoignerait d'une attitude plus équitable envers les Métis. Des conditions acceptables à Riel seraient acceptables pour l'ensemble des Métis.

Le père Fourmond, quant à lui, évoqua ce qu'il considérait comme des déclarations irrationnelles de Riel ainsi que ses explosions de colère quand on le contredisait. Les deux missionnaires se déclarèrent fermement convaincus que Riel était irresponsable. Deux médecins, les docteurs François Roy de Québec et Daniel Clark de Toronto, furent appelés par la défense. Le docteur Roy, bousculé par les questions d'Osler, ne put répondre adéquatement en anglais et dut poursuivre en français. La traduction eut pour effet d'amoindrir l'impact de son témoignage.

Le docteur Clark, lui, émit l'opinion que Riel était atteint de folie, ajoutant que d'après lui, la vérité ne faisait pas de doute: l'homme n'était pas un imposteur. Osler attaqua cet argument en lui demandant si le comportement de Riel était le fait d'une supercherie. Le docteur Clark répondit que tout ce qui est dissimulé est compatible avec la supercherie. Les deux médecins n'avaient vu Riel que très brièvement aux environs du 28 juillet; ce n'était certes pas suffisant pour établir un diagnostic d'aliénation mentale.

Les témoins de la Couronne furent le docteur James Wallace et le médecin de la NWMP, le docteur A. Jukes. Le témoignage de Wallace perdit toute valeur après qu'il eut admis n'avoir rencontré Riel qu'une demi-heure. Jukes, un généraliste, fut le témoin le plus crédible. Il éluda les questions de Fitzpatrick et se borna à affirmer que des idées religieuses singulières avaient déjà été professées par des hommes qui devinrent par la suite de grands leaders.

Osler prit ensuite la relève en faveur de la Couronne:

> Il y avait parmi les documents [saisis dans la salle du Conseil à Batoche*] une lettre adressée aux Indiens et aux Métis du fort Pitt et de Battleford, écrite par Octave Régnier agissant à titre de secrétaire de Riel ou à quelque autre titre. Nous prouverons que cette lettre a été dictée par l'accusé; cette lettre, datée du 1er mai 1885, incitait les Indiens à la révolte.

> Dans le campement de Faiseur d'Enclos, continua Osler, on a trouvé une autre lettre rédigée par l'accusé, que nous allons vous lire et qui fait état d'une tentative – une tentative délibérée – de plonger ce pays dans une guerre contre les Indiens avec son habituel cortège d'horreurs[10].

Il ne fut plus question de la première lettre et Régnier ne fut pas appelé à témoigner. Peut-être quelqu'un fit-il remarquer à Osler et à ses associés qu'une lettre datée du 1er mai pouvait difficilement avoir provoqué les événements du lac à la Grenouille survenus le 2 avril et le pillage du fort Pitt survenu, quant à lui, le 17 avril.

Robert Jefferson, appelé à identifier la lettre trouvée dans le campement de Faiseur d'Enclos, déclara avoir entendu un Métis la lire et la traduire. Mais les Cris, exaspérés et à demi morts de faim, avaient déjà abandonné leur réserve; ils cherchaient désespérément de quoi se nourrir et ils n'avaient pas besoin des exhortations de Riel.

Le 30 juillet, les avocats de Riel prononcèrent leur plaidoirie. Fitzpatrick suggéra au jury quelques questions à méditer en rapport avec les tentatives de la Couronne pour rendre Riel responsable des actes et des assassinats des autochtones.

---

* N.D.A.

Ils parlent de documents trouvés dans la salle du Conseil. Quelle preuve avons-nous que ces documents furent utilisés dans le but qu'on prête à l'accusé ou dans tout autre but? Quelle preuve avons-nous que ces documents furent expédiés et qu'ils incitèrent ces hordes d'Indiens à se révolter et à exterminer les Blancs?

Nous ne connaissons qu'une chose: nous avons la preuve qu'une lettre fut envoyée à Faiseur d'Enclos. Nous avons la preuve – et quelle preuve! – qu'une lettre fut trouvée dans le campement de Faiseur d'Enclos. Ne trouvez-vous pas étrange que cette lettre ait été trouvée dans ce campement, qu'elle ait été trouvée dans les possessions de Faiseur d'Enclos qui, messieurs les jurés, est actuellement, comme chacun sait, prisonnier aux mains de la Couronne? Ne trouvez-vous pas étrange que cette lettre ait été envoyée dans le but d'exciter les passions perfides des Indiens et qu'on ne nous présente aucune preuve à l'effet qu'elle fut lue à Faiseur d'Enclos, sauf pour un adjoint qui déclare avoir entendu dire quelque chose de ce genre?

Pourquoi la Couronne n'a-t-elle pas convoqué Faiseur d'Enclos comme témoin pour l'interroger, pour prouver qu'il avait reçu cette lettre, qu'il l'avait lue et comprise et qu'il en avait saisi l'importance?

Pourquoi n'a-t-on pas fait témoigner Gros Ours et les autres Indiens à qui l'accusé est censé avoir écrit? Ils sont à deux pas d'ici et ils sont aux mains de la Couronne. Si cet homme est coupable de la barbarie dont on l'accuse, s'il est le vil gredin que la Couronne vous a dépeint, pourquoi ne le prouve-t-on pas? Existe-t-il une explication, une excuse?

J'affirme que si une telle preuve existait, elle aurait été présentée et je sais que si les procureurs de la Couronne ne l'ont pas fait, c'est parce qu'ils ne pouvaient le faire, car vous avez pu constater qu'ils n'ont rien négligé ni rien oublié dans cette affaire[11].

Après qu'il eut passé toute la preuve en revue, Fitzpatrick s'adressa au jury. Il eut des mots aimables pour les citoyens qui s'étaient portés volontaires afin de mater la rébellion. Il évita de prendre parti pour le soulèvement et il insista sur les griefs de la population du Nord-Ouest.

Puis il demanda: «S'il n'y avait pas eu de rébellion, s'il n'y avait pas eu de résistance, y en a-t-il un seul parmi vous qui peut dire aujourd'hui, y en a-t-il un seul qui peut, en toute conscience et honnêteté, affirmer que les maux qui affligent cette région auraient pu être guéris?»

Pour Fitzpatrick, le jury avait le choix: «Ou cet homme est atteint de folie, comme nous, ses avocats, avons cherché à démontrer, ou il est en pleine possession de ses facultés mentales et il est alors responsable devant Dieu et les hommes de tout ce qu'il a fait.»

Il résuma ensuite toute la preuve qui avait été présentée au sujet des troubles mentaux de Riel, puis il ajouta: «Je sais que vous lui rendrez justice et que vous n'enverrez pas cet homme à la potence, que vous ne tisserez pas la corde qui pendra haut et court à la face du monde un pauvre aliéné, une victime, Messieurs, une victime de l'oppression et du fanatisme[12].»

Ce fut ensuite au tour de Riel de prendre la parole. Et il parla.

La sentence

Dans la salle bondée du tribunal de Régina, en cette chaude journée d'été, combien se rendaient compte du drame étrange qui allait se dérouler? Riel allait tenter de réfuter l'argumentation de ses propres avocats. Il tenterait passionnément de prouver qu'il était sain d'esprit et responsable de ses actes et qu'il avait combattu pour les justes revendications du peuple métis.

«Quand j'entreprends une action, je suis naturellement porté à élever mon âme vers Dieu», commença-t-il avant de demander que sa prière ne soit pas considérée comme «une manifestation de folie». Puis il demanda à Dieu de le bénir ainsi que le juge, le jury, ses avocats et ceux de la Couronne.

«Le jour de ma naissance, j'étais impuissant et ma mère prit soin de moi... Le Nord-Ouest est aussi ma mère...»

Il passa le mouvement des Métis en revue, il raconta leurs souffrances et leurs pétitions ignorées par Ottawa. «Lorsque je parle d'une mission, vous ne devez pas croire que je joue un rôle... Ce qui m'encourage à vous parler en toute confiance malgré les imperfections de mon anglais, c'est que je n'ai pas encore achevé cette mission...»

Il raconta ensuite ses années de jeunesse à Rivière-Rouge et il parla sans détour de son séjour dans les hôpitaux de Saint-Jean-de-Dieu et de Beauport, car il croyait bien ne pas être considéré comme un aliéné.

Il affirma qu'il n'y aurait pas eu d'effusion de sang en Saskatchewan si les Métis n'avaient pas été attaqués par la NWMP et l'armée. Il déclara: «Par la grâce de Dieu, je suis le fondateur du Manitoba.»

Puis il aborda ses convictions religieuses et il affirma s'être séparé de Rome parce qu'elle était «la cause des divisions entre catholiques et protestants»; mais il souhaitait utiliser son influence pour effacer ces divisions, même si cela devait prendre 200 ans. Alors, «les enfants de mes enfants tendront amicalement la main aux protestants de ce nouveau monde».

Finalement, il demanda à la Cour de l'acquitter si elle acceptait la thèse d'aliénation mentale.

Mais si on le jugeait sain d'esprit, il devrait être «acquitté quand même. Vous êtes parfaitement justifiés de déclarer que j'ai toute ma raison. J'ai agi raisonnablement et en légitime défense tandis que le gouvernement, mon accusateur, s'est comporté de façon irresponsable et déséquilibré et donc n'a pu que faire erreur.»

«Avez-vous terminé?» demanda le juge Richardson sans chercher à dissimuler son impatience.

Il conclut en parlant de sa situation personnelle.

> Pendant 15 années j'ai négligé ma personne... Le révérend père André a souvent été assez bon pour nourrir ma famille... Ma femme et mes enfants sont sans ressources alors que je travaille plus que n'importe quel député de tout le Nord-Ouest... J'ai travaillé à améliorer le sort de la population de la Saskatchewan et du Nord-Ouest au risque de ma vie. Et je n'ai jamais reçu un sou[11][13]...

Ceci mettait fin à la présentation de la défense.

Puis Christopher Robinson conclut l'exposé de la preuve de la Couronne. Il se montra calme et habile. Il rejeta la thèse d'aliénation mentale et il rappela que, selon Nolin, Riel avait exigé de l'argent; il le décrivit comme un homme «à la volonté puissante... exceptionnellement intelligent... qui élaborait ses projets et dressait ses plans avec habileté et froidement».

À l'opinion du docteur Roy, il opposa les témoignages de soldats et de policiers qui avaient observé Riel pendant quatre mois. Il rappela les déclarations de Willoughby, Lash, Astley et McKay ainsi que l'«ultimatum» de Riel à Crozier, sa lettre à Faiseur d'Enclos et ses appels aux Métis de Battleford et de Qu'Appelle.

«Ceux qui ont provoqué sans excuse valable cette rébellion ont agi à leurs propres risques et doivent subir le châtiment que, de tout temps et particulièrement depuis cinq siècles, la loi a fixé pour le crime de trahison[14].»

Avant l'ajournement de la séance, Richardson n'eut que le temps de définir ce qu'était la haute trahison. Le lendemain matin, 1er août, il poursuivit son exposé à l'intention du jury. Il écarta l'argument de Fitzpatrick au sujet de la juridiction du tribunal et souligna que la défense n'avait pas prouvé l'aliénation mentale hors de tout doute...

Le jury se retira à 14 h 15. Riel s'agenouilla pour prier. Une heure plus tard, le jury revint.

«Messieurs du jury, demanda le greffier, l'accusé est-il coupable ou non coupable?»

«Coupable, répondit le président du jury, mais avant de poursuivre, Votre Honneur, mes confrères jurés m'ont demandé de recommander l'accusé à la clémence de la Cour.»

Un des jurés, Edwin Brooks, qui vécut plus tard à Indianhead en Saskatchewan, fut interviewé vers 1925 et certaines de ses observations sont parvenues jusqu'à nous.

On nous demandait de déclarer cet homme fou. Il ne nous paraissait pas plus fou qu'aucun de ceux qui s'adressèrent à nous et qui étaient les gens les plus respectables de tout le Canada. Il était plus intéressant et plus captivant que certains d'entre eux. Nous ne pouvions le déclarer fou. Nous étions devant un dilemme. Nous étions favorables aux Métis, car nous savions qu'ils avaient de bonnes raisons pour avoir posé la plupart de leurs gestes.

Au cours du procès, nous avons souvent mentionné que nous aurions aimé voir le ministre de l'Intérieur sur le banc des accusés pour avoir provoqué les Métis par sa négligence et son indifférence flagrantes. Mais nous ne pouvions juger le ministre de l'Intérieur et nous devions rendre notre verdict en nous appuyant sur la preuve...

Cet homme [Riel] était en mauvaise posture. Que pouvions-nous faire en tant que jurés pour l'aider à s'en sortir? C'était notre préoccupation à tous. Il n'y eut aucune sorte de division ou de dissension parmi nous. Tout ce que nous pouvions faire, c'était d'assortir notre verdict d'une recommandation de clémence. Nous savions que c'était peu mais ce n'était pas qu'une phrase creuse, car elle exprimait le désir profond de tous les jurés. Nous [les jurés] avons jugé Riel pour trahison, mais il a été pendu pour le meurtre de Thomas Scott[15].

Richardson déclara que la recommandation du jury serait «acheminée comme il se doit aux autorités concernées». En fait, il l'ignora complètement.

Puis il posa à Riel la question habituelle: «Louis Riel avez-vous quelque chose à déclarer qui permette de surseoir à la sentence de la Cour pour le crime dont vous avez été reconnu coupable?»

Riel hésita un moment, puis répondit: «Oui, Votre Honneur. Votre Honneur, Messieurs les jurés...

– Il n'y a plus de jurés maintenant, l'interrompit Richardson, ils sont relevés de leurs fonctions.

– Eh bien, ils se sont peut-être évanouis. Cependant, je considère qu'ils sont toujours là, puisqu'ils sont sur leurs sièges[16].»

Riel tentait-il, dans un moment aussi solennel, de faire un peu d'humour? Quoi qu'il en soit, c'est du même ton qu'il avait parlé aux jurés qu'il s'adressa au juge, aux avocats, à toute l'assistance, au pays tout entier peut-être, et il demanda qu'on le considère pour ce qu'il était, qu'on considère ce qu'il avait fait et ce qu'il avait tenté de faire et qu'ensuite on le juge équitablement.

La Cour a fait le travail à ma place. Et bien qu'à première vue cela semble m'être défavorable, j'ai une telle confiance dans les idées que j'ai eu l'honneur d'exprimer devant vous hier que je pense que cela me sera plus bénéfique que néfaste...

Je suppose qu'après m'avoir condamné, on ne dira plus que

je suis fou. Et, pour moi, c'est un grand avantage... Si j'ai une mission – je dis «si» à l'intention de ceux qui en doutent, mais pour moi cela veut dire «puisque» – puisque j'ai une mission, donc, je ne pourrai l'accomplir aussi longtemps qu'on me considérera comme un dément...

On avait prétendu que Riel devenait nerveux, irritable et qu'il perdait toute maîtrise lorsqu'il était contredit, surtout sur des questions de religion et de politique. «On me réfute présentement sur une question de politique et le sourire qui me vient aux lèvres n'est pas tant un acte de volonté qu'une réaction naturelle de satisfaction, car j'ai la preuve; je sens qu'un de mes problèmes s'est évanoui. Si je devais être exécuté... ce ne serait pas en tant qu'aliéné.»

Il remercia le jury de l'avoir recommandé à la clémence de la Cour. Il poursuivit en disant qu'il pourrait parler avec emportement du mode de sélection du jury, de celui qui avait fait cette sélection et de la compétence de la Cour. Mais pourquoi cela, puisque la Cour s'était chargée de prouver qu'il avait toute sa raison?

Le gouvernement canadien avait reçu les délégués de Rivière-Rouge, il avait négocié et accepté, sauf une, toutes les conditions comprises dans la charte des droits élaborée par le gouvernement provisoire.

La seule exception touchait le contrôle des terres; et il avait été convenu qu'un septième des terres serait réservé aux Métis, soit 560 000 hectares. C'est en partant de ce même principe que Riel avait revendiqué un septième des terres à l'ouest du Manitoba.

Les terres du Nord-Ouest avaient été cédées sous condition, affirma Riel, et il maintint: «Nos droits sur le Nord-Ouest sont reconnus, notre droit de copropriété avec les Indiens est reconnu puisqu'on nous a donné un septième des terres, mais nous n'avons pas les moyens de nous faire entendre. Que faire alors?»

Si le gouvernement canadien reniait son accord, l'entente de 1870 était nulle et non avenue. Dans ce cas, les Métis pouvaient inviter des Italiens, des Irlandais, des Bavarois, des Polonais, des Belges vivant aux États-Unis à immigrer dans l'Ouest pour les aider à obtenir le septième des terres.

Puis il aborda la question du fiasco qu'avait été l'amnistie.

«... L'amnistie est venue cinq ans trop tard... et j'ai été banni pour cinq autres années.»

Il fit une pause.

Dans la salle d'audience, la chaleur était écrasante; tous étaient en nage mais, au moins, ils étaient assis. Riel, le visage ruisselant de sueur, impeccable dans son unique complet, était debout depuis deux heures environ dans le box des témoins. Il n'avait pas de chaise et s'était efforcé de se tenir droit et digne tout au long du procès. Il se sentit faible, fut pris d'un malaise et, pour la première fois depuis le début du procès, il s'appuya sur le côté du box, le menton dans la main.

«C'est tout?, demanda Richardson.

– Non. Excusez-moi, je me sens faible et, si je m'arrête parfois, j'espère que vous serez assez bon...»

Il rappela ensuite que la Loi du Manitoba stipulait que le conseil du Nord-Ouest était un gouvernement temporaire qui ne devait pas durer plus de cinq ans. «Depuis combien de temps est-il en place? Depuis 15 ans...» Il n'avait rien à dire contre le conseil du Nord-Ouest; mais là aussi les conditions de l'entente avec les colons du Manitoba n'avaient pas été respectées.

En devenant citoyen américain,

> cela m'a brisé le cœur de faire ainsi mes adieux à ma mère, mes frères, mes sœurs, mes amis, à mes compatriotes, à ma terre natale. Mais je croyais ne plus pouvoir revenir dans ce pays à moins de m'élever contre toutes les injustices que j'avais subies... J'ai cru préférable d'entreprendre une carrière de l'autre côté de la frontière.

Les pères et les mères des autres Métis avaient eu le droit de demander une terre, mais sa mère à lui n'avait pu le faire. Il avait demandé une indemnité; on la lui avait refusée.

Le 24 juin 1870, sir Georges-Étienne Cartier avait déclaré que Riel devait conserver le pouvoir jusqu'à l'arrivée des troupes au fort Garry. «Et c'est effectivement ce que j'ai fait. Et quelle fut ma récompense? Quand le glorieux général Wolseley arriva, il me remercia en déclarant que les *banditi* de Riel s'étaient enfuis.»

Puis il expliqua pourquoi il avait demandé une indemnité de 35 000 $ pour l'aide qu'il avait fournie à Archibald durant la menace d'invasion des Fenians. Riel était alors à la tête de 250 hommes, Archibald avait donc intérêt à l'assurer de sa protection: «Tant que nous aurons besoin de lui, nous le protégerons. Mais dès que nous ne voudrons plus de lui et qu'il sera devenu inutile, il pourra bien retomber dans sa situation d'autrefois...»

Quelle fut sa récompense?... «Mon glorieux ami M. Blake... maintenant chef de l'opposition, ... lorsqu'il était ministre dans le Haut-Canada... a promis une récompense de 5 000 $ à qui arrêterait Riel...»

Lorsque Cartier perdit son siège dans Montréal-Est, on demanda à Riel de le laisser prendre le siège de Provencher, alors que Riel était certain d'y être élu. Comment le remercia-t-on?

Malgré toutes ces humiliations, ses revendications personnelles étaient toujours étroitement liées à celles des Métis, son peuple: «Je n'ai pas combattu seulement pour moi mais pour nos droits, pour l'acceptation du principe d'un gouvernement constitutionnel au Manitoba. Cela fut obtenu presque au même moment où je fus banni.»

Riel termina son discours en demandant encore une fois que l'on tienne compte des années écoulées entre 1870 et 1885. Il demanda à être examiné par des médecins, non pas pour évaluer sa santé mentale, mais plutôt pour jauger son honnêteté et sa sincérité. Il désirait établir qu'il n'était pas un imposteur comme l'impliquait le verdict, ce qui lui paraissait aussi perfide que l'affirmation qu'il n'était pas sain d'esprit. «Si j'ai erré, ce ne fut pas par imposture, mais pour suivre ma conscience[17].»

Le juré Edwin Brooks se souvint que durant son discours final, le visage de Riel s'illumina, en dégageant une extraordinaire impression de force. Il avait réussi à convaincre le jury qu'il était sain d'esprit. «Riel s'était acquis la sympathie des jurés par son attitude digne et la noblesse de son discours avant le prononcé de la sentence[18].»

Le juge Richardson ne put s'empêcher de jouer au prophète avant de prononcer la sentence: «Vos commentaires n'excusent aucunement vos gestes. Vous devez répondre de vos actes devant la loi et je ne peux vous laisser aucun espoir...»

Comment Richardson pouvait-il être si sûr de lui?

Vint alors la terrible sentence: «... que vous soyez conduit à la salle de garde de Régina, que vous y restiez jusqu'au 18 septembre prochain, qu'en ce 18 septembre vous soyez emmené à l'endroit désigné pour votre exécution et que vous soyez pendu par le cou jusqu'à ce que mort s'ensuive. Que Dieu ait pitié de votre âme[19].»

Riel se tenait droit et fier, le visage immobile. Quand Richardson eut fini, les épaules de Riel fléchirent légèrement et il pencha la tête. Mais il se ressaisit vite, fit un petit salut au juge et au jury et se tourna vers ses gardiens pour être escorté à la caserne de la Police montée. Il sortit la tête haute et les épaules droites, d'un pas ferme et régulier. En arrivant à l'extérieur, il tendit les poignets pour qu'on lui passe les menottes.

La séance était levée.

Pas de pardon

Environ un mois plus tard, le 28 août, John A. Macdonald écrivit au gouverneur général Lansdowne[20]:

L'affaire Riel sera soumise à la Cour du Banc de la reine le 2 septembre.

Cette cour ne peut le juger à nouveau mais peut, sur appel, se prononcer sur la juridiction de la cour locale et sur la légalité de ses débats... Si elle juge que l'appel est fondé, elle peut renvoyer Riel à Régina pour un deuxième procès.

Mais il est fort peu probable que la cour intervienne... Le jugement sera sans doute, et même certainement, rendu avec célérité. Ensuite, si le juge Richardson déclare, comme il se doit, qu'il est satisfait du verdict, il me semble que la sentence devra être exécutée.

Je ne crois pas que nous devrions, comme le ferait le tribunal, accorder un sursis avant la décision du comité judiciaire...

Votre Excellence établit une distinction entre la trahison, qui a des incidences politiques, et les autres crimes. Or, il y a trahison et trahison: toute résistance armée à l'autorité de la reine est en principe une trahison, mais peut n'avoir aucune signification politique. Si des complications internationales se manifestaient avec les États-Unis, la distinction se ferait évidente.

En 1838, l'incendie de la *Caroline* et l'arrestation de McLeod provoquèrent presque une guerre avec les États-Unis. Dans ce cas, les intérêts de l'Empire justifiaient – je devrais dire imposaient – une intervention du gouvernement britannique. Même chose lors des invasions des Fenians américains.

Mais ce soulèvement dans le Nord-Ouest n'était qu'une crise locale et ne devrait pas être élevée au rang de rébellion. [Ces mots furent écrits par celui-là même qui transforma l'incident du lac aux Canards en rébellion*.]

Les meurtres et émeutes reprochés à Riel sont d'une telle gravité qu'ils constituent en principe une trahison. Toute l'insurrection pourrait à juste titre être comparée aux émeutes de Rébecca survenues il y a quelques années en Angleterre, alors qu'il y eut résistance armée aux troupes de Sa Majesté et mort d'hommes. Ces troubles... furent, en principe, considérés comme une trahison mais, en réalité, il ne s'agissait que d'émeutes et de meurtres.

Le soulèvement métis a déchaîné les passions des anglophones à un point tel que le moindre signe de désir de la part du gouvernement pour faire appel à l'Angleterre entraînerait, à mon avis, des conséquences très graves et même catastrophiques, et nuirait considérablement aux relations amicales entre anglophones et francophones.

Il existe, il est vrai, une certaine sympathie pour Riel dans la province de Québec. Ceci est surtout dû aux manœuvres politiques du parti Rouge [libéral]. Le souvenir de leur propre soulèvement de 1837 et de leurs «martyrs» est encore vivace parmi la population du Québec pour qui la rébellion de 1869 avait les mêmes causes que leur propre guerre sainte.

Mais la tentative actuelle de raviver ces sentiments en faveur de Riel aura peu d'effet et sera de courte durée.

Les assassinats de prêtres, l'incitation d'Indiens au meurtre et au pillage, l'abjuration par Riel de la foi de ses pères ajoutée à sa lâcheté personnelle, empêcheront tout sentiment en sa faveur.

---

* N.D.A.

L'exécution de Riel est prévue pour le 18 septembre et, si nécessaire, le juge suppléant la reportera de son propre chef sans intervention directe de la part du gouvernement[21].

Lansdowne, dans sa réponse du 31 août 1885 à Macdonald, n'était pas d'accord pour considérer le soulèvement comme «une simple crise locale»:

> Le soulèvement fut limité sans doute à notre propre territoire et peut donc, effectivement, être décrit comme une crise locale; mais je crains que nous ayons tous fait l'impossible pour l'élever au rang d'insurrection et avec un tel succès que nous ne pouvons plus le réduire au niveau d'une simple émeute.

> Si la Police montée avait pu juguler le mouvement dès le début, il n'en aurait pas été de même, mais nous en sommes venus à deux doigts d'une guerre avec les Indiens. L'évolution et l'écrasement du soulèvement ont été décrits en termes retentissants par la presse du monde entier; nous avons recruté des troupes dans toutes les parties du dominion; ces troupes ont reçu les félicitations du Parlement et elles seront décorées d'une médaille impériale.

John A. Macdonald répondit le 3 septembre[22]:

> Je crains que vous n'ayez raison en ce qui concerne le caractère du soulèvement. Nous en avons certes exagéré les dimensions à l'intention du public. Nous l'avons fait, cependant, pour nos propres fins et, je crois, plutôt habilement.

> Dans ma lettre, j'ai simplement émis l'hypothèse suivante: les personnes qui subissent leur procès à Régina ne devraient pas être accusées de crimes politiques mais d'infractions aux lois locales.

> Je suis tout à fait d'accord avec Votre Excellence qu'il ne serait pas souhaitable, si le comité judiciaire recevait une demande d'appel, de hâter l'exécution afin d'empêcher cet appel.

> La suggestion de Votre Excellence de reporter l'annonce de votre décision, sans aucune intervention du gouvernement, semble être en l'occurrence la meilleure solution.

Je saurai gré à Votre Excellence de ne mentionner vos opinions à personne. Ces nouvelles se répandent d'une façon extraordinaire et, si l'on imaginait qu'il existât une quelconque intention de reporter l'exécution de la sentence, il y aurait, je le crains, en Ontario et dans le Nord-Ouest, une explosion d'indignation populaire qu'il vaudrait mieux éviter[23].

Rien ne porte à croire que Macdonald ou Lansdowne aient pris en considération la recommandation à la clémence faite par le jury. Au procès, ni le juge ni les avocats ne demandèrent aux jurés les motifs de leur recommandation. Ces motifs furent cependant connus du public grâce aux journaux.

Lemieux, Fitzpatrick et J.S. Ewart en appelèrent du verdict à la Cour du Banc de la reine du Manitoba. Ils n'y obtinrent pas plus de succès qu'à Régina. La Cour décida que le juge suppléant avait la compétence pour juger un homme accusé de haute trahison. Elle n'examina pas la preuve soutenant l'aliénation mentale de Riel.

Néanmoins, l'appel reporta l'exécution au 16 octobre.

Le second appel, au comité judiciaire du Conseil privé, entraîna un autre sursis tout en maintenant le verdict de Régina.

Lorsque les journaux canadiens firent état de toutes ces procédures, la réaction ne se fit pas attendre.

Les loges orangistes se réunirent pour exiger que Riel soit pendu. «Notre opinion, pouvait-on lire dans le *Orange Sentinel*, est qu'il est du devoir du gouvernement d'ignorer la recommandation à la clémence et de laisser la loi suivre son cours et ce, dans l'intérêt de l'ensemble du dominion... Il a commis un meurtre des plus infâmes, un meurtre atroce contre un loyal sujet protestant.»

Les Québécois considéraient Riel comme un des leurs; ils demandèrent sa grâce et formèrent un comité chargé de recueillir des fonds pour sa défense.

Des pétitions pour que Riel soit gracié arrivèrent de Londres, de Paris, de Whitehall dans l'État de New York, de Chicago en Illinois, de Saint-Louis au Missouri, de Holyoke au Massachusetts, de Nashua au New Hampshire, de Saint-Paul au Minnesota, des comtés de Clarence et Essex en Ontario et d'Ottawa. D'autres pétitions vinrent de tous les comtés et de toutes les agglomérations importantes du Québec; certaines d'entre elles furent présentées à Ottawa par des députés fédéraux et d'autres, par des députés québécois. Deux télégrammes signés respectivement par 17 députés fédéraux et 7 députés québécois furent envoyés à Macdonald.

Mais ce dernier resta inflexible. Ses ministres québécois, malgré un douloureux examen de conscience et même s'ils se rendaient compte qu'ils risquaient de perdre toute influence politique au Québec, ne démissionnèrent pas. Macdonald, lui, soupesa l'importance électorale respective de l'Ontario et du Québec. Selon le député Bergeron de Beauharnois, «ce fut une question de poids; le Québec pesant moins lourd dans la balance que l'Ontario, notre cause fut perdue.»

À court terme, Macdonald avait visé juste: «La condamnation de Riel est une bonne chose. Certains, au Québec, tentent d'exciter le patriotisme à son sujet, mais je ne crois pas que cela mène bien loin.»

Une mort sereine

Dans sa cellule, Riel passait son temps à griffonner des notes sur ses visions et sur ses prophéties. Les dimanches, il pouvait assister à la messe avec les autres détenus métis. Comme il avait exprimé le désir de réintégrer l'Église catholique, il se réjouit de pouvoir recevoir la sainte communion à nouveau. Durant les semaines qui suivirent le prononcé de la sentence, Riel était nerveux et inquiet. Il ne craignait cependant pas de mourir et il priait pour avoir une mort sereine – ce qui, pour lui, voulait dire accepter la volonté de Dieu, pardonner sans réserve à ses ennemis et être prêt, la conscience tranquille, à affronter le jugement de son Créateur.

Lorsque sa mère, son épouse et son frère vinrent lui rendre visite, il s'efforça de les consoler. Tous éprouvaient un chagrin sans bornes, mais Riel leur expliqua qu'il avait la chance de bien pouvoir se préparer à mourir: «Les autres vivent sans connaître l'heure de leur mort; moi, je connais la mienne[24].»

Riel accueillit mal la nouvelle du premier sursis que lui annonça le père André. Après s'être préparé pendant six semaines à affronter la mort le 18 septembre, le sursis lui apparut comme une prolongation de son supplice. Il écrivit à sa mère et à son épouse pour leur annoncer qu'il avait «encore 29 jours pour se préparer à la mort et jouir de la vie[25]».

Le père André se mit à espérer que Riel serait sauvé. Dans une lettre à monseigneur Taché, il parla de l'extraordinaire facilité de Riel à se faire des amis et le décrivit comme «un homme qui est en lui-même un véritable phénomène[26]».

Riel, lui, s'inquiétait plus pour sa femme et ses enfants que pour lui-même. Lorsqu'il apprit que Marguerite était souffrante, il composa cette prière: «Ô mon Dieu, si telle est votre volonté, aidez-nous à prolonger nos jours et à élever nos enfants pour Vous servir. S'il vous plaît, par Jésus, Marie et Joseph, accordez-nous la vie. Ô mon Dieu, sauvez ma chère épouse[27].»

Le père André demanda à être relevé de sa fonction de conseiller spirituel de Riel. Il regrettait de s'être opposé à lui et d'avoir signé une lettre où on s'objectait à toute clémence; il était terrifié à l'idée de devoir assister à la pendaison. Il décida finalement de rester et d'assister Riel du mieux qu'il le pouvait durant les derniers jours.

Le second sursis, décrété pour attendre le verdict du comité judiciaire du Conseil privé, retarda l'exécution du 16 octobre au 10 novembre et pendant que les Orangistes et les journaux ontariens redoublaient leurs appels à la pendaison, l'espoir que Riel soit gracié rejaillit à nouveau.

> Si les francophones (Langevin, Chapleau et Caron) devaient se retirer du gouvernement et provoquer sa chute, menaçait le *Toronto Mail*... nous, sujets britanniques, sommes convaincus qu'il serait nécessaire de refaire la Conquête; et le Bas-Canada peut être assuré qu'il n'y aurait alors pas de traité de 1763. Cette fois, le conquérant ne capitulerait pas[28].

À Montréal, *La Presse* écrivait:

> Riel n'a pas expié seulement le crime d'avoir revendiqué les droits de ses compatriotes; il a expié avant tout le crime d'appartenance à notre race... L'exécution de Riel abolit toutes les différentes politiques partisanes qui existaient auparavant.

Désormais, il n'y aura ni conservateurs, ni libéraux, ni Castors*. Il n'y aura plus que des patriotes ou des traîtres. Le parti de la nation et le parti de la corde.

On apprit la naissance du troisième enfant de Marguerite et la mort du nouveau-né quelques heures plus tard. Riel écrivit à sa sœur qu'il était affligé «jusqu'au plus profond de l'âme. Je ne peux que remercier le Seigneur qui, dans sa charité, a permis au bébé de vivre quelques heures, assez longtemps pour qu'il soit baptisé... Mon cher petit aura connu deux mondes en une seule journée; cette terre et l'au-delà. Il aura vécu juste assez longtemps pour recevoir le signe de notre foi.»

Après l'accouchement, Marguerite devint de plus en plus malade. Sa toux semblait ne jamais vouloir s'apaiser et elle crachait souvent le sang, symptômes caractéristiques de la tuberculose.

Quelque dix ans plus tard, le 24 mai 1896, le journal *Empire* publia un article basé sur une entrevue avec M. Hobbs, le gardien de Riel dans sa prison de Régina:

> L'épouse de Riel était une Crie au teint très foncé; elle avait toutes les caractéristiques d'une authentique Indienne. Elle était extrêmement fière, gentille et dévouée. Lors de sa dernière visite à son mari, elle était accompagnée de ses enfants. Le plus vieux, un garçon de neuf ans, éclata en larmes en voyant son père; elle lui rappela alors qu'un policier blanc les observait et il cessa immédiatement ses pleurs.
>
> Elle parla à Riel sur un ton grave, en langue crie, pendant près de deux heures et, lorsqu'elle se leva pour partir, le gardien se retourna pendant quelques instants. Elle fut très sensible à cette délicatesse et, en sortant, elle tendit la main et dit dans un bon anglais: «Vous êtes très bon. Je vous remercie.»
>
> Riel aimait beaucoup cette femme. Le matin de sa mort, il fit un paquet contenant quelques-uns de ses écrits et ses objets de valeur et laissa une note. Il désirait qu'on remette ce paquet à son épouse. Peu avant de monter sur l'échafaud,

---

* «Personne qui appartient au parti politico-religieux, qui ramène les questions purement politiques à des questions religieuses, tartufe politique.» – *Glossaire du parler français au Canada* (N.D.T.)

il déclara à Hobbs que son seul regret était de laisser sa femme et ses enfants dans le besoin.

En octobre, les appels à John A. Macdonald se firent plus nombreux et plus insistants, aussi bien des partisans de la mort de Riel que de ceux qui souhaitaient sa grâce. Ceux qui réclamaient sa mort insistaient sur le fait qu'il était sain d'esprit – assez, en tout cas, pour distinguer le bien du mal – et donc légalement responsable de ses actes. Ceux qui demandaient sa grâce soutenaient qu'il n'avait pas toute sa raison, que son crime était politique et que les témoignages avaient bien démontré que son dérangement était relié à des questions politiques. Pour toutes ces raisons il ne devait donc pas être exécuté.

Macdonald, par égards pour Langevin et Chapleau, accorda un troisième sursis jusqu'au 16 novembre. À la suite des protestations du public, trois médecins, les docteurs M. Lavell, du pénitencier de Kingston, F.X. Valade, d'Ottawa et A. Jukes, de la NWMP, furent chargés d'examiner Riel. Selon les directives de Macdonald, ces médecins devaient restreindre leur examen et leur diagnostic à l'état actuel de la santé mentale de Riel. S'ils déclaraient que Riel ne souffrait pas de folie furieuse et qu'il pouvait distinguer le bien du mal, il n'accorderait plus de sursis.

Toutefois, ce n'est pas ainsi que Macdonald présenta cet examen aux députés québécois et au grand public. Il le présenta comme un examen psychiatrique devant établir l'état mental de Riel au moment du soulèvement et par conséquent, s'il devait ou non être pendu. Une fois de plus, Macdonald, en politicien roublard, avait usé de supercherie. Avant même le court entretien des médecins avec Riel, ce dernier était déjà, aux dires de sir John, «un homme perdu».

Le docteur Jukes connaissait alors assez bien Riel et s'était pris d'affection pour lui. Il écrivit à Macdonald: «J'avoue que je serais heureux si la justice et les clameurs populaires pouvaient être satisfaites sans priver cet homme de la vie.» Jukes n'était pas psychiatre mais il était réaliste: son allusion à la «justice» et aux «clameurs populaires[29]» le montre bien. Le docteur Valade, dans son rapport, mit l'emphase sur les envolées obsessionnelles insensées de Riel, sur ses prophéties et ses fantasmes politiques, mais il ne put affirmer qu'il était incapable de distinguer le bien du mal.

Le docteur Lavell, tout comme Jukes, éprouvait de l'affection pour Riel; il le trouva lucide, brillant et attachant dans tous les domaines sauf la politique et la religion et il décrivit

> l'expression virile, le regard perçant et la conversation intelligente et agréable [de Riel]. Sa facilité à converser était remarquable et sa voix, exceptionnellement charmante, était capable de toutes les modulations. À certains moments, il se montrait irritable et enthousiaste, ce qui est caractéristique de sa race, alors qu'à d'autres moments, lorsqu'il parlait de sa situation actuelle, sa voix se faisait douce, mélodieuse, suave, fascinante au plus haut point; il savait s'attirer la sympathie de son interlocuteur[30].

Lavell écrivit qu'il était triste en quittant Riel: «Ma responsabilité face à son sort m'affligeait. Nos entretiens furent extrêmement intéressants. Il me faisait l'effet d'une personne remarquable...» Malgré tout cela, les médecins ne purent affirmer que Riel était incapable de distinguer le bien du mal.

G.R. Parkin, dans son livre *Sir John A. Macdonald*, écrit: «Il sera pendu, cria Macdonald, même si tous les chiens du Québec aboyaient en sa faveur.»

Le 6 novembre, Riel rédigea son testament.

> Je ne laisse à mes enfants ni or ni argent...

> Je pardonne de tout cœur [à ceux] qui m'ont persécuté, qui m'ont, sans aucune raison, fait la guerre pendant cinq ans, qui m'ont fait un semblant de procès, qui m'ont condamné à mort...

> ... Je remercie mon épouse d'avoir été si bonne et charitable envers moi, de m'avoir si souvent soutenu dans des travaux pénibles et dans des entreprises difficiles... Pardon pour le chagrin que je lui ai causé, volontairement et involontairement. Je lui confie le soin de nos enfants; je lui demande de les élever chrétiennement[31]...

Riel demanda au père André de voir à ce qu'il soit enterré aux côtés de son père dans le cimetière de Saint-Boniface.

Dimanche le 15 novembre, le père André apprit du commissaire A.G. Irvine que l'ordre d'exécution était arrivé d'Ottawa et que la pendaison aurait lieu le lendemain matin. Le religieux retourna à la cellule de Riel où Jukes vint rendre une dernière visite au prisonnier avec qui il conversa comme d'habitude.

Avant le départ du médecin, le commissaire Irvine et le shérif Chapleau se présentèrent. C'était le devoir du shérif d'informer le condamné que l'exécution aurait lieu à huit heures le lendemain matin.

Peu après minuit, Riel écrivit sa dernière lettre à sa mère:

> ... Chère mère, puissent les prières de votre fils aîné, puissent mes vœux et mes prières en tant que serviteur de Dieu monter jusqu'au trône de Marie toujours vierge et de saint Joseph, mon cher et grand protecteur; et puisse la miséricorde, la grande consolation de Dieu, être avec vous pour toujours...

> Le Seigneur m'aide à garder mon esprit aussi calme et paisible que l'huile dans un vase immobile.

> Je fais tout ce que je peux pour être prêt à toute éventualité, je conserve toujours mon calme, selon les pieuses recommandations du vénérable évêque Ignace Bourget.

> Hier et aujourd'hui j'ai prié Dieu de vous fortifier et de vous accorder tout son aimable réconfort pour que votre cœur ne soit pas troublé par la douleur et l'anxiété.

> Je vous embrasse tous avec la plus grande affection.

> Vous, chère mère, je vous embrasse avec tout le dévouement filial dont un fils peut être capable.

> Toi, ma chère épouse, je t'embrasse en mari chrétien, dans l'esprit catholique de l'union conjugale.

> Mes chers petits enfants, je vous embrasse en père chrétien, en vous souhaitant toute la miséCorde divine pour le présent et pour l'avenir.

> Vous, mes chers frères et sœurs, beaux-frères et belles-sœurs, neveux, cousins et amis, je vous embrasse tous avec toute la cordialité dont mon cœur est capable.

> Soyez heureuse,
> chère mère.
> Je suis votre fils affectueux, soumis et obéissant,

> LOUIS «DAVID» RIEL[32]

Les journalistes rapportèrent les moindres gestes de Riel à partir du moment où il apprit l'heure de l'exécution. Selon le *Regina Leader*, il mourut en homme brave et en chrétien. La plupart des autres journaux rapportèrent qu'il mourut courageusement, l'un écrivit: stoïquement.

Celui qui fut le plus près de lui au cours de sa dernière année, le père André, écrivit à l'intention de François Lemieux, un de ses avocats, un émouvant compte rendu de ses dernières heures:

Il fut profondément touché lorsque je lui appris toutes les démarches que vous avez entreprises pour le sauver de la pendaison; il fut surtout très ému lorsque je lui ai annoncé que M. Fitzpatrick, à peine revenu d'Angleterre, était accouru à Ottawa dans une dernière tentative pour lui venir en aide.

Mais rien au monde ne pouvait le sauver, John A. Macdonald était depuis longtemps décidé à le faire disparaître. Et les ministres canadiens-français, nos protecteurs naturels, se sont rapidement pliés à la volonté despotique de leur maître!

«Père André, m'a-t-il dit en me serrant dans ses bras, transmettez mon affection et ma gratitude à la population du Québec, à mes nombreux amis aux États-Unis et aux Irlandais du Canada, et assurez-les qu'au moment de mourir, Riel a eu une pensée pour eux tous et que mon dernier vœu est qu'ils ne m'oublient pas dans leurs prières...»

Riel est mort mais son nom survivra dans le Nord-Ouest longtemps après que celui de sir John, son implacable ennemi, aura été oublié et ce, malgré toutes les affirmations contraires de ses serviles flagorneurs...

Toute la nuit qui précéda sa mort, Riel ne montra pas le moindre signe de peur.

Et le religieux rapporte les paroles de Riel:

«Depuis 15 ans qu'ils me poursuivent de leur haine, ils ne m'ont pas encore fait renoncer et aujourd'hui moins que jamais, même au moment où ils me conduisent à l'échafaud. Et je leur suis infiniment reconnaissant de me libérer de cette affreuse captivité qui me pèse.

Bien sûr, j'aime mes parents, mon épouse, mes enfants, mon pays et mes compatriotes; la perspective de la liberté et de la vie parmi eux ferait bondir mon cœur de joie. Mais je suis horrifié à l'idée de passer ma vie dans un asile d'aliénés ou dans un pénitencier parmi la lie de la société, là où je serais forcé de supporter toutes sortes d'insultes. Étant donné mon actuelle disposition d'esprit, un autre sursis m'affligerait profondément...

Soyez tranquille, père André, je mourrai avec sérénité et avec courage...»

Le père André ajouta aussi:

Il manifesta la même courtoisie et la même gentillesse envers ses gardiens, et à ceux qui le lui demandaient, il écrivit volontiers quelques mots en guise de souvenir. Il est étrange et extraordinaire qu'il ait gagné l'estime et le respect de tous ceux qui l'approchaient. Quelque chose en lui commandait le respect et, bien qu'il fût poli, il ne devint l'intime de personne. Les policiers et les dames du fort compatissaient profondément à ses malheurs et sa mort provoqua la tristesse générale.

Il aurait souhaité être bien vêtu, puisqu'il avait si manifestement la vertu d'ordre et de propreté inscrite dans son cœur. Malgré la pauvreté de sa tenue, il marcha vers la mort dans des vêtements bien brossés et les cheveux bien peignés, car il avait le désir que sa propreté soit le symbole de la pureté de son âme.

À 8 h 15, le shérif adjoint parut à la porte de sa cellule, et comme il hésitait à livrer son funeste message, Riel vit combien il était douloureux pour M. Gibson de briser le silence et de prononcer les terribles paroles. Il parla alors d'une voix calme et impassible: «M. Gibson, vous venez me chercher? Je suis prêt.»

Sur ces mots, il sortit, traversa la salle de garde d'un pas régulier et gravit le long escalier dont vous vous souviendrez car on l'aperçoit en entrant dans cette salle. J'avais appréhendé ce moment, mais il grimpa les marches sans aucun signe de défaillance ou d'hésitation.

Face à l'échafaud, nous nous sommes agenouillés et nous

avons prié un moment. Il garda tout son calme et sa présence d'esprit.

Puis, il se leva, alla courageusement se placer sur l'échafaud et, avant d'être précipité dans l'éternité, il m'appela à lui une dernière fois, m'embrassa et me demanda de ne pas oublier de remercier M. et Mme Forget pour leur bonté envers lui. Comme je reculais, il se tourna et dit: «Courage, bon courage, mon père!»

Et alors qu'il recommandait son âme à Dieu et invoquait le Sacré Cœur de Jésus, Marie et Joseph, son invocation préférée, la trappe s'ouvrit et il disparut.

Sa mort fut presque instantanée, tranquille, paisible; ses traits restèrent sereins et son corps ne se tordit point...

Le shérif, son adjoint et même le bourreau (Jack Henderson) pleurèrent...

J'ai dû me démener un peu pour récupérer sa dépouille; le shérif Chapleau accomplit sa triste besogne avec une charité et un tact qui déjà auparavant avaient suscité la reconnaissance de Riel...

C'est seulement à minuit le mercredi, troisième jour après sa mort, qu'on me remit la dépouille de Riel. Il me fut impossible, malgré le vif souhait qu'il avait exprimé, de transporter son corps à Saint-Boniface.

Il serait long de raconter les difficultés que j'ai rencontrées pour lui fournir une sépulture chrétienne. Après que l'on m'eut remis le cercueil, nous l'avons ouvert pour nous assurer que l'on n'avait pas, comme le voulait la rumeur, scandaleusement outragé le corps.

Le shérif Chapleau, M. Davin, rédacteur en chef au journal The Leader, M. Forget, Bourget, Bonneau et d'autres citoyens étaient présents. Nous fûmes heureux de constater que le corps était intact et qu'il avait été religieusement respecté...

Au matin, un grand nombre de personnes, hommes et femmes, vinrent lui rendre leurs derniers hommages...

Le service funèbre a eu lieu hier à neuf heures. Plusieurs notables de la ville y étaient ainsi que le shérif Chapleau et tous les Canadiens de la région. Cependant, il m'est pénible de devoir mentionner que le juge Rouleau refusa de venir au service. Il est le seul dont le cœur n'ait pas été touché par la mort que connut Riel...1113.0

Le premier cercueil de Riel fut commandé et payé par les autorités de Régina. Deux jours avant la pendaison, deux menuisiers, S. Langdon et S.A. Dawson, l'avaient fabriqué avec des planches de pin. Il fut alors entreposé dans l'espace clos sous l'échafaud.

Après la pendaison, le corps de Riel fut détaché par des policiers qui le placèrent dans ce cercueil où il resta jusqu'à ce qu'il soit examiné quelques jours plus tard.

Il fut alors transporté à l'église catholique Saint Mary's de Régina où on le plaça dans une cavité creusée spécialement à cet effet à côté de l'autel. À minuit, le 25 novembre, le père André y célébra le service funèbre.

Quelques jours plus tard, le corps fut transporté de nuit à Winnipeg dans un wagon de marchandises. On le déposa alors dans un meilleur cercueil offert par les amis de Riel, et il fut exposé au domicile de sa mère. Plusieurs centaines d'amis, de parents et d'admirateurs vinrent prier au chevet du chef de la nation métisse.

Après quelques jours, le cercueil fut transporté en procession sur les épaules de notables métis, à six milles de là dans la cathédrale de Saint-Boniface où on célébra un autre service. Puis il fut enterré dans le cimetière de l'église aux côtés de ses parents.

Marguerite Monet Riel s'éteignit en 1886, moins de six mois après l'exécution de son mari. Leur fille, Angélique, qui souffrait des effets de la famine et de la tuberculose, habita chez le frère de Riel jusqu'à ce qu'elle meure, encore enfant, en 1896. Jean, le fils dont Riel était si fier, dut vivre sous le nom de Louis Monet, tant était détesté le nom de Riel. Il fut élevé à Montréal par des amis de la famille et il travailla au chemin de fer du Grand Tronc. Il mourut le 3 juillet 1908, sans enfant, laissant le Canada sans aucun descendant direct de l'un de ses plus grands héros.

Un héritage amer

Les Québécois avaient suivi de près les événements de Régina. Comment allaient-ils réagir? Le fondateur du Manitoba, le visionnaire qui avait voulu faire de l'Ouest une terre d'accueil et d'harmonie pour toutes les nations, Louis Riel, le Métis francophone, avait été pendu... tandis que l'un de ses plus proches camarades, Will Jackson, natif de Wingham en Ontario, avait été jugé aliéné et condamné à une légère sentence après avoir admis sa responsabilité dans l'insurrection; peu après, il avait pu s'enfuir avec la complicité apparente des autorités.

Le 16 novembre 1885, lorsque Riel fut exécuté, les Québécois furent scandalisés et révoltés. À la fois incrédule et abasourdi, le peuple descendit dans les rues de Montréal et de Québec. À Montréal, 15 000 personnes participèrent à une manifestation spontanée alors que les journaux demandaient aux députés fédéraux québécois de démissionner. On brûla l'effigie de Macdonald et les drapeaux du Québec furent mis en berne dans toute la province. *La Presse*, un quotidien à grand tirage, déclara: «Désormais, il n'y a plus ni conservateurs, ni libéraux, ni Castors*; il n'y a que des patriotes et des traîtres.»

Le *New York Herald*, dans un article daté du 16 novembre, décrivit les protestations:

> L'exécution de Riel a provoqué dans la ville une agitation plus grande que tout autre événement public ou politique depuis des années... Il est plus facile d'imaginer que de décrire l'intensité des sentiments antigouvernementaux dans cette ville où cinq habitants sur six sont des Canadiens français. Toute la journée, dans plusieurs quartiers, de nombreux drapeaux ont été mis en berne, certains d'entre eux bordés de crêpe noir, et plusieurs devantures de magasins étaient carrément tendues de noir. L'opinion qui prévaut parmi les Canadiens français est la suivante: sir John a sacrifié Riel pour des motifs politiques, car il craignait plus la perte de l'appui des Orangistes ontariens que l'hostilité de ses anciens partisans francophones du Québec. L'immense majorité de la population canadienne-française dénonce le gouvernement.

---

* Voir note à la p. 334.

La Société Saint-Jean-Baptiste du Québec, une société nationale qui regroupe 8 000 membres, doit se réunir mercredi pour protester énergiquement contre l'exécution. Les 55 membres de son comité exécutif étaient tous présents à la réunion d'aujourd'hui. Des discours violents ont été prononcés et c'est à l'unanimité qu'on a adopté la résolution de mettre le drapeau de la Société en berne pendant huit jours en signe de deuil pour la mort de Louis Riel.

Cet après-midi, les étudiants de l'université Laval ont formé un cortège et ils ont paradé dans les principales rues de la ville aux cris de «Pendons John A.» et «Vive Riel» et en chantant la *Marseillaise.*

Jamais, depuis 1837, l'indignation n'avait suscité une telle unanimité de pensée et d'action parmi les Québécois. Le 22 novembre 1885, six jours après la pendaison, une manifestation gigantesque rassembla la population de Montréal. Mais les trois personnages qui s'adressèrent aux 50 000 Québécois réunis au Champ-de-Mars étaient de peu d'envergure. Il était facile, en effet, à Wilfrid Laurier, F.X. Trudelle et Honoré Mercier de faire de beaux discours, une fois la bataille perdue.

Laurier y prononça sa fameuse phrase qui rappelait l'esprit des Patriotes de 1837: «Si j'avais été sur les bords de la Saskatchewan, j'aurais, moi aussi, épaulé mon fusil.» La foule réagit vivement par un tonnerre d'applaudissements. Mais Laurier, ce jour-là, n'avait d'autre but que de grossir les rangs du Parti libéral au détriment du Parti conservateur.

F.X. Trudelle, un dirigeant ultramontain, parla de l'unité de la nation canadienne-française et de l'Église catholique, chacune, disait-il, puisant sa force dans l'autre. En général, le clergé ultramontain appuyait plutôt le Parti conservateur; mais Trudelle, fanatique et rebelle, compara Riel au Christ et à Jeanne d'Arc, et il appela les Québécois à partir en croisade, l'épée dans une main et la croix dans l'autre, pour défendre le catholicisme dans l'Ouest.

Non seulement les ultramontains étaient-ils divisés sur la question de Riel, mais l'Église catholique devait encore une fois chercher à détourner le mouvement nationaliste à ses propres fins. Le clergé qui, en 1873, était allé jusqu'à menacer de refuser les sacrements à ceux qui osaient voter libéral, prit alors position en bloc contre Riel et en faveur des conservateurs et de sir John. Mais cela devait lui coûter la confiance de la population.

Le dernier orateur important, le libéral Honoré Mercier, utilisa l'indignation des Québécois comme un tremplin vers le pouvoir politique du Québec:

> Riel, notre frère, est mort, victime de son dévouement à la cause des Métis dont il était le chef, victime du fanatisme et de la trahison: du fanatisme de sir John et de ses amis; de la trahison de trois des nôtres qui, pour conserver leurs postes de ministres, ont vendu leur frère.

> Riel est mort sur l'échafaud comme les patriotes de 1837, en brave chrétien! En assassinant Riel, sir John n'a pas seulement frappé au cœur de notre race, il a aussi trahi la cause de la justice et de l'humanité...

> Le dernier cri de Riel a retenti tristement dans le monde entier... Et ce cri a eu le même effet et sur le ministre et sur le bourreau; tous deux, les mains souillées de sang, ont cherché à dissimuler leur honte. L'un dans une loge orangiste au son des hurlements satisfaits des fanatiques; l'autre (Macdonald), sur l'océan, pour ne pas s'entendre maudire par tout un peuple affligé...

> Nous avons maintenant trois choses à faire: tout d'abord, nous unir pour châtier les coupables; ensuite, briser l'alliance que nos députés ont conclue avec les Orangistes et, finalement, chercher une autre alliance plus naturelle et moins nuisible afin de sauvegarder nos intérêts nationaux...

> Nous savons que les Irlandais, qui sont les fils d'une race persécutée comme la nôtre, appuient notre protestation; nous savons que les Anglais, amis de la justice, et les Écossais, amis de la liberté, compatissent au malheur qui nous a frappés; nous savons également que c'est la trahison plus que le fanatisme qui a tué Riel...

> Ce n'est donc pas une guerre raciale que nous voulons; ce n'est pas un parti exclusivement canadien-français que nous demandons, mais une union de tous les amis de la justice et de l'humanité dont la cause sacrée a été bafouée par la mort de Riel.

> En ces temps funestes de naguère, alors que le souvenir des échafauds de 1837 étreignait les âmes les plus fortes, alors

que le fanatisme, comme aujourd'hui, réclamait le sang de
ceux qui avaient soif de liberté, deux hommes sont apparus
pour accorder cette liberté et refuser de verser le sang inutilement. C'était Baldwin et Lafontaine: l'Ontario et le Québec!

Mercier avait préparé pour cette assemblée des résolutions
appelant à la formation d'un parti national québécois, le *Parti
national*, dont il devait être le chef. Les politiciens québécois
libéraux et conservateurs s'opposaient farouchement à l'idée de
soustraire la politique québécoise à la mainmise directe des partis sous domination anglophone. Cependant, la pression populaire était alors si forte au Québec que le Parti national de Mercier
fut porté au pouvoir en janvier 1887. Par cette élection, le peuple québécois montra qu'il se considérait comme un peuple dis-
tinct.

Lorsque le Parlement reprit ses débats en 1886 à Ottawa, la
question de Riel fut la première à l'ordre du jour. Dans le but
d'empêcher les libéraux de continuer à exploiter la mort de Riel,
un conservateur canadien-français, Philippe Landry, présenta
une motion exprimant les plus profonds regrets pour l'exécution de Riel. Monseigneur Taché apparut dans la tribune des
visiteurs et, sans doute pour sauver la face de l'Église catholique, il conseilla publiquement aux conservateurs canadiens-
français de voter en faveur de la motion. Ce conseil malencon-
treux et opportuniste porta la rage des Orangistes à son
paroxysme: selon eux, c'était la preuve que l'Église catholique
menait le Canada. Les assassins s'excusèrent donc mais, de fait,
ils ne regrettaient rien.

Ambitieux et sans scrupules, Wilfrid Laurier prit la parole
en anglais, à la Chambre des Communes le 16 mars:

> Nous dire que Riel, pas sa seule influence, pouvait entraî-
> ner ces hommes paisibles dans une guerre, nous dire que
> ceux-ci n'avaient aucun grief et qu'ils ont été amenés à se
> révolter par pure malice ou par bête soumission à un aven-
> turier, cela constitue une insulte à la population en général
> et une injuste calomnie à l'endroit de la population de la
> Saskatchewan.

Laurier rappela alors que les Métis, qui étaient les premiers
colons sur les bords de la rivière Saskatchewan, avaient deman-

dé les titres de propriété des terres qu'ils occupaient. Ils avaient demandé le droit de s'établir sur d'autres terres au même titre que les nouveaux arrivants. Ils s'étaient fait dire qu'ils devaient, ou bien se considérer comme des Indiens et vivre dans des réserves, ou bien se considérer comme des Blancs et demander des concessions nouvellement arpentées.

Puis, après avoir posé une série de questions, Laurier poursuivit:

> J'affirme qu'ils [les Métis] ont été traités par ce gouvernement avec une indifférence équivalant à du mépris déclaré. Si cette rébellion a été un crime, j'affirme que la responsabilité de ce crime revient autant aux hommes qui l'ont provoqué par leur attitude qu'à ceux qui y ont pris part. Je dis: rendez justice à ces hommes, rendez-leur la liberté, rendez-leur leurs droits.

Ces belles paroles de Laurier n'étaient qu'un écran de fumée par lequel il camouflait ses propres gestes tout en s'appropriant l'héroïsme de Riel.

La mort de Louis Riel marqua effectivement le début de la fin du Parti conservateur au Québec. En dix ans, Laurier allait achever de le détruire et devenir Premier ministre du Canada. Depuis l'exécution de Riel ordonnée par sir John A. Macdonald, le Parti conservateur n'a plus jamais, et pour cause, joué un rôle important au Québec*.

Qu'est-il advenu de la déclaration de Laurier: «Rendez justice à ces hommes... Rendez-leur leurs droits»?

La charte des droits de la province du Manitoba, qui avait d'abord été rédigée sous le gouvernement provisoire de Riel, établissait un système d'écoles catholiques (françaises) et protestantes (anglaises) financées par des fonds publics. Vers 1890 cependant, seulement le tiers de la population du Manitoba était francophone et le gouvernement provincial libéral abolit les écoles confessionnelles.

Les Franco-Manitobains en appelèrent de cette décision au gouvernement fédéral. John A. Macdonald tenta alors de renvoyer la responsabilité de la décision au Conseil privé à Londres.

---

* Rappelons que l'édition originale de ce livre est parue en 1978. (N.D.T.)

Mais celui-ci se contenta de confirmer que le gouvernement fédéral pouvait remédier à la situation par une loi. Aux élections de 1896, une fois Macdonald disparu, Laurier assura aux Canadiens anglais qu'il n'avait pas l'intention de s'ingérer dans les affaires provinciales. Et il promit aux Québécois que les droits des minorités seraient protégés.

Devenu Premier ministre, il négocia un compromis avec les libéraux du Manitoba: il n'y aurait qu'un seul système scolaire, anglophone et protestant. Des exceptions seraient tolérées là où les enfants canadiens-français seraient en grand nombre; mais le temps et la difficulté de faire respecter leurs droits allaient les pousser à l'assimilation. Les Métis manitobains furent trahis par Wilfrid Laurier et les libéraux exactement comme ils l'avaient été par les conservateurs de Macdonald.

Au Québec, Mercier et son Parti national furent chassés du pouvoir à l'occasion d'un scandale entourant la construction du chemin de fer de la baie des Chaleurs. Tous les beaux espoirs soulevés par l'élection de 1887 s'écroulèrent. Il faudra attendre 50 ans avant que le peuple québécois ne recommence à faire valoir ses droits nationaux.

NOTES

1. Epitome of Parliamentary Documents, n° 43, p. 5.
2. *Ibid.*
3. *La Reine vs Riel.*
4. *Ibid.*
5. Epitome, n° 43, p. 54.
6. *Ibid.*
7. *Ibid.*
8. *Ibid.*, p. 147.
9. *Ibid.*
10. *Ibid.*
11. *Ibid.*, p. 176.
12. *Ibid.*, p. 191.
13. Epitome n° 43, pp. 191-199.
14. *Ibid.*, p. 199.
15. Entrevue avec Edwin Brooks.
16. Epitome, n° 43, p. 213.
17. *Ibid.*, pp. 213-220.
18. Edwin Brooks.
19. Epitome, n° 43, p. 225.
20. Pope, *Correspondence of Sir John A. Macdonald*, p. 354.
21. *Ibid.*
22. *Ibid.*, p. 357.
23. *Ibid.*
24. Lettre du 12 juillet 1885, Société historique de Saint-Boniface.
25. Collection Riel, Riel à Julie Riel, 17 septembre 1885, A.P.M.
26. André à Taché, 7 septembre 1885, Archives épiscopales de Saint-Boniface.
27. *Regina Leader*, 21 juillet 1885.
28. Collection Macdonald, vol. 108.
29. Collection Jukes, 9 novembre 1885, Glenbow Foundation.
30. Stanley, *Louis Riel*, p. 367.
31. *Ibid.*, p. 8.
32. Collection Riel, Riel à Julie Riel, 15 novembre 1885, A.P.M.

Conclusion

Pourquoi devrions-nous nous intéresser à Louis Riel et à son histoire? Pourquoi devrions-nous étudier et chercher à comprendre l'histoire en général? J'ai la conviction, pour ma part, que si nous comprenons mieux les efforts de ce peuple grand et admirable qui a bâti ce pays afin que nous puissions en profiter aujourd'hui, nous en serons enrichis.

Mais se pourrait-il que l'histoire se répète? Se pourrait-il qu'à l'encontre de toute logique, on reproduise sans cesse les mêmes erreurs?

Lors des soulèvements de 1870 et 1885, les nations métisse et indienne cherchaient à se faire reconnaître. Elles furent écrasées sous la botte des soldats britanniques en 1870; en 1885, ce furent les Canadiens qui les réprimèrent. À nouveau, de nos jours, les Métis et les autochtones revendiquent leurs droits nationaux et la propriété des terres que leur ont léguées leurs ancêtres. Se pourrait-il qu'un autre dirigeant de la trempe de Louis Riel surgisse dans leurs rangs?

Bibliographie

Livres

Adam, G. Mercer, *The Canadian North-West*, Rose Publishing Co., Toronto, 1885.

Anonyme, *Au pilori*, Imprimerie des Événements, Québec, 1874.

Anonyme, *Les Faits relatifs à l'administration des affaires des Sauvages au Nord-Ouest*, 1885.

Anonyme, *The Gibbet of Regina*, Thompson & Moreau, Printers and Publishers, New York, 1886.

Anonyme, *The Rebel Chief*, réimpression de A. Coles Bookstore, 1885.

Arthur, Sir George (éd), *The Letters of Lord and Lady Wolseley*, Doubleday, Londres, 1922.

Begg, Alexander, *The Creation of Manitoba*, A.H. Hovery, Toronto, 1871.

Begg, Alexander, *History of the North-West*, Hunter, Rose & Co., Toronto, 1894.

Bryce, George, *Early Days in Winnipeg*, Manitoba Historical and Scientific Society Transactions #461, Manitoba Free Press Print, Winnipeg, 1894.

Buckingham, William and Ross, Hon. Geo., *Hon. Alex Mackenzie*, Rose Publishing Co. (Ltd.), C.R. Parish & Company, Toronto, 1892.

Cameron, Wm. Bleasdell, *Blood Red the Sun*, The Wrigley Printing Co. Ltd., Vancouver, 1926.

Creighton, Donald, *John A. Macdonald*, Vol. I & II, Macmillan, Toronto, 1952.

Correspondence and Journal of Operations to the Red River Settlement, Harrison and Sons Printers, Londres, 1871.

Daoust, Charles R., *Cent vingt jours de service actif*, E. Senécal & Fils, Montréal, 1886.

D'artigue, Mons. Jean, *Sixty Years – The Canadian North-West*, Hunter, Rose and Company, Toronto, 1882.

Davidson, Wm., *The Life and Times of Louis Riel*, The Albertan, Calgary, 1951.

Denison, Colonel George T., *The Struggle for Imperial Unity*, Macmillan and Co. Ltd., St. Martin's St., Londres, The Macmillan Co. of Canada Ltd., Toronto, 1909.

Dugas, Abbé, *L'Ouest canadien*, Cadieux, Montréal, 1896.

Dugas, Abbé, *Le Mouvement des Métis à la Rivière-Rouge en 1869* , Montréal, 1905.

Elliot et Brokovshe, *Ambroise D. Lépine*, Burland – Desbarats Lithographics Co., Montréal, 1874.

Fremont, Donatien, *Les Secrétaires de Riel*, Les Éditions Chantecler Ltée, Montréal, 1953.

Gagan, David, *The Denison Family of Toronto*, University of Toronto Press, 1973.

Gagnon, Phileas, *Essai de bibliographie canadienne*, Québec, 1895.

Garrioch, Rev. A.C., *First Furrows*, Stovel Company Limited, Winnipeg, 1923.

Gowanlock, Theresa et Delaney, Theresa, *Two Months in the Camp of Big Bear*, «Times» Office, Parkdale, 1885.

Gray, John Morgan, *Lord Selkirk of Red River*, Macmillan, Toronto, 1964.

Gunn, Hon. Donald, *History of Manitoba*, Maclean, Roger & Co., Ottawa, 1880.

Hargrave, J.J., *Red River*, John Lovell, Montréal, 1871.

Healy, W.J., *Women of Red River*, Russel, Winnipeg, 1923.

Huyshe, Captain G.L., *The Red River Expedition*, Macmillan and Co., Londres et New York, 1871.

Leggo, William, *History of the Administration of the Earl of Dufferin in Canada*, Lovell Printing and Publishing Co., (G. Mercer Adam), Montréal et Toronto, 1878.

Le père Lacombe, imprimerie du Devoir, Montréal, 1916.

MacBeth, M.A., Rev. R.G., *The Making of the Canadian West*, William Briggs, Toronto, 1905.

Mackay, Douglas, *The Honourable Company*, Tudor Publishing Co., New York, 1938.

Macleod, Margaret Arnett, *Bells of Red River*, Stovel Company Ltd., Winnipeg, 1937.

Macoun, John, *Manitoba and the Great North-West*, The World Publishing Company, Guelph, Ontario, 1882.

Major Boulton on the North-West Rebellion, The Grip Printing and Publishing Co., Toronto, 1886.

Maurice, Sir F. et Arthur, Sir George, *The Life of Lord Wolseley*, Doubleday, Garden City, New York, 1924.

McDougall, John, *In the Days of the Red River Rebellion*, William Briggs, Toronto, 1903.

Morice, O.M.I. M.A., A.G., *Histoire de l'Ouest canadien*, Saint-Boniface, Manitoba, 1914.

Morris P.C., Hon. Alexander, *The Treaties of Canada with the Indians*, Belford, Clarke & Co. Publishers, Toronto, 1880.

Morton, W.L. (éd), *Alexander Begg's Red River Journal*, The Champlain Society, Toronto, 1956.

Morton, Desmond et Roy, Reginald H. (éds), *Telegrams of the North-West Campaign*, The Champlain Society, Toronto, 1972.

Mulvaney, Charles Pelham, *History of the North-West Rebellions of 1885*, A.H. Hovery & Co., Toronto, 1885.

O'Donnell, John H., Manitoba, Musson, Toronto, 1909.

Ouimet, Adolphe, *La Question métisse*, s.é., Montréal, 1889.

Pennington, J., *Sir John A. Macdonald*, Earle Publishing House, St. John, N.B., 1891.

Pope, Joseph, *Correspondence of Sir John A. Macdonald*, Doubleday, Toronto, 1921.

Rapport sur la répression de l'insurrection dans les Territoires du Nord-Ouest, Maclean, Ottawa, 1886.

Report of Militia and Defense Dept., Ottawa, 18 mai 1886.

Robertson, R.W.W., *The Execution of Thomas Scott*, Burns & MacEachern, Toronto, 1968.

Ross, Alexander, *The Red River Settlement*, Ross and Haines Inc., Minneapolis, Minnesota, 1957.

Selkirk's Settlement, (reprint) John Murray, Londres, 1817.

Sessional Papers (no 43) 49 Victoria 1886, *La vérité sur la question métisse*, Ouimet, Montréal, 1889.

Sessional Papers (no 45) 49 Victoria A 1886, imprimeur de la Reine, Ottawa.

Sessional Papers (no 52), Victoria A 1886, *Epitome of Parliamentary Documents North-West Rebellion 1885*, Maclean, Ottawa, 1886.

Sessons, Constance, *John Kerr*, Oxford Press, Toronto, 1946.

Shrive, Norman, *Charles Mair*, University of Toronto Press, 1965.

Souvenir Number of the Illustrated War News Parts I and II, Grip Publishing, Toronto, 1885.

Stanley, George F.G., *The Birth of Western Canada*, University of Toronto Press, 1963.

Stanley, George F.G., *Louis Riel*, Ryerson Press, Toronto, 1963.

Steele, C.B. M.V.O., Col. S.B., *Forty Years in Canada*, Dodd, Mead and Company, New York, 1915.

The Story of a Soldier's Life, Wolseley, Scribner, New York, 1903.

Tassé, Joseph, *Les Canadiens de l'Ouest*, 3e éd., Cie d'Imprimerie Canadienne, Montréal, 1878.

Willson, Beckles, *The Great Company*, Dodd, Mead & Company, New York, 1900.

Willson, Beckles, *The Life of Lord Strathcoma and Mount Royal*, Houghton Mifflin Company, Boston et New York, The Riverside Press, Cambridge, 1915.

Wood, Louis Aubrey, *Chronicles of Canada Red River Colony*, Brook & Company, Glasgow – Toronto, 1920.

Young D.D., Rev. George, *Manitoba Memories*, William Briggs, Toronto, 1897.

Brochures et articles

The Alberta Field Force of '85, Canadian North-West Historical Society Publications, vol. I, n° VII, Battleford, Saskatchewan, 1931.

Bowsfield, Hartwell, *Louis Riel*, John Deyell Limited, 1971.

C.A. Boulton, *Reminiscences of the North-West Rebellions*, Grip Printing, 1886.

Campbell, Sir Alexander, Rapport, *Le Cas de Louis Riel/The Case of Louis Riel*, imprimeur de la Reine, Ottawa, 1885.

Canadian North-West Historical Society Publications, vol I, n° V, Battleford, Saskatchewan, 1929.

Canadian North-West Society Historical Publications, vol I, n° VII, Battleford, Saskatchewan, 1931.

Centennial, 1853-1953 St. Peter's Church, St. Peter's Church, Plattsburgh, New York, copyright 1953.

Chevalier, O.M.I., Jules le, *Batoche*, L'Œuvre de Presse Dominicaine, Notre-Dame-de-Grâce, Montréal, 1941.

Curran, M.P., J.J., *Debate on Louis Riel*, 15 mars 1886.

Dempsey, Hugh A., *Crowfoot*, Hurtig Publishers, Edmonton, 1972.

Dépêches concernant la commutation de la sentence de Lépine, Maclean, Roger et Cie, Ottawa, 1875.

Diary of L.C.R. Cassels, North-West Field Force, Author's private collection, 1885.

Discours de l'Honorable M. Chapleau, Ottawa, 1885.

The Dominion Telegraph, Canadian North-West Historical Society Publications, vol. I, n° VI, Battleford, Saskatchewan, 1930.

Dugas, Abbé G., *The Canadian West*, Librairie Beauchemin, Montréal, 1905.

Dugas, Abbé G., *La Première Canadienne du Nord-Ouest*, Librairie Saint-Joseph, Cadieux et Derome, Montréal, 1883.

Gerein, Right Rev. Frank, *Outline History of the Archdiocese of Regina*, Peerless Printers Ltd., Regina, 1961.

Golden Jubilee Archdiocese of Regina, Regina, 1961.

Groulx, Lionel, *Louis Riel*, Éditions de l'Action nationale, 1944.

Jefferson, Robert, *Fifty Years on the Saskatchewan*, Canadian North-West Historical Society, vol. I, nº V, 1929.

La Reine vs Louis Riel, Rapport, imprimé par l'imprimeur de la Reine, Ottawa, 1886.

La Vérité sur la question scolaire du Nord-Ouest, Lavergne, Imprimerie nationale, 1907.

Lecompte P. Édouard S.J., *Sir Joseph Dubuc*, Imprimerie du Messager, Montréal, 1923.

Les seigneurs et les évêques, *Le Véritable Riel*, Imprimerie générale, Montréal, 1887.

Macpherson, *Faits pour le peuple, la rébellion du Nord-Ouest*, Toronto, 1887.

Message on Commutations of the Sentence of Death on Ambroise Lépine, Taylor Printing, Ottawa, 1875.

Morin, Wilfred, prêtre, *Nos droits minoritaires*, Éditions Fides, Montréal, 1943.

Morton, W.L., *The West and Confederation 1857-1871*, The Canadian Historical Association, Historical Booklet, nº 9.

Procès des personnes impliquées dans l'insurrection du Nord-Ouest, Maclean, Roger et Cie, Ottawa, 1886.

Report of the Delegates appointed to Negotiate for the Acquisition of Rupert's Land and the North-West Territory, Archives nationales, Ottawa, 1869.

Report of Major General Laurie, Maclean, Roger & Co., Archives nationales, Ottawa, 1887.

Riel, Louis «David», *Poésies religieuses et politiques*, Imprimerie l'Étendard, Montréal, 1886.

The Story of Kildonan Presbyterian Church, Wallington Press, Winnipeg, 1951.

Taché, Mgr Alexandre, *The Amnesty Again*, The Standard, Winnipeg, 1875.

Taché, Mgr Alexandre, *La Situation au Nord-Ouest*, Filteau, Québec, 1885.

Taché, Mgr Alexandre, *Vingt années de missions*, Librairie Saint-Joseph, Cadieux et Derome, Montréal, 1888.

Taché, Alexandre, Mgr, *Vingt-cinquième anniversaire de Sa Grâce*, Winnipeg, 1875.

Thompson, l'Honorable S.D., ministre de la Justice, *Discours sur la question Riel*, Ottawa, 1886.

Institutions

Archives photographiques nationales
rue Wellington
Ottawa (Ontario)

Innombrables photographies et documents relatifs aux événements de 1870 et 1885. Tous les documents de Louis Riel trouvés à Batoche.

Bibliothèque nationale du Québec
1700, rue St-Denis
Montréal (Québec)

Documents et photos des Canadiens français impliqués dans les événements de 1870 et 1885.

Bibliothèques publiques de Toronto
Service de référence
Toronto (Ontario)

Documents et livres en anglais sur les troupes canadiennes.

Douglas Library
Queen's University
Kingston (Ontario)

Papiers de Charles Mair et du Dr. Roddick.

Fort Qu'Appelle and LeBret Historical Society
Fort Qu'Appelle (Saskatchewan)

Les troupes canadiennes vers 1885.

Joseph Patrick Books
1600, rue Bloor ouest
Toronto (Ontario)
M6P 1A7

Particulièrement riche en livres et brochures rares.

Maison de l'archevêque
151, Avenue de la cathédrale
Saint-Boniface (Manitoba)
R2H 0H6

Dépôt principal de la correspondance du clergé local en 1885.

Musée de Batoche
Brian H. Pegg
Batoche (Saskatchewan)

Les événements de Batoche.

Parc historique national de Battleford
C.P. 479
Battleford (Saskatchewan)

Les événements de Battleford et du lac à la Grenouille.

Prince Albert Historical Society
C.P. 531
Prince Albert (Saskatchewan)

L'Union des cultivateurs; le soulèvement de 1885; les événements du lac aux Canards.

R.C.M.P. Museum,
Ed. McCann,
Deport Division,
Regina (Saskatchewan)

Documents, photographies et objets relatifs aux événements de 1870 et 1885.

William P. Wolfe Inc.
Pointe-Claire (Québec)

Documents et livres rares en français.

Abréviations

D.P.C. *Documents parlementaires canadiens*

A.P.C. *Archives publiques du Canada*

A.P.M. *Archives publiques du Manitoba*

A.P.S. *Archives publiques de la Saskatchewan*

Chronologie

1670
2 mai

Le roi Charles d'Angleterre accorde une charte au «Gouverneur et à la Compagnie des aventuriers et marchands anglais de la Baie d'Hudson».

1763

Traité de Paris. Conquête du Canada par l'Angleterre.

1783

Formation de la Compagnie du Nord-Ouest par des marchands de Montréal.

1812

Pour neutraliser l'influence de la Compagnie du Nord-Ouest, le comte de Selkirk, un important actionnaire de la Compagnie de la Baie d'Hudson, fonde une colonie sur les bords de la rivière Rouge; la plupart de ses membres sont des Écossais originaires des Highlands.

1816

Bataille de Sept-Chênes.

1821

Fusion de la Compagnie de la Baie d'Hudson et de la Compagnie du Nord-Ouest. Construction du premier fort Garry.

1844
22 octobre

Naissance de Louis Riel à Saint-Boniface.

1847
17 mai

Louis Riel père devient un héros en brisant le monopole de la Compagnie de la Baie d'Hudson.

1858
1er juin
Louis Riel quitte Saint-Boniface pour aller étudier à Montréal.

1861
Le «docteur» John Schultz se manifeste pour la première fois à Rivière-Rouge.

1864
février
Mort du père de Louis Riel.

1865
Louis Riel quitte le Collège de Montréal pour étudier le droit avec Rodolphe Laflamme.
Le gouvernement du Canada commence, sans la permission de la Compagnie de la Baie d'Hudson, des travaux d'arpentage en vue de la construction de la route de Dawson qui doit relier Port Arthur au fort Garry.

1866
Louis Riel se fiance à Marie-Julie Guernon mais le père de celle-ci s'oppose au mariage. Riel quitte Montréal pour Chicago, puis Saint-Paul au Minnesota.

1867
1er juillet
La Nouvelle-Écosse, le Nouveau-Brunswick, le Québec et l'Ontario s'unissent en Confédération par l'Acte de l'Amérique du Nord britannique.

1868
Fondation du mouvement «Canada First» à Toronto.
À Londres, Georges-Étienne Cartier et William McDougall négocient le transfert du Nord-Ouest au Canada.

28 juillet
Louis Riel, alors âgé de 24 ans, retourne à Saint-Boniface.

1869
À Ottawa, William McDougall est nommé lieutenant-gouverneur de la nouvelle Terre de Rupert.

9 mars
Vingt-huit représentants de la population du Nord-Ouest, qui n'a pas

été consultée sur les conditions du transfert du territoire, se rencontrent pour en discuter.

juin

Le Parlement britannique adopte la «Loi de la Terre de Rupert» en vertu de laquelle le Nord-Ouest devient partie intégrante du Canada, moyennant paiement de 300 000 livres.

octobre

Le colonel John Dennis et Charles Mair arrivent à Rivière-Rouge avec une des nombreuses équipes d'arpenteurs envoyées par le gouvernement du Canada.

Assemblées publiques des habitants en colère qui craignent de perdre leurs fermes.

1er octobre

Première date fixée pour le transfert de la Terre de Rupert et du Nord-Ouest au Canada.

11 octobre

Dix-huit Métis sans armes, conduits par Louis Riel, interrompent le travail de Webb et de ses arpenteurs sur les terres des Métis.

16 octobre

Lors d'une assemblée à Saint-Norbert, formation du Comité national des Métis. Le président en est John Bruce, le secrétaire, Louis Riel.

2 novembre

Quatorze Métis armés avisent McDougall qu'il doit quitter le Nord-Ouest avant neuf heures du matin. McDougall obtempère.

Riel et cent vingt Métis en armes occupent le fort Garry.

6 novembre

Riel invite les délégués des communautés anglophones et francophones à discuter de leurs revendications au fort Garry.

16 novembre

Mactavish, le gouverneur de la Compagnie de la Baie d'Hudson, émet une proclamation demandant à la population de mettre fin à ses «gestes et projets illégaux».

16-24 novembre

Assemblées pour élire des délégués de tous les districts, dans le but de former un gouvernement provisoire.

26 novembre

John A. Macdonald retarde la publication de la proclamation du transfert du Nord-Ouest au Canada.

27 novembre

Riel accepte un compromis lors d'une rencontre avec les Métis anglophones au fort Garry. Accord en vue d'un gouvernement provisoire.

30 novembre

À 23 h 30, McDougall quitte Pembina avec sa suite; il entre au Canada et, le 1er décembre, lit sa proclamation illégale où il «prend possession des Territoires du Nord-Ouest au nom du Canada».

1er décembre

Date prévue pour le transfert du Nord-Ouest au Canada.
Le colonel Dennis, chef arpenteur, est nommé «gardien de la paix» par McDougall. Il déménage son quartier général au sud de Winnipeg, dans le fort abandonné par la Compagnie de la Baie d'Hudson et entreprend de lever des troupes et d'armer des Indiens renégats.

4 décembre

La charte des droits est officiellement proclamée dans le district de Rivière-Rouge.

6 décembre

Une proclamation du gouverneur général John Young promet l'amnistie aux insurgés de Rivière-Rouge, qui n'en sont cependant pas avisés.

8 décembre

À deux heures du matin, les 47 occupants du «fort Schultz» sont emprisonnés au fort Garry.

10 décembre

Les Métis déploient le drapeau du futur gouvernement provisoire au-dessus du fort Garry, au son des coups de mousquet et de canon.

28 décembre

Donald C. Smith, dirigeant de la Compagnie de la Baie d'Hudson au Canada et agent de John A. Macdonald, arrive au fort Garry mais s'en voit interdire l'entrée.

1870
5 janvier

Le père Thibault et le colonel de Salaberry rencontrent le Conseil des Métis.

19 janvier

Plus de mille personnes participent à une assemblée au fort Garry où Donald Smith expose la position du Canada. Il fait -25

26 janvier au 10 février

Assemblées des délégués nommés le 20 janvier au fort Garry.

29 janvier

Une nouvelle charte des droits est rédigée.

10 février

Dissolution officielle du Comité national des Métis et formation du gouvernement provisoire dont Louis Riel est nommé président.
Monseigneur Taché arrive à Ottawa en provenance de Rome, à la demande de John A. Macdonald. Il est chargé d'offrir une amnistie totale aux Métis.

16 février

À Kildonan, après avoir été battu, le Métis Norbert Parisien abat accidentellement un colon anglophone, Hugh Sutherland.

18 février

À quatre heures du matin, les hommes armés du commandant Charles Boulton passent tout près du fort Garry et 47 d'entre eux sont capturés par Riel, y compris Thomas Scott et Boulton.

19 février

Boulton est condamné à être fusillé à midi. La sentence est reportée et ne sera jamais exécutée

26 février

Les paroisses anglophones élisent des représentants au gouvernement provisoire.

3 mars

Thomas Scott est condamné à mort au terme d'un procès présidé par Ambroise Lépine.

4 mars

Exécution de Thomas Scott.

11 mars

Monseigneur Taché informe Riel de l'amnistie générale promise par Macdonald.

23 mars

Les délégués métis quittent le fort Garry pour Ottawa.

4 avril

Norbert Parisien meurt des blessures infligées par Thomas Scott.

6 avril

À Toronto, assemblée anti-Riel organisée par le mouvement *Canada First* et la loge orangiste pour protester contre l'exécution de Scott.

9 avril

Louis Schmidt émet une «Proclamation aux habitants du Nord et du Nord-Ouest» signée par Louis Riel, annonçant des négociations et précisant que la loi et l'ordre seront maintenus par le gouvernement provisoire.

25 avril

Les délégués du gouvernement provisoire sont officiellement reçus par Macdonald et Cartier; une entente est conclue.

12 mai

La Loi du Manitoba est adoptée. Adams Archibald est nommé lieutenant-gouverneur du Manitoba et des Territoires du Nord-Ouest.

21 mai

Le colonel Wolseley et son état-major quittent Toronto pour une «mission de paix» dans le Nord-Ouest. Ils prennent le train à Collingwood.

20 juillet

Le capitaine Butler, agent de Wolseley, est arrêté au fort Garry puis relâché. Louis Riel fait distribuer une proclamation de Wolseley à Rivière-Rouge.

22 juillet

À Toronto, le mouvement *Canada First* organise une violente manifestation contre Riel.

24 août

Riel s'enfuit et les troupes de Wolseley entrent au fort Garry. Donald Smith est nommé lieutenant-gouverneur par intérim. Un mandat d'arrestation est émis contre Louis Riel.

1871
28 septembre

Lépine, Lagimodière et Nault rencontrent Riel chez lui à Saint-Vital pour discuter du raid sur Winnipeg projeté par les annexionnistes d'O'Donoghue.

3 octobre

Le lieutenant-gouverneur Archibald, sans armée, mobilise la population du Manitoba pour repousser les envahisseurs.

8 octobre

Le lieutenant-gouverneur Archibald passe l'armée métisse en revue et serre la main de son chef, Louis Riel, en le remerciant pour sa loyauté et son aide.

Novembre

À Ottawa, monseigneur Taché rappelle à Macdonald que Riel n'a pas été amnistié tel que promis.

1872
23 février

À la demande de monseigneur Taché, Riel s'exile volontairement à Saint-Paul, au Minnesota.

9 mars

Le Premier ministre de l'Ontario incite son gouvernement à offrir une récompense de 5 000 $ pour l'arrestation des personnes mêlées à la mort de Thomas Scott.

19 mars

Dans une déclaration faite sous serment, John Mager et William Devlin affirment que Schultz et Bown leur ont offert de l'argent pour voler des documents appartenant à Riel relatifs au soulèvement de 1870.

1873

Première pétition adressée par les Métis du Manitoba au gouvernement du Canada en rapport avec la distribution des terres. Toutes les pétitions présentées durant les 12 années suivantes seront ignorées.

20 mai

La mort de Cartier en Angleterre laisse le comté de Provencher vacant.

23 mai

Autorisation de former la *North West Mounted Police*.

14 septembre

Plusieurs partisans de Schultz au Manitoba signent un mandat d'arrestation contre Riel et Ambroise Lépine pour le «meurtre de Thomas Scott».

15 septembre

Les agents Kerr et Ingram, incapables de trouver Riel, arrêtent Ambroise Lépine dans sa ferme de Saint-Vital et l'emprisonnent au fort Garry.

13 octobre

Riel est élu par acclamation député du comté de Provencher au Parlement fédéral.

1874
13 février

Riel est élu à nouveau député de Provencher au cours d'une élection partielle.

14 février

Procès d'Ambroise Lépine pour le meurtre de Thomas Scott. Il est condamné à mort.

30 mars

Riel signe le registre des députés à Ottawa.

9 avril

Adoption d'une résolution expulsant Louis Riel de la Chambre des Communes.

21 mai

Travaux de la commission parlementaire chargée d'enquêter sur les troubles dans le Nord-Ouest.

3 septembre

Une fois de plus, Riel est élu *in absentia* député de Provencher. Il n'occupera pas son siège.

18 décembre

Riel déclare avoir appris de monseigneur Bourget qu'il a une mission à accomplir en ce monde. Il se considère comme le chef de la nation métisse.

1875
15 janvier

La sentence de Lépine est commuée en deux ans de prison, mais il perd tous ses droits civiques.

12 février

L'amnistie est accordée à tous les Métis sauf Riel, Lépine et O'Donoghue. Riel est banni du Canada pour cinq ans. Il est expulsé du Parlement une troisième fois.

juin

Un groupe de marchands indépendants se plaint de l'établissement par Dumont d'un gouvernement local à Batoche et Saint-Laurent dans les Territoires du Nord-Ouest.

1878
avril

Louis Riel se fiance à Évelina Barnabé de Keeseville, dans l'État de New York. Mais il la quitte et va habiter dans une communauté métisse à Sun River, dans le Montana.

1880
21 octobre

Le Canadien Pacifique entreprend la construction d'un chemin de fer transcontinental.

1881
28 avril

Mariage, dans la tradition des Prairies, de Riel et Marguerite Monet Bellehumeur.

1882
4 mai

Naissance de Jean Riel.

15 octobre

Évelina Barnabé écrit à Riel pour lui demander comment il a pu se marier alors qu'il était toujours fiancé avec elle.

1883
Mai

Louis Riel est engagé comme enseignant à l'école de la mission de Saint-Pierre, au Montana.

17 septembre

Naissance de Marie-Angélique, deuxième enfant de Riel, à la mission de Saint-Pierre.

1884
Printemps

Assemblées des Métis francophones et anglophones de la région de Prince Albert – Batoche. Les modérés l'emportent sur les radicaux et une délégation est envoyée chez Riel au Montana.

30 mars

Le gouvernement du Canada nomme un comité pour enquêter sur les troubles dans le Nord-Ouest.

5 juin

Louis Riel et sa famille partent pour Batoche avec la délégation métisse.

27 juin

Louis Riel s'arrête d'abord à l'anse aux Poissons où il est accueilli par 50 charrettes bondées de Métis.

8 juillet

Premier discours public de Riel à Batoche.

11 juillet

Riel rencontre les colons anglophones.

19 juillet

Riel s'adresse à une foule de colons blancs et métis enthousiastes à Prince Albert.

8 août

Le chef Gros Ours tient une réunion secrète avec d'autres chefs.

21 août

Riel et Gros Ours se rencontrent secrètement dans la pharmacie de T.E. Jackson à Prince-Albert.

septembre

Une charte des droits accompagnée d'une pétition est envoyée au gouvernement canadien.

24 septembre

Colons anglophones et francophones forment l'Union métisse de Saint-Joseph.

16 décembre

Les Métis envoient une autre pétition à Ottawa.

1885
28 janvier

Nolin reçoit un télégramme d'Ottawa l'informant que la pétition a bien été reçue et qu'une commission sera nommée.

24 février

Au cours d'une assemblée démocratique, les Métis anglophones et les Blancs de Prince-Albert demandent à Riel de rester et de devenir leur chef et représentant.

mars

Le détachement de la police de Battleford reçoit des renforts composés de quatre officiers et 86 cavaliers.

10 mars

Les Métis entreprennent une neuvaine à Batoche dans l'espoir que Dieu les aidera à régler leurs problèmes avec le gouvernement canadien.

15 mars

Riel défie le clergé sur la question du droit des Métis à recourir aux armes.

17 mars

Les Métis sont alarmés par les rumeurs voulant que la NWMP ait traversé la rivière Saskatchewan-Sud afin de les écraser.

19 mars

Proclamation du gouvernement provisoire de la nation métisse.

21 mars

Riel envoie une lettre au commandant Crozier exigeant la reddition du fort Carlton.

22 mars

Une missive annonce à Ottawa que Louis Riel et une bande 400 hommes ont saisi des sacs de courrier près du lac aux Canards. Les Métis arrêtent Burbidge pour avoir affiché une proclamation de Crozier près du même endroit.

24 mars

Une lettre des colons anglophones de Batoche représentés par Thomas Scott appuie Louis Riel et sa stratégie.

26 mars

Bataille du lac aux Canards. Alors que les hommes de Dumont parlementent avec les policiers commandés par Crozier, «Gentleman» Joe McKay abat un Indien sans armes du nom d'Assywin et tue Isidore Dumont. Les Métis mettent la NWMP en déroute et dispersent les volontaires de Prince Albert. Riel empêche ses hommes de tirer sur les policiers en fuite. Macdonald apprend que le Canadien Pacifique ne recevra plus de prêts.

28 mars

Middleton arrive à Qu'Appelle et divise sa troupe en trois colonnes:
– la première, basée à Qu'Appelle, constitue la principale force de frappe et elle est sous ses ordres;
– la deuxième, dirigée par le colonel Otter, est postée à Swift Current;
– la troisième, commandée par le général Strange, est basée à Calgary.

30 mars

Après 15 ans de pétitions métisses, le gouvernement canadien nomme une commission pour enquêter sur leurs revendications.
Les cinq Métis tués au lac aux Canards sont enterrés à la mission de Saint-Laurent.

2 avril

À 1 heure du matin, quatre Indiens, dont Petit Ours, pénètrent dans le wigwam d'Isidore Mondion et le ligotent.
À 4 heures, Imasees et Chapaquocase entrent dans la chambre de Quinn par la fenêtre.
À 6 heures, les Indiens emmènent les Delaney chez Quinn.
À 6 h 30, Esprit Errant entre chez Quinn et lui demande de le suivre.
À 7 heures, Cheval Qui Marche conseille à Cameron de fuir, mais il est trop tard. Imasees et vingt Indiens s'emparent du poste de traite.
À 7 h 15, prêtres et Blancs assistent à la messe sous la surveillance de Gros Ours et Esprit Errant.
À 8 heures, Gros Ours ordonne à ses braves d'aviser Cameron qu'ils vont s'emparer des marchandises.
À 9 heures, les pères Marchand (du lac à l'Oignon) et Fafard, Henry Quinn, Ours Jaune et Cameron prennent leur petit déjeuner.
À 9 h 30, Gros Ours entre chez les Delaney pour les prévenir que certains jeunes Indiens veulent tuer des Blancs.
À 10 h 15, début de la tuerie de lac à la Grenouille.
À 10 h 45, Esprit Errant se vante d'avoir tué Quinn.

3 avril

Riel et les Métis quittent Carlton pour Batoche.
Middleton quitte Qu'Appelle pour Humboldt avec une partie de son armée.
Le chef sioux Bonnet Blanc, à la tête de 60 Indiens et Métis, campe à Batoche près de la rivière, dans la plaine derrière la maison d'Emmanuel Champagne.
Le colonel Otter entreprend de franchir les 325 km qui séparent Swift Current de Battleford.

15 avril

McLean, principal agent de la Compagnie de la Baie d'Hudson au fort Pitt, y fait son apparition pour discuter avec Gros Ours et Esprit Errant, mais il est fait prisonnier. Les employés civils de la Compagnie et leurs familles abandonnent ensuite le fort à Gros Ours pendant que les agents de la NWMP s'enfuient sur la rivière à bord d'un chaland.

24 avril

À l'anse aux Poissons, les Métis l'emportent sur les troupes, pourtant supérieures en nombre, de Middleton.

28 avril

Riel dirige personnellement les travaux de fortification entrepris par Gabriel Dumont à Batoche.
Otter, parti de Swift Current, arrive à Battleford pour se rendre compte que la ville, en fait, n'était pas assiégée.

1er mai

À 15 heures, Otter quitte Battleford avec 300 hommes équipés de deux canons et d'une mitrailleuse Gatling dans le but de surprendre Faiseur d'Enclos et sa bande. Il tombe dans un piège lors de la seconde bataille de la colline de Couteau Coupé et il est repoussé; bilan: sept morts et 14 blessés.

7 mai

La troupe de Middleton quitte l'anse aux Poissons pour Batoche et campe à la traverse de Gabriel.

9 mai

À 5 heures, les soldats se mettent en route pour Batoche.
À 6 heures, le *Northcote* quitte la traverse de Gabriel, mais il est mis hors de combat par les tireurs métis et par... le câble du bac.
À 8 heures, l'attaque de Batoche commence. Le canon met le feu à une maison de ferme.
À 9 heures, prêtres et religieuses accueillent les hommes de Middleton.
À 4 heures, les troupes gouvernementales commencent à installer leur «zareba» à environ un kilomètre et demi de Batoche.
Au village, les prisonniers sont gardés dans la maison de Boyer et dans la cave du magasin.

10 mai

La bataille se poursuit. La nuit venue, l'armée se replie dans la zareba.

11 mai

Neuf soldats de Middleton sont tués, 30 sont blessés.

12 mai

À 10 heures, un petit groupe de soldats quitte le campement de Middleton et se prépare à attaquer sur deux fronts.
Faiseur d'Enclos quitte la colline de Couteau Coupé avec l'intention de rejoindre la bande de Gros Ours.

13 mai

Riel laisse sa femme et ses enfants chez Moïse Ouellette. Dumont conduit sa femme chez son père et part pour les États-Unis avec Michel Dumas.

15 mai

Louis Riel se rend.

17 mai

Riel quitte Batoche pour la dernière fois, à bord du *Northcote*.

20 mai

Il arrive à Saskatoon d'où on le conduit en train à Régina.

23 mai

À Battleford, Faiseur d'Enclos se livre à Middleton. Riel arrive à Régina en train spécial.

24 mai

Gros Ours et sa bande abandonnent le fort Pitt après l'avoir incendié.

26 mai

Cent cinquante Métis se livrent à la police de Battleford. Une bande de Cris des bois et de Cris des plaines, campée à la butte aux Français, est prévenue de l'arrivée du Régiment de campagne de l'Alberta commandé par le commandant Steele. Esprit Errant se prépare au combat. Dumont et Dumas arrivent au fort Assiniboine où ils sont emprisonnés par la cavalerie américaine. Ils sont reçus en héros et on leur fournit nourriture et vêtements.

31 mai

Gros Ours et sa bande quittent la butte aux Français à la hâte et battent en retraite vers le sud-est en abandonnant de nombreuses provisions.

9 juin

Incapables de traverser les tourbières et le deuxième gué du lac Loon, les soldats de Middleton abandonnent la poursuite de Gros Ours.

22 juin

Vingt-deux prisonniers de Gros Ours arrivent au fort Pitt.

1er juillet

Gros Ours, son plus jeune fils, Cheval Enfant, et un conseiller se livrent à la police.

6 juillet

Riel est officiellemet accusé de trahison par Alexander Stewart.

28 juillet

Début du procès de Riel.

30 juillet

Les avocats de Riel amorcent leur défense.

1er août

À 2 h 15, le jury commence à délibérer. À 3 h 15, il rend un verdict de culpabilité accompagné d'une recommandation de clémence.
Riel est condamné à mort.

9 septembre

Les avocats de Riel en appellent à la Cour du Banc de la reine.

22 septembre

Esprit Errant est accusé, en cour criminelle de Battleford, d'avoir tué Thomas Truman Quinn, agent des Affaires indiennes à Lac-à-la-Grenouille. Il ne nie pas les faits.

23 septembre

Procès et condamnation de Louis Mongrain, Charlebois et Homme Élégant.

1er octobre

Procès et condamnation de l'Indien Autour Du Ciel.

2 octobre

Procès et condamnation de Mauvaise Flèche et Homme Misérable.

5 octobre

Procès et condamnation d'Homme Dépourvu De Sang, Itka, Mus sin-ass, Co-pin-ou-waywin, Peeyay-chew et Wahpia.

8 octobre

Procès et condamnation de Corps De Fer.

9 octobre

Procès et condamnation de Petit Ours.

16 octobre

Deuxième date fixée pour l'exécution de Riel.

24 octobre

Les avocats de Riel en appellent au Conseil privé.

10 novembre

Troisième date prévue pour la pendaison de Riel.

16 novembre

À 5 heures, Riel se lève et assiste à une messe spéciale célébrée dans la prison.

À 7 heures, le père McWilliams, qui a étudié avec Riel à Montréal, arrive pour la cérémonie des derniers sacrements.

À 8 heures, le shérif Gibson se rend à la cellule de Riel pour le conduire à l'échafaud. Riel répond immédiatement qu'il est prêt.

À 8 h 18, le bourreau Jack Henderson, adversaire acharné de Riel, exprime sa haine au moment d'actionner le levier.

À 8 h 22, le coroner H. Dodds déclare Riel mort.

27 novembre

À 8 heures, Esprit Errant et sept autres Indiens sont pendus au fort Battleford. Madeleine Welkey, épouse de Gabriel Dumont, meurt au Minnesota.

12 décembre

Funérailles de Louis Riel dans la cathédrale de Saint-Boniface.

1886
avril

Marguerite Monet Riel, épouse de Louis Riel, meurt.

1906
19 mai

Dumont est enterré à Batoche.

1923
8 juin

Mort d'Ambroise Lépine.

Lieux à visiter

BATOCHE, SASKATCHEWAN

Parc provincial de la Saskatchewan. Les excavations où se trouvaient la zareba de Middleton et les tranchées des Métis sont identifiées.

Le presbytère est devenu un musée. À côté du presbytère se trouve l'église de Saint-Antoine et, de l'autre côté de la rue, se trouve le cimetière où sont enterrés Gabriel Dumont et quelques-uns des Métis tués au cours de l'insurrection.

Le conservateur du musée pourra vous conduire à l'emplacement du village de Batoche, environ un kilomètre et demi plus loin au bord de la rivière Saskatchewan-Sud. Il vous montrera les fondations de la maison de Xavier Batoche et la cave où Riel gardait ses prisonniers.

En passant par Batoche, ne manquez pas d'aller voir le pont de Gabriel, là où Dumont avait sa ferme et son bac. Une quinzaine de kilomètres plus au sud se trouve le lieu de la bataille de l'anse aux Poissons.

BATTLEFORD, SASKATCHEWAN

Au fort Battleford, ne manquez pas de vous faire montrer l'endroit où huit guerriers furent pendus ainsi que leur tombe anonyme (cet endroit n'est pas identifié). Très belle exposition d'objets amérindiens.

BELLEVILLE, ONTARIO

Musée de la Société historique de Belleville. À voir entre autres: une pipe offerte à Riel par les Métis en signe de reconnaissance; uniformes et photographies des volontaires ontariens de 1885.

CALGARY, ALBERTA

Fondation Glennbow. Documents, objets et photographies appartenant à l'histoire de l'Ouest et à l'époque de Riel.

DUCK LAKE (LAC AUX CANARDS), SASKATCHEWAN

Petit musée agricole. Si possible, demandez à Fred Anderson, qui habite à cet endroit, de vous conduire à l'emplacement de la bataille du lac aux Canards et de vous y indiquer les endroits intéressants.

FROG LAKE (LAC À LA GRENOUILLE), ALBERTA

Petit musée et cimetière. On peut s'y rendre après un long trajet sur une mauvaise route à partir de Battleford.

KINGSTON, ONTARIO

Bibliothèque de l'université Queen's. Photographies du docteur Roddick et de Charles Mair et documents personnels de Mair.

OTTAWA, ONTARIO

La section des documents des Archives nationales renferme la collection la plus complète qui soit de documents personnels de Riel, y compris les documents saisis par le capitaine Peters à Batoche.

La section des photographies des Archives nationales renferme la collection la plus complète de photographies originales et de dessins reliés aux deux soulèvements métis. Sur demande, il est possible de consulter la collection complète de photographies originales prises par le capitaine Peters au cours du soulèvement de 1885.

Le Musée national de la guerre possède une collection de fusils, munitions, médailles et uniformes de soldats canadiens. On y trouve aussi la mitrailleuse Gatling utilisée par le capitaine Howard à Batoche. Ces objets ne sont pas toujours exposés, mais on peut facilement obtenir la permission de les examiner.

PRINCE ALBERT, SASKATCHEWAN

Musée de Prince Albert. Quelques objets et photographies. On y trouve les photographies originales de Will Honoré Jackson et de «Gentleman» Joe McKay. On peut aussi y voir le revolver que ce dernier utilisa pour tuer Assywin le 26 mars 1885, ce revolver duquel partit le coup qui déclencha l'insurrection.

QUÉBEC, QUÉBEC

Archives de la province de Québec. Lettres, documents et objets, comme la croix que tenait Riel sur l'échafaud.

RÉGINA, SASKATCHEWAN

Musée de la GRC. Plusieurs objets et documents ayant appartenu à Riel, à la NWMP et aux autochtones. Demandez au conservateur adjoint de vous montrer l'endroit où fut pendu Riel. (La place de l'échafaud n'est pas identifiée.)

TORONTO, ONTARIO

Archives de l'Ontario. Mouvement *Canada First*, affiches, proclamations, photographies militaires et documents ayant appartenu aux avocats qui intervinrent dans les procès reliés aux événements de 1870 et de 1885.

Bibliothèque publique de Toronto. Livres publiés en 1870 et 1885 sur tous ces événements; un drapeau ayant flotté sur Batoche et un microfilm de journaux torontois de l'époque où l'on parle de Riel.

Casa Loma. Musée militaire, au troisième étage. Menottes portées par Riel; une mèche de ses cheveux, prélevée après sa mort et la cagoule qu'on lui passa juste avant la pendaison. Photographies de soldats ayant combattu les Métis.

WINNIPEG, MANITOBA

La maison en rondins de Riel, sur le chemin de la rivière.

Le parc de la cathédrale de Saint-Boniface et la tombe de Louis Riel près de celle de ses parents.

Les meules du moulin de son père.

L'ancienne résidence des Sœurs, devenue un musée, possède des photographies et de nombreux objets intéressants.

Les archives de la paroisse de Saint-Boniface sont une source inépuisable de correspondance religieuse; ouvert au public sur rendez-vous seulement.

Musée de la Compagnie de la Baie d'Hudson, dans le principal magasin de la Compagnie à Winnipeg. Sur rendez-vous, il est possible de consulter une très intéressante collection de photographies.

Table des matières